L'EXPRESS EDITIONS

Au catalogue
Le Guide du CV et de la lettre de motivation
Réussir ses entretiens d'embauche
Réussir les tests de sélection
5 Outils pour bien gérer sa carrière
Devenez fonctionnaire à 20, 30, 40 ans et plus…
S'installer et travailler au Québec

À paraître en 2003
Le Guide de l'expatriation
Reprendre ses études

Laurence Nadeau

S'installer et travailler au Québec

L'EXPRESS
EDITIONS

Sommaire

S'installer et travailler au Québec

Le Québec vous intéresse ?

De nombreux Français ont été séduits par le Québec et cela depuis fort longtemps. N'étaient-ce pas des colons français qui s'installèrent en Nouvelle-France, il y a quatre cents ans ? Aujourd'hui, la France et le Québec se sont retrouvés après quelques siècles d'éloignement. À elle seule, Montréal regroupe l'une des plus fortes concentrations de Français hors de France.

Porte de l'Europe sur le nouveau continent, la Belle Province est pourtant une terre bien américaine. Les Québécois, peuple majoritairement de langue française, sont avant tout des Anglo-Saxons dans l'esprit, même si leur cœur a parfois des inclinations latines. Certes, il existe une culture francophone commune et des liens historiques évidents, mais le Québec doit s'apprivoiser comme une culture distincte. Ce constat serait plus simple à faire si les Québécois parlaient une autre langue. Cette langue à la fois commune et différente, parfois source de malentendus.

On trouve au Québec une autre façon de travailler, de s'exprimer dans la vie de tous les jours, de vivre en communauté, mais aussi d'entretenir une relation particulière avec l'espace, la nature et l'histoire. Les références ne sont pas les mêmes non plus dans les expressions et les préoccupations politiques et jusque dans des sujets légers comme l'humour et la séduction.

Ce guide très pratique vous aidera, nous l'espérons, à préparer votre installation et aussi votre rencontre avec cette autre culture.

Bienvenue dans un monde décidément différent !

Laurence Nadeau

PARTIE 1

Préparer
son départ

Tout séjour à l'étranger se prépare avec soin. Pensez à amorcer vos démarches et à vous organiser au moins un an à l'avance. Parfois plus, selon vos plans. Pour réussir au mieux son installation, il faut se préparer psychologiquement, tout en effectuant les démarches administratives pour obtenir le visa, se renseigner sur la culture locale – par curiosité naturelle mais aussi pour minimiser les surprises –, organiser son déménagement. Cette préparation est également nécessaire pour un séjour plus court au Québec, dans le cadre d'un échange ou d'un stage, par exemple. En effet, si la langue et l'histoire rapprochent naturellement la Belle Province de la France, n'oubliez pas qu'il s'agit d'un autre monde, d'une autre culture.

Sommaire

Premier contact avec le Québec

Deuxième plus grand pays au monde après la Russie, le Canada s'étend sur 10 millions de kilomètres carrés. Le Québec est la plus grande des dix provinces canadiennes (il y a aussi trois territoires dans le nord du pays, le Nunavut, les Territoires du Nord-Ouest et le Yukon). Il représente à lui seul trois fois la superficie de la France et 54 fois celle de la Belgique. Selon les données du dernier recensement du 21 mai 2001, le Canada comptait 30 007 094 habitants, dont 7 237 479 vivaient au Québec. Les Québécois représentent donc aujourd'hui 24 % de la population canadienne, contre 29 % au début des années

Québec : fiche d'identité

- **Langue officielle : français**
- **Superficie : 1 640 581 km^2**
- **Population : 7 237 479 habitants**
- **Capitale : Québec**

- **Devise : Je me souviens.**
- **Monnaie : le dollar canadien.**
- **1 euro = 1,6 dollar canadien.**

LE CANADA : UN PAYS SÛR

SELON LES STATISTIQUES du ministère de la Sécurité publique du Québec, le taux de criminalité est en constante diminution dans la province, particulièrement depuis le milieu des années 1990.

LA MOYENNE PROVINCIALE était de 5 673 crimes par tranches de 100 000 habitants en 2001. Les trois quarts des infractions au code civil sont des vols d'une valeur inférieure à 5 000 $ CAN, des entrées par effraction, des vols de véhicule à moteur et des voies de fait.

LE CANADA, OÙ LE PORT D'UNE ARME EST PROHIBÉ, est beaucoup plus sûr que les États-Unis. Dans les années 1990, le taux d'homicides aux États-Unis était le triple de celui du Canada... et les deux tiers de ces homicides impliquaient des armes à feu.

COMME DANS DE NOMBREUX PAYS INDUSTRIALISÉS, les personnes âgées vivent de plus en plus longtemps. Au Québec en 1999, l'espérance de vie à la naissance a grimpé à 78,5 ans, soit 81,5 ans pour les femmes et 75,4 ans pour les hommes.

1960. Le Canada est aussi l'un des pays les moins denses au monde avec trois habitants au kilomètre carré, alors que ce chiffre s'élève à 230 habitants au kilomètre carré en Allemagne et 107 en France.

DE GRANDS ESPACES NATURELS

Le Québec est entouré, à l'ouest, par la province canadienne de l'Ontario et la baie d'Hudson ; au sud par les États-Unis (états de New York, du Vermont, du New Hampshire et du Maine) et la province canadienne du Nouveau-Brunswick ; à l'est par le golfe du Saint-Laurent et les provinces maritimes dont celle de Terre-Neuve ; et au nord par le détroit d'Hudson. Le fleuve Saint-Laurent qui est le plus long cours d'eau en Amérique du Nord est la voie maritime qui a permis le développement du Québec, de l'implantation des premiers colons à l'industrialisation. Il se jette dans l'océan Atlantique. Le Québec possède un million de lacs et des milliers de rivières, la forêt recouvre plus de la moitié du territoire. Le Canada possède la plus grande réserve d'eau douce, à lui seul le Québec recèle 16 % des eaux douces au monde.

La population québécoise se concentre au sud de la province, non loin de la frontière américaine, c'est-à-dire essentiellement autour des rives nord et sud du fleuve Saint-Laurent. Le Québec et l'Ontario constituent les deux provinces les plus peuplées du Canada. Ils représentent aussi le centre industriel et manufacturier du Canada, produisant plus des trois quarts de tous les biens fabriqués dans le pays.

Les villes québécoises comme toutes les villes nord-américaines sont dessinées sur des plans droits, un quadrillage nord-sud. À Montréal, la rue Saint-Laurent divise la ville d'est en ouest. Ainsi le 2330, boulevard de Maisonneuve-Est, n'est pas la même adresse que le 2330, boulevard de Maisonneuve-Ouest.

Un grand système parlementaire

Au niveau politique, le Canada est un système parlementaire inspiré de ses origines britanniques. Il existe trois niveaux différents de gouvernement au Canada : l'état fédéral, les provinces et les territoires.

Le pouvoir central de la capitale fédérale Ottawa comporte une Chambre des communes et un Sénat. Le pouvoir central du Québec compte une Chambre des communes appelée l'Assemblée nationale. Le gouvernement fédéral d'Ottawa concède aux provinces certains pouvoirs et juridictions dans des domaines spécifiques comme ceux de la santé et de l'éducation. Chaque province a sa propre capitale : dans la Belle Province, c'est la ville de Québec. La constitution canadienne exige des élections tous les cinq ans pour renouveler le pouvoir central, c'est-à-dire les membres de la Chambre des communes. La même règle s'applique au Québec. Les gouvernements ne sont pas limités par un nombre déterminé de mandats au pouvoir.

Les principaux partis politiques au Canada sont : le Parti libéral, le NPD (Nouveau Parti démocratique), les conservateurs, l'Alliance canadienne et le Bloc québécois. Au Québec, les trois principaux partis provinciaux sont le PQ (Parti québécois), le PLQ (Parti libéral du Québec) et l'ADQ (Action démocratique du Québec). Le chef de l'État canadien est la Reine d'Angleterre, même si elle règne et ne gouverne pas. Elle délègue son pouvoir au gouverneur général du Canada. On retrouve son effigie sur la monnaie canadienne.

DES PEUPLES AUTOCHTONES AU QUÉBEC MODERNE, CINQ SIÈCLES D'HISTOIRE

Les peuples autochtones ont été les premiers habitants du pays. Aujourd'hui encore, d'un océan à l'autre, plus de 53 langues indigènes sont toujours parlées. Plus de 60 000 autochtones habitent le territoire québécois. La population amérindienne compte dix nations distinctes : les Abénakis, les Algonquins, les Attikameks, les Cris, les Hurons-Wendats, les Malécites, les Mohawks, les Montagnais, les Micmacs et les Naskapis. Les Inuits, pour leur part, sont représentés par plus de 8 000 habitants, éparpillés dans le grand nord québécois.

Au moment où les Européens mettent le pied pour la première fois sur le territoire, les Amérindiens et les Inuits sont donc déjà là depuis des millénaires. Avant la découverte officielle de l'Amérique, les Vikings et les Basques ont déjà navigué dans les eaux du Saint-Laurent. Ils pêchaient la morue et chassaient la baleine. Selon le dernier recensement canadien, datant de 2001, les peuples autochtones représentent 3,3 % de la population totale du Canada.

La Nouvelle-France : 1534 à 1760

Le 24 juillet 1534, lors de son premier voyage outre-Atlantique, Jacques Cartier débarque à Gaspé, où il y plante une croix et prend possession du territoire au nom du roi de France, François Ier. Le 2 octobre 1535, Jacques Cartier se rend jusqu'à Hochelaga (future Montréal) et baptise la montagne « labourée et fort fertile » au centre de cette île le Mont Royal.

En 1603, Samuel de Champlain prend possession de Terre-Neuve et de l'Acadie. Le 3 juillet 1608, il débarque au pied du cap Diamant et fonde la ville de Québec. Un an plus tard, le territoire prend le nom de Nouvelle-France. Dès le début du XVIIe siècle, Samuel de Champlain organise de nombreuses explorations pour découvrir de nouvelles terres. Il crée des alliances avec des Amérindiens, notamment avec les Montagnais et les Hurons alors que les Anglais créent des ententes avec les Iroquois et les Mohawks. Le 5 octobre 1612, Champlain devient lieutenant du vice-roi en Nouvelle-France. En 1625, les Jésuites arrivent sur le territoire pour convertir les autochtones.

Le 29 avril 1627, afin de développer le potentiel économique du territoire, le cardinal de Richelieu fonde la Compagnie de la Nouvelle-France (ou des Cent-Associés). Cette compagnie privée regroupe cent marchands et aristocrates. Elle détient alors le monopole de la traite des fourrures et développe le régime seigneurial en Nouvelle-France. La compagnie s'engage à amener 300 colons par année jusqu'en 1643.

En 1634, Nicolas Goupil, sieur de La Violette, fonde la ville de Trois-Rivières, à l'embouchure du fleuve Saint-Laurent et de la rivière Saint-Maurice. L'année suivante, les Jésuites fondent le Séminaire de Québec. En 1639, c'est au tour des Ursulines de créer une école pour les jeunes filles à Québec.

En 1642, la ville de Montréal est fondée par Paul de Chomedey de Maisonneuve et Jeanne Mance, une infirmière partie comme lui l'année précédente de La Rochelle. Leur projet est de construire des établissements pour des missionnaires au Canada. Appelée Ville-Marie, Montréal se résume à son origine à un fort, un hôpital géré par Jeanne Mance, une grande maison et une chapelle appelée Notre-Dame.

En 1663, Colbert nomme des gouverneurs pour administrer la Nouvelle-France. Afin de stimuler l'implantation de colons, la France finance l'installation de centaines de femmes célibataires communément appelées « les filles du Roy ».

En 1670, les Anglais fondent la Compagnie de la baie d'Hudson (aujourd'hui le magasin La Baie) et s'engage avec la France dans une guerre commerciale sur la fourrure qui prendra fin en 1713. Pendant ce temps, en Europe, un autre conflit se déroule concernant la succession d'Espagne. Les Anglais obtiennent par le traité d'Utrecht l'Acadie, Terre-Neuve et la Baie d'Hudson. Le territoire de la Nouvelle-France se trouve limité aux rives du Saint-Laurent.

Les rivalités continuent de s'accentuer entre Français et Anglais. En 1759, la bataille des Plaines d'Abraham à Québec fait tout basculer. La célèbre défaite de la France devant l'envahisseur anglais marque la fin du régime français. En pleine guerre de Sept Ans, les Anglais conquiè-rent la Nouvelle-France. Les chefs Montcalm et Wolfe sont tués lors de l'affrontement. Québec capitule le 17 septembre 1759. En 1760, Vaudreuil signe la capitulation de Montréal, c'est ainsi que prend fin le règne français en Amérique.

LE RÉGIME ANGLAIS (1760-1867)

La bataille des Plaines d'Abraham est un tournant majeur pour la colo-nie de la Nouvelle-France. Un an après la conquête anglaise, la colonie se vide de son élite économique, qui décide de rentrer en France. En 1763, avec le traité de Paris, la France concède la Nouvelle-France à l'Angleterre. Désormais, les Anglais tiennent les rênes du pouvoir éco-nomique et politique de la région. Des immigrants anglais, irlandais et écossais accourent s'installer dans le Nouveau Monde.

La colonie française devient britannique, mais soucieux de ne pas atti-ser davantage les révoltes, les Anglais permettent aux habitants de conserver la religion catholique. Ainsi en 1774, juste avant la guerre de l'indépendance américaine (1775-1783), l'Angleterre octroie l'Acte de Québec qui remet officiellement en vigueur les lois françaises et le catholicisme.

En 1783, la guerre de l'Indépendance américaine prend fin avec le traité de Versailles. Débute alors l'immigration des Loyalistes (fidèles au roi d'Angleterre) des États-Unis au Canada. Ces nouveaux venus ne veulent pas être soumis au code français et exigent des institutions semblables à celles laissées derrière eux.

C'est ainsi qu'en 1791, l'Acte constitutionnel voit le jour, celui-ci divise le Canada en deux parties : le Bas-Canada (Québec) et le Haut-Canada (Ontario). Chacun a le pouvoir d'élire ses députés et d'édicter ses lois.

En 1834, le Parti patriote remporte une éclatante victoire aux élections du Bas-Canada (futur Québec) avec, à sa tête, Louis Joseph Papineau. Il présente ses « 92 résolutions » qui exigent plus de pouvoir par rapport à l'Angleterre. En 1837, devant le refus de Londres de prendre en considération les résolutions, les Patriotes tiennent des assemblées publiques partout dans la province. La révolte des Patriotes éclate dans le Bas-Canada en 1837 et 1838 : des villages sont brûlés. Suite aux rébellions des Patriotes, Lord Durham dépose son rapport dans lequel il souhaite que les habitants du Bas-Canada (donc le Québec) « délaissent la langue française au profit de la langue de son conquérant, l'anglais ». Il espérait qu'avec l'union des deux Canada, les francophones assimileraient rapidement la langue anglaise.

En 1840, Londres impose la loi de l'Acte d'Union afin de contrôler les révoltes des Canadiens français. Cette loi crée le « Canada uni » qui amoindrit le pouvoir des francophones puisqu'ils deviennent minoritaires. La langue anglaise y devient la seule langue officielle, la langue française est bannie du Parlement et des organismes gouvernementaux. En 1848, la langue française sera de nouveau reconnue.

LA NAISSANCE DU CANADA (1867-1924)

Pour unifier davantage la colonie, le 1er juillet 1867 naît officiellement le Canada avec l'entrée en vigueur de l'Acte de l'Amérique du Nord britannique, qui réunit quatre provinces : le Québec, l'Ontario et les deux provinces maritimes de la Nouvelle-Écosse et du Nouveau-Brunswick. Cet acte a été voté par le parlement britannique à Londres. Rapidement, d'autres provinces s'ajouteront à cet acte, le Manitoba (1870), la Colombie-Britannique (1871), l'île du Prince-Édouard (1873), l'Alberta et le Saskatchewan (1910) et Terre-Neuve (1949). L'enseignement du français est aboli ou réduit dans de nombreuses provinces du pays, sauf au Québec.

Jusqu'au début du XXᵉ siècle, la vie économique de la province du Québec est étroitement liée à l'agriculture et à l'industrie forestière. Par la suite, le processus d'urbanisation s'accélère et la croissance du secteur manufacturier attire les ruraux vers les villes. De nombreux immigrants d'Europe affluent vers le Québec. En 1914, la Première Guerre mondiale éclate en Europe : en 1918, le gouvernement canadien impose la conscription obligatoire à tous les habitants. Des émeutes éclatent au Québec pour protester contre l'obligation de se battre sous la couronne britannique.

En 1918, le gouvernement fédéral du Canada donne le droit de vote aux Canadiennes, mais ce n'est qu'en 1940 que les Québécoises pourront voter au niveau de leur province. En 1931, l'Angleterre confère au Canada le statut de pays indépendant avec le traité de Westminster. La Seconde Guerre mondiale éclate et, cette fois-ci, le Canada entre en guerre aux côtés des Alliés en tant qu'État indépendant.

En 1942, lors d'un plébiscite pancanadien, les Québécois s'opposent à la conscription, mais une majorité de Canadiens se prononcent en sa faveur. Pendant la Seconde Guerre mondiale, plus d'un million de Canadiens et de Terre-Neuviens (Terre-Neuve rejoint le Canada en 1949) sont partis combattre en Europe. 45 000 d'entre eux sont morts et 55 000 ont été blessés.

LE QUÉBEC MODERNE

En 1936, Maurice Duplessis devient Premier ministre du Québec. Son régime, interrompu pendant la Seconde Guerre mondiale, durera près de vingt ans jusqu'à sa mort en 1959. Duplessis et son parti, l'Union nationale, marquent

profondément leur temps en défendant farouchement les valeurs agricoles et religieuses avec un pouvoir omniprésent de l'Église. En 1948, un collectif d'artistes signe le « Refus global » afin de dénoncer le conformisme artistique et moral au Québec. C'est en 1939 que le Québec choisit de nouvelles armoiries et sa devise nationale « Je me souviens ». En 1948, sous Duplessis, le Québec adopte le drapeau québécois fleurdelisé.

La mort de Duplessis et l'élection des libéraux de Jean Lesage en 1960 annonce des temps nouveaux pour le Québec. C'est le début de la « Révolution tranquille » où la société québécoise vit des changements considérables dans tous les secteurs. L'enseignement devient mixte, gratuit et laïc ; la société se décléricalise. La protection sociale est mise en place. L'énergie hydroélectrique est nationalisée avec Hydro-Québec. La culture, le syndicalisme, les mouvements indépendantistes, féministes et sociaux prennent de l'ampleur.

De nouveaux partis politiques voient le jour tels le RIN (Rassemblement pour l'indépendance nationale) en 1960 et le PQ (Parti québécois) de René Lévesque en 1968. Montréal accueille le monde entier avec son exposition universelle Expo 67. Au même moment, le président français, Charles de Gaulle lance son « Vive le Québec libre ! » du balcon de l'hôtel de ville de Montréal.

En 1970, un groupuscule nationaliste déclenche la crise d'Octobre, il s'agit du FLQ (Front de libération du Québec). Le ministre québécois du Travail est retrouvé mort. Le Premier ministre canadien, Pierre E. Trudeau, décrète la Loi des mesures de guerre et envoie l'armée sur le territoire québécois. Des centaines d'arrestations sans mandat sont effectuées. Le 15 novembre 1976, le parti indépendantiste de René Lévesque prend le pouvoir. Il adopte l'année suivante la Loi 101 qui vise à protéger et renforcer la présence du français à l'école et au travail.

Pour en savoir plus sur l'histoire du Québec

- *Brève histoire du Québec,* J. Hamelin, Boréal, 1987.

- *Brève histoire de Montréal,* P.-A. Linteau, Boréal, 1992.

- *Le Québec : un pays, une culture,* F. Tétu de Labsade, Boréal, 1990.

- *Histoire du Québec contemporain,* tomes 1 et 2, P-A Linteau, J.-C. Robert, R. Durocher et F. Ricard, Boréal, 1989.

- *Une histoire du Québec,* J. Lacoursière, Septentrion, 2002.

En 1980, les Québécois votent non à près de 60 % au projet de « souveraineté-association ». Les discussions constitutionnelles et les mésententes entre le Québec et le gouvernement fédéral sont de plus en plus importantes sur la scène politique québécoise et canadienne. En 1982, on rapatrie la Constitution canadienne (c'est-à-dire qu'on applique la Constitution modifiée de Londres, en Angleterre, à Ottawa, au Canada) malgré le désaccord du Québec. En 1990, c'est l'échec de l'accord constitutionnel du lac Meech qui voulait reconnaître le statut distinct du Québec et la création du parti indépendantiste le Bloc québécois pour représenter le Québec à Ottawa. En 1995 un deuxième référendum sur la souveraineté du Québec se solde par 49 % des Québécois votant oui au projet d'indépendance.

LE BILINGUISME : MYTHE OU RÉALITÉ ?

L'histoire du Canada, animée par ses deux peuples fondateurs, les Anglais et les Français, en fait officiellement un pays bilingue. Pourtant, selon le recensement de 2001, 18 % des citoyens se disent bilingues, le bilinguisme demeurant principalement l'affaire des francophones du pays et des anglophones du Québec. Au Québec, 37 % des habitants sont bilingues. Pour leur part, les francophones du reste du pays sont bilingues à 85 %. Le bilinguisme progresse très peu chez les anglophones à l'extérieur du Québec, et on note même une régression chez les jeunes âgés de 10 à 19 ans. Les francophones représentent actuellement 23 % de la population canadienne. Et cette population francophone diminue régulièrement hors du Québec, s'assimilant de plus en plus pour passer à l'anglais, le plus souvent lors d'un mariage avec un conjoint anglophone.

LES LANGUES PARLÉES AU QUÉBEC

Le Québec, l'une des 10 provinces canadiennes, a fait du français la langue officielle de la province avec la Loi 101 de 1977. Instaurée par le Parti québécois et son chef René Lévesque, elle vise à protéger et à promouvoir la langue française à l'école, au travail et dans l'affichage commercial.

Plus de 80 % des Québécois parlent le français à la maison et dans la vie de tous les jours. Les Québécois de langue anglaise représentaient, en 2001, 8,3 % de la population. Leur nombre s'érode lentement, alors que la part des allophones, ces immigrants dont la langue maternelle n'est ni le français ni l'anglais, grossit chaque année au Canada et à Montréal (10 % au Québec).

C'est à Montréal qu'on s'exprime le plus en anglais. Sur l'île même de Montréal, les francophones représentent 53 % des résidents, les anglophones 18 %, le reste étant la population allophone. Une nouvelle génération d'enfants voit ainsi le jour à Montréal : il s'agit d'enfants trilingues qui s'expriment en français, en anglais et dans la langue de leurs parents. Selon le dernier recensement, les langues parlées à Montréal outre le français et l'anglais, sont l'italien, l'arabe, puis l'espagnol.

Le français du Québec

Les Québécois utilisent de nombreux anglicismes, surtout à Montréal où se côtoient les communautés anglophone et francophone. Avant la Loi 101 de 1977 et la législation sur l'utilisation de la langue au travail, l'anglais, langue des employeurs à l'usine, était omniprésente dans les entreprises et les Québécois francophones durent utiliser de nombreux termes anglais. Le Québec et la France ne partagent pas les mêmes anglicismes. Ainsi, au Québec, on dira « nettoyeur » pour pressing et « fin de semaine » pour week-end mais aussi, « cute » pour mignon ou « all-dressed » pour tout garni. Paradoxalement, les Québécois, ardents défenseurs de la langue française, sont dérangés par les anglicismes des Français. En fait, au Québec, l'utilisation de mots anglais est un symptôme d'aliénation, de colonisation et non synonyme de mode ou de modernité comme en France.

Les Québécois, tel le village gaulois d'Astérix, sont sur le qui-vive face à l'envahisseur. En effet, lors de la colonisation britannique, les habitants de la Nouvelle-France ont pu garder leur religion et leur langue, aujourd'hui, les quelques millions de Québécois baignent dans le continent nord-américain peuplé de 300 millions d'anglophones. Ainsi, pour eux, la France, le pays francophone par excellence, se doit de rester forte face à ce fléau. Le Québec va même jusqu'à pousser à la francisation à outrance, en indiquant par exemple sur les panneaux de signalisation routière « Arrêt » plutôt que « Stop ».

▌Les mentalités

« Les Québécois sont des Nord-Américains qui parlent le français, mais qui ont quelques volets sociaux de plus que les Américains, résume Jean Bourrette, chargé des relations publiques dans une

LE FRANÇAIS DU QUÉBEC

C'EST DANS LA NOUVELLE-FRANCE que la langue française s'est uniformisée pour la première fois, bien avant de l'être en France. En effet, pour se comprendre, ces Français venus de plusieurs régions, surtout de l'ouest et du nord de l'Hexagone, devaient trouver un terrain d'entente. Après la colonisation anglaise, les habitants de l'ancienne Nouvelle-France ont pu garder la langue française et la religion catholique. La langue parlée au Québec a évolué à 7 000 kilomètres de la France et de l'Académie française. Quand on arrive au Québec, certains ont l'impression d'arriver dans un village gaulois, tel le village d'Astérix.

Achaler : déranger
Asteure (« À cette heure ») : maintenant
Avoir de la misère : avoir des difficultés
Babillard : tableau d'affichage
Barrer : fermer à clé
Baveux : arrogant
Bec : un baiser
Blonde : petite amie
Capoter : paniquer
C'est tiguidou : c'est parfait
Chicane : querelle
Char : voiture
Chum : amoureux ou ami
Courriel : e-mail
Croche : de travers
Dépanneur : petit magasin
Dispendieux : cher
Écœurant : peut être très positif ou négatif
Être tanné : en avoir marre
Être fin : être gentil
Être chaud : être saoul
Frette : très froid
Foufounes : fesses
Garoucher : lancer
Liqueur : boisson gazeuse
Magané : abîmé
Magasinage : shopping
Maringouin : type de moustique
Niaiseux : stupide
Pantoute : pas du tout
Patente : chose
Piastre : dollar
Placotter : jaser
Plate : ennuyeux
Pas pire : pas mal
Quétaine : plouk, ringard
Robineux : clochard
Ruine-babine : harmonica
Se faire passer un Québec : se faire avoir
Souffleuse : chasse-neige
Téteux : lèche-bottes
Tomber en amour : devenir amoureux
Tuque : bonnet chaud
Et évitez de crier au square « Où sont les gosses ? » compris au Québec, comme « Où sont les testicules ? »

Pour en savoir plus sur la langue québécoise

- *Dictionnaire des proverbes québécois*, P. Desruisseaux, Éditions Typo, 1991.
- *Dictionnaire des expressions québécoises*, P. Desruisseaux, Bibliothèque québécoise, 1990.
- *Le Français au Québec, 400 ans d'histoire et de vie*, Conseil de la langue française sous la direction de M. Plourde, avec la collaboration de H. Duval et P. Georgeault, FIDES, Les Publications du Québec, 2000.
- *La parlure québécoise*, L. Proteau, LEDAFQ, 1982.

compagnie d'insertion sociale de Montréal, Insertec. Contrairement aux États-Unis, il y a au Québec un système de santé universel, moins d'écarts entre les riches et les pauvres et un respect de l'environnement et de la langue française.»

DES RELATIONS PLUS SEREINES

Les Québécois, comme les Canadiens, vivent en général dans un environnement dénué de rapports de force. L'immensité du territoire, le nombre peu élevé d'habitants au kilomètre carré et l'absence de guerre depuis celle de la colonisation britannique (il n'y a jamais eu de Révolution au Canada ou de guerre de Sécession) contribuent à des échanges posés entre les individus. C'est certainement cette sérénité qui vous attirera au Québec. On respire à tout point de vue ! Les habitants ont une approche consensuelle lorsqu'un conflit semble s'annoncer. Et s'ils le peuvent, ils préfèrent aborder directement un sujet délicat en cas de problème plutôt que de se confronter brutalement à la personne.

Une réelle atmosphère bon enfant règne. Sandrine Arrault pour sa part se trouve plus posée depuis son arrivée à Montréal en 2002.

« Pour entretenir de bonnes relations avec les autres, il faut prendre un peu sur soi, affirme-t-elle. Ici, c'est différent, on a moins envie de s'énerver. Il y a toujours un moyen de communiquer autrement. C'est l'environnement qui fait cela. » Les Québécois, sur ce point, ont certainement hérité quelque peu du flegme britannique.

PLUTÔT L'ACTION QUE LES LONGS DISCOURS

Comme les Nord-Américains, les Québécois ont une approche pragmatique des choses. C'est-à-dire qu'ils discutent d'un problème pour chercher à apporter une solution rapide et concrète, détestant les discours vides et sans fin, les « prises de tête » et les critiques non constructives.

En fait, les Québécois n'aiment pas argumenter pour le simple plaisir de faire de la rhétorique. Pour eux, il s'agit d'une grande perte de temps et d'énergie. Ils préfèrent l'action concrète aux longs discours. Certains diront qu'ils sont trop « politically correct ».

« Les Québécois sont des Nord-Américains qui en théorie aiment le *politically correct*, mais qui dans la réalité aiment bien ne pas être si *politically correct* que cela, constate Éric Celton, installé à Montréal depuis 1998. Ils sont très pragmatiques. Lorsqu'ils ont un objectif à atteindre, ils ne se torturent pas l'esprit pendant des semaines en se demandant ce qu'il faut faire. Ils sont conscients et réalistes. »

Les Québécois interprètent ce que vous dites au premier degré, sans arrière-pensées. Ils s'attendent à la même chose de votre part. Les allusions indirectes ne seront pas nécessairement comprises puisque les individus utilisent une approche directe pour aborder les sujets. Ils s'attendent aussi à ce que vous fassiez ce que vous dites et à une ponctualité rigoureuse lors de rencontres.

Vie en collectivité : respect et tolérance

Les Québécois, comme les Nord-Américains, ont une notion collective du civisme. Ils ne vous tiendront pas nécessairement la porte et ne vous diront pas nécessairement « bonjour » avant de vous poser une question mais d'autres codes sociaux règlent le comportement pour le bienfait de la collectivité. Ils attendent patiemment aux caisses ou à la poste sans rouspéter, ils font sagement la file pour attendre un autobus ou au guichet d'un service, les uns derrière les autres sans tenter de dépasser, ils sortent leur animal préféré en emportant un petit sac de plastique pour ramasser les excréments, ils déposent les papiers dans la poubelle la plus proche, personne ne viendra voler à la dernière minute votre place de stationnement, et si vous voulez poser une question dans la rue, les gens prennent le temps de vous répondre. On ne monte pas le ton inutilement. Il est très mal vu d'exprimer de l'agressivité ou son insatisfaction en public.

Les Québécois ne vous jugeront pas sur votre origine sociale, votre origine ethnique, votre accent, votre habillement, votre culture générale. « Au Québec, tu peux t'habiller avec un sac poubelle et mettre un chapeau de paille, tout le monde s'en fout, affirme Sylvain qui aime bien cette liberté. C'est le côté positif de l'individualisme. Tu fais ce que tu veux, ils ne viendront pas vers toi t'embêter. » Les Nord-Américains n'ont aucun complexe à parler d'argent et ils échangent des propos aussi facilement sur leurs salaires que sur le prix de leurs maisons ou des articles de tous les jours.

Francophones oui, mais pas français !

Les Québécois sont avant tout des Nord-Américains et le Québec est une terre francophone en Amérique du Nord et non une terre de France en Amérique. Ils partagent la même langue que les Français, mais là s'arrête la ressemblance et surtout débutent les malentendus. Les habitants de la Belle Province ont un mode de vie et de pensée fondamentalement nord-américain.

La société nord-américaine est une société de services. Même si la personne devant vous ne reçoit pas de commissions ou de pourboires, elle sera cordiale et souriante et vous aidera à trouver le meilleur service ou produit possible. Le client a raison, et il est très mal vu de s'obstiner contre lui. De nombreux magasins sont ouverts le dimanche, d'autres restent ouverts 24 heures sur 24 comme certains restaurants et pharmacies. Vous retournez un article qui ne convient pas, pas de problème si vous avez la facture. On vous recevra même avec le sourire sans demander d'explication. De nombreux magasins et produits ont des lignes téléphoniques d'information gratuite commençant par « 1-800 ». Les caissières emballent vos aliments à l'épicerie, les restaurants vous apportent de l'eau sans que vous ayez besoin de la demander, les taxis sont nombreux et disponibles, les gens sont conciliants et cordiaux. Au restaurant, vous serez rapidement servis, signe en Amérique du Nord d'un service bien rendu.

CIGARETTES, ALCOOL ET VITESSE

Fumeurs, respectez la loi. Au Canada, il n'est plus toléré de fumer dans les lieux publics sauf dans les bars et certaines salles de restaurants. Certaines villes canadiennes comme Toronto ont pratiquement banni la cigarette de tous les endroits publics, incluant les restaurants. En Amérique du Nord et au Canada, les règles sont appliquées à la lettre. Celui qui tente de s'y opposer et de les discuter ira droit au mur et perdra son temps. Chaque année, le nombre de fumeurs décroît, il se chiffre en 2002 à 21 % de la population, alors qu'il était à 35 % en 1985. C'est au Québec qu'on trouve le plus de fumeurs : les statistiques oscillent entre 24 et 27 % ces dernières années. Les campagnes de publicité antitabac, comme celles concernant la vitesse sur les routes ou l'alcool au volant n'y vont pas de main morte pour prévenir les fumeurs et les automobilistes. La publicité du tabac est interdite, les paquets de cigarettes portent même des images et des messages rappelant les effets néfastes de cette dépendance.

Alcool au volant, tolérance zéro. Les publicitaires qui s'adressent aux automobilistes n'ont pas peur de verser dans le sang lors de campagnes chocs de prévention. L'alcool au volant n'est pas toléré, dans certaines provinces canadiennes c'est même la tolérance zéro. Au Canada, le pourcentage d'accidents mortels impliquant des conducteurs en état d'ébriété a chuté de 38 % depuis 1987. Le niveau atteint en 1999 est le plus bas depuis trente ans. Le taux d'alcoolémie légal au Québec est de 80 milligrammes d'alcool par 100 millilitres de sang (0,08) et les personnes reconnues coupables d'avoir dépassé cette limite sont condamnées à une amende dès la première infraction. Les règles varient d'une province canadienne à une autre.

La vitesse au volant est aussi fort réglementée et les règles sont appliquées. Si vous dépassez les limites de vitesse de plusieurs kilomètres à l'heure, vous risquez une contravention. Sur les autoroutes du Canada, la vitesse est limitée à 100 kilomètres à heure.

LE COÛT DE LA VIE

Selon l'Institut de la statistique du Québec, le revenu personnel des Québécois a augmenté de 29 % entre 1992 et 2000. Au cours de la même période, l'indice des prix à la consommation a progressé de 11 % dans la province. Pendant ces années-là, les consommateurs québécois ont donc vu croître leur niveau de vie. Au Québec en 2001, le revenu personnel moyen annuel par habitant était estimé à 25 501 $ CAN.

IMMIGRER POUR LA QUALITÉ DE VIE

DIPLÔMÉ DE L'ÉCOLE NATIONALE LOUIS-LUMIÈRE et du CNAM (Conservatoire national des arts et métiers), Éric Celton, preneur de son, a immigré en 1998 avec sa femme et ses deux enfants.

« Ma plus petite, qui venait de naître à Paris, souffrait d'asthme. Ma femme et moi voulions quitter la région parisienne ; on pensait partir en Irlande d'où elle est en partie originaire. » Mais finalement, Éric prospecte en 1996 à Montréal afin de rencontrer les membres d'une entreprise québécoise qui travaille sur les jeux Olympiques de l'époque.

Le cadre de vie lui plaît et, l'année suivante, il revient avec sa conjointe pour décider d'une éventuelle installation. Cinq ans plus tard, sa fille n'a plus de problème d'asthme et la qualité de vie d'Éric s'est grandement améliorée.

« À Montréal, il n'y a pas d'embouteillages comme à Paris, donc nous sortons plus souvent. Nous en profitons plus. Il y a plus d'espace, il y a moins de gens au mètre carré donc le seuil d'agressivité des gens est inférieur. »

Il se souvient qu'en France, il remettait souvent à plus tard une sortie ou une activité, faute de temps. « Au Québec, si on décide de faire du ski en famille, on met deux heures, aller et retour. On ne revient pas exaspéré et avec l'impression de n'avoir rien fait », constate-t-il. Et il trouve que ses enfants aussi profitent de cette qualité de vie.

« Notre fils de 11 ans prend son vélo pour aller seul dans un parc à 300 mètres et on ne stresse pas. À Paris, nous ne l'aurions jamais laissé faire ça. Les deux enfants ont pris l'autobus tout l'été pour le camp de vacances. Ils passaient par un quartier qui, en France, inquiéterait. Mais, ici, il n'y a pas de quartier dangereux, donc on ne se faisait aucun souci. »

C'est dans la région de Montréal qu'on trouve le revenu annuel moyen le plus élevé de la province : 28 463 $ CAN par habitant. Le plus bas de la province s'observe dans le secteur de la Gaspésie et des îles de la Madeleine, où il y a de nombreux emplois saisonniers, avec une moyenne de 18 891 $ CAN. Les trois régions où l'on recense le plus de gens aisés sont : Montréal, Laval et la Montérégie, au sud de Montréal.

MONTRÉAL, 28 % MOINS CHER QUE PARIS

Montréal est l'une des grandes villes les moins chères au monde, c'est ce qu'affirme depuis quelques années l'EIU (Economist Intelligence Unit), un organisme lié au prestigieux magazine britannique *The Economist*. Chaque année, l'EIU publie son palmarès du coût de la vie des grandes métropoles mondiales. En janvier 2003, l'organisme décernait la palme des villes les plus chères à Tokyo et Osaka au Japon. Selon son analyse, Montréal serait 65 % moins cher que Tokyo, 26 % moins cher que New York, 28 % moins cher que Paris et 34 % moins chère que Londres. Dans ce palmarès, seul Auckland en Nouvelle-Zélande serait moins cher que Montréal, et ceci de 5 %.

Logements moins chers. « On gagne énormément au niveau du logement, constate Fabien Lambelet installé depuis 1999. À prix égal, la différence est dans la grandeur. » Le coût de location d'un appartement ou d'achat d'une maison est vraiment plus bas qu'en France et en Europe. En général, vous devrez facilement payer le double pour la même surface sur le Vieux Continent. Et ceci est encore vrai, même si une crise du logement frappe depuis quelques années le Québec. Selon la Société canadienne d'hypothèques et de logement, le prix moyen d'une habitation à Montréal en 2003 est de 149 250 $ CAN, soit une augmentation de 6 % par rapport à l'année précédente. Et si vous sortez de Montréal pour vous installer ailleurs au Québec, le prix de l'habitation baisse encore considérablement (voir page 217).

Les produits de consommation courante moins chers

Les consommateurs québécois profitent de prix avantageux sur leurs factures de téléphone, d'électricité et d'eau. Le prix mensuel du téléphone est fixe pour les appels locaux, il n'est pas calculé selon vos heures d'utilisation. Son tarif varie de 25 à 30 $ CAN par mois selon les compagnies. Grâce aux richesses naturelles du Québec et à ses barrages hydroélectriques, vous profitez d'une des électricités les moins chères au monde. Généralement, il n'y a pas de facture pour la consommation d'eau, elle est inclue dans la taxe foncière des immeubles comme à Montréal. Si la consommation est facturée, son prix se calcule selon un coût moyen, un forfait qui ne tient pas compte de la consommation réelle.

Les produits électroniques et électroménagers sont en général plus abordables qu'en Europe. En fait, tout le domaine de l'électronique est plus accessible que ce soient des appareils hi-fi, des téléviseurs ou des lecteurs MP3. Si vous apportez vos propres appareils, pensez à acheter des prises électriques d'adaptation et des transformateurs car le voltage en Amérique du Nord est de 110 volts.

« L'alimentation courante est moins chère, surtout la viande, constate Fabien Lambelet qui habite Québec. Et si vous consommez des produits locaux, vous dépenserez moins qu'en France. Si vous achetez des produits importés, comme les vins et les fromages, c'est sûr que ça revient plus cher. » Les produits qui sont plus chers qu'en France sont principalement des importations françaises. Le prix des cigarettes est aussi plus élevé.

En ce qui concerne l'ameublement et l'habillement, vous trouvez toutes sortes de produits pour tous les portefeuilles, allant du bas de gamme au haut de gamme.

Immigrer au Québec

L e Québec vous tente ? Vous avez envie d'une nouvelle expérience ? Vous voulez voir si c'est mieux ou différent ailleurs ? Vous voulez changer complètement de vie ? Vous voulez vivre dans un monde embrassant les valeurs de la société québécoise ? Toutes ces raisons amènent de plus en plus de Français et de francophones à entamer des démarches d'immigration vers la Belle Province. De nombreuses personnes rêvent de l'Amérique mais peu savent que le Québec, qui offre un mode de vie à la nord-américaine et en français, est ouvert à l'immigration. En effet, il y a peu de régions de par le monde qui, comme le Québec et le Canada ou l'Australie dans l'hémisphère Sud, cherchent à recruter des immigrants pouvant s'adapter à leur nouvel environnement. Ces pays ont une politique d'immigration précise et retiennent les candidats par le biais de formulaires et d'entretiens où les candidats exposent leur expérience, leur cursus et leur motivation.

La POLITIQUE D'IMMIGRATION DU QUÉBEC

Depuis les années 1990, le Québec a juridiction pour sélectionner les travailleurs indépendants qui veulent s'installer sur son territoire. Il a donc créé un formulaire distinct avec des questions relatives à ses attentes particulières. Au Canada, il existe trois types d'immigration :

le parrainage, la demande d'asile pour le statut de réfugiés et la catégorie des travailleurs indépendants. Les deux premiers types relèvent
des décisions du gouvernement canadien (sauf si les réfugiés sont
encore dans leur pays d'origine, c'est alors le Québec qui les sélec-
tionne). Il existe aussi une catégorie d'immigration d'affaires que nous
abordons dans la partie 2, chapitre 8 « Créer son entreprise ».

POPULATION VIEILLISSANTE ACCUEILLE JEUNESSE DYNAMIQUE

Le Québec a un des taux de fécondité le plus bas au monde : 1,4 en
2002, avec des crêtes à 1,6 dans les années 1990. Ce taux est nette-
ment inférieur au seuil de 2, nécessaire pour renouveler la population.
Celui-ci n'est guère plus fort dans le reste du Canada où il était de 1,5
en 2000. La population ne se renouvelle plus, tout comme celles de
nombreux pays occidentaux de l'hémisphère Nord. Entre 1996 et
2001, le Québec a connu le plus faible taux de natalité de son histoire.

Par ailleurs, le Canada connaît un faible taux de croissance de sa population, certains experts estiment même qu'en 2040 le nombre d'habitants pourrait décroître, alors que dans d'autres pays comme les
États-Unis et le Mexique, la progression reste forte. À cela s'ajoute le
vieillissement rapide de la population de la Belle Province. Au Canada,
le Québec et la Nouvelle-Écosse se partagent le triste record d'avoir la
plus vieille population du pays. Au Québec, l'âge médian en 2001 était
de 38,8 ans. Les moins de 19 ans représentent moins de 24 % de la
population québécoise.

Les « baby-boomers », comme on les appelle, quittent peu à peu le
marché du travail, ce qui crée un grand manque de personnel dans
bien des secteurs. D'ici 2005, 57 % des emplois offerts le seront à
cause des départs en retraite. En effet, en quelques années,

600 000 emplois seront créés au Québec dont 350 000 dans les secteurs demandant une formation professionnelle ou technique.

Dans vingt ans, la société québécoise comptera une personne sur quatre âgée de 65 ans et plus. Des domaines prometteurs comme la santé, la construction, la mécanique, l'agroalimentaire, l'enseignement, l'usinage, la géomatique (science relative aux données géographiques et couvrant différentes disciplines dont la cartographie, la télédétection, le système de positionnement global), l'ingénierie, le tourisme, les services sociaux, l'aérospatiale auront besoin de personnel afin de combler la demande.

Selon l'organisation indépendante réputée pour ses analyses économiques et sociales Conference Board du Canada, le manque de personnel spécialisé d'ici 2010 pourrait entraîner des salaires plus élevés et aussi un risque d'inflation. Certains organismes comme la firme canadienne Workopolis, spécialisée dans le cyberrecrutement, parlent même d'une véritable crise, d'une pénurie de métiers spécialisés. Selon les analyses des éditions Ma Carrière, spécialisées dans l'emploi, l'année 2013 sera celle de la cassure où il y aura plus de gens qui quitteront le marché du travail que de personnes pour les remplacer.

45 000 IMMIGRANTS PAR AN POUR LE SEUL QUÉBEC

Pour pallier cette insuffisance, le Québec tout comme le Canada ont décidé, comme le pays l'a toujours fait, d'attirer des immigrants prêts à s'installer dans le pays et à contribuer à l'essor économique de la nation. Le Québec doit pour sa part faire face à un triple défi : il doit remplacer les générations qui quittent le marché du travail, continuer à avoir une place importante dans l'économie mondiale et perpétuer sa productivité, mais il veut aussi s'assurer de continuer à vivre en français. Le candidat idéal pour le Québec serait un jeune immigrant

ATTENTION AUX ILLUSIONS !

CERTES, LE QUÉBEC cherche des candidats, mais une immigration nécessite une longue préparation psychologique et économique. Une fois votre visa en main, vous ne devrez compter que sur vous-même pour faire votre place.

Personne ne vous attend ! Aucun paradis n'existe sur Terre et toute démarche d'immigration comporte sa part de problèmes.

Les gens peu motivés ou mal renseignés peuvent se décourager dès les premiers obstacles.

Aussi, nous vous invitons à sérieusement réfléchir et faire une réelle introspection et vous poser plusieurs questions avant de procéder à un tel changement. Informez-vous ! Vous pouvez lire dans la partie 3, le chapitre consacré aux obstacles à l'intégration.

issu d'un pays francophone ou francophile, qui a entre 20 et 35 ans, un bon niveau d'études et une expérience de travail. La politique d'immigration du Québec privilégie donc les nouveaux arrivants des pays francophones afin de faciliter leur adaptation au marché du travail local, mais aussi pour assurer la longévité du français. Et on peut noter que de réels efforts ont été fait au Québec dans ce sens, le pourcentage d'immigrants connaissant le français à leur arrivée a augmenté considérablement depuis quelques années, passant de 37 % en 1997 à 49 % en 2002.

Francophones appréciés au Québec. Le Québec accueille aujourd'hui 45 000 immigrants annuellement. Le nombre de Français sélectionnés à l'immigration québécoise a augmenté ces dernières années. En 2001, la Belle Province a sélectionné 3 724 Français ; l'année suivante, ce chiffre grimpait à 5 169. Entre 1997 et 2001, le Québec a accueilli des ressortissants de nombreux pays, parmi lesquels, par ordre d'importance, des personnes nées en France, Chine, Algérie, Maroc, Haïti et Roumanie. Les immigrants parlant les langues espagnole, créole et arabe sont plus enclins à choisir de s'exprimer en français une fois installés au Québec. Les immigrants du Québec sont de plus en plus francophones ou francophiles, mais dans le reste du Canada la situation est tout autre. À l'échelle du pays, le nombre des nouveaux arrivants connaissant le français au cours des dix dernières années a chuté brutalement à 4 %. Les trois quarts d'entre eux affirment pouvoir s'exprimer en anglais.

LES DÉMARCHES ADMINISTRATIVES D'IMMIGRATION

Les démarches d'immigration vers le Québec prennent au moins un an. Ce n'est d'ailleurs pas une mauvaise chose, ce délai vous permettra de prendre le temps de réfléchir à ce changement de vie. Sachez qu'il est possible d'assister aux séances d'informations de la Délégation du Québec à Paris et aussi dans plusieurs régions de France. En effet, des conseillers se déplacent dans votre région pour vous renseigner sur une éventuelle immigration au Québec. Pour connaître les prochaines réunions d'informations tenues en France, rendez-vous sur le site de la Délégation du Québec à Paris. Il est aussi possible d'assister à des réunions au Royaume-Uni, en Belgique et en Suisse.

1. LA DEMANDE PRÉLIMINAIRE D'IMMIGRATION

La première démarche d'immigration pour obtenir le statut de résident permanent consiste à remplir la DPI (demande préliminaire d'immigration). Les autorités québécoises se servent de ce document pour déterminer si votre candidature est retenue et passera à la prochaine étape. Si vous n'avez jamais mis les pieds au Québec, si

CONJOINTS NON MARIÉS

DEPUIS LA NOUVELLE LOI canadienne sur l'immigration du 28 juin 2002, les conjoints de faits, de sexes différents ou de même sexe, peuvent remplir d'une façon commune ces formulaires. Il suffit de pouvoir prouver que vous êtes conjoint de fait, c'est-à-dire que vous vivez sous le même toit depuis au moins un an. Une facture de votre compte d'électricité ou de téléphone à vos deux noms peut servir de preuve pour confirmer votre union.

vous n'y connaissez personne et si votre niveau d'anglais est nul, cela ne signifie pas un rejet automatique du dossier. Celui-ci est évalué dans son ensemble grâce à un système de points attribués à chacune de vos réponses : un nombre de points est requis pour franchir cette première étape (voir l'encadré page 40). Certes, certaines réponses sont éliminatoires comme l'âge minimum, le capital à votre disposition et l'expérience professionnelle.

Un système de points. Dans le premier formulaire de la DPI, vous devez indiquer vos coordonnées, votre état civil, vos pays et date de naissance ainsi que vos études (incluant le titre du diplôme obtenu et la spécialité). Vous devez aussi exposer vos expériences professionnelles en précisant les dates, titres et noms des compagnies pour lesquelles vous avez travaillé. Cette expérience doit être au minimum de six mois, mais il peut s'agir d'un stage comme d'un véritable emploi, ceci dans n'importe quel domaine d'activité, pas nécessairement lié à vos études.

Il vous est aussi demandé d'évaluer votre connaissance des langues française et anglaise. Si votre langue maternelle est le français, vous pouvez indiquer 12 sur 12 à cette question. Vous devez mentionner vos séjours au Québec en tant que touriste ou travailleur, ou encore lors de stages, études ou échanges. Le fait d'avoir séjourné dans la Belle Province donne des points. Le cas échéant, vous devrez fournir les coordonnées de membres de votre famille ou de vos connaissances résidant au Québec.

Vous devez indiquer la somme d'argent dont vous disposerez lors de votre installation au Québec, ce chiffre devant être d'au moins 2 200 $ CAN pour subvenir à vos besoins pendant les premiers temps. On vous demandera également de préciser l'emploi que vous envisagez d'occuper au Québec.

Si vous venez en couple, votre partenaire devra également remplir une partie du formulaire avec des informations sur sa date de naissance, ses études et ses expériences professionnelles, ainsi que ses séjours et sa connaissance des deux langues officielles. Habituellement, c'est le membre du couple qui a l'expérience professionnelle la plus importante qui remplit le formulaire en tant que requérant principal. Le premier formulaire est gratuit. Si vous passez cette première étape de la DPI, vous recevrez une réponse positive dans les quatre-vingt-dix jours.

2. LA DEMANDE DE CERTIFICAT DE SÉLECTION

La deuxième étape est celle de la DCS, la demande de certificat de sélection. Ce formulaire comporte les mêmes questions que le précédent, mais vous devrez cette fois y répondre plus en profondeur avec des pièces justificatives. Par exemple, en ajoutant les photocopies de vos diplômes et attestations de travail. Cette demande coûte 300 $ CAN par dossier, auxquels il convient d'ajouter 100 $ CAN pour chaque personne à charge. En cas de refus à cette étape, ces frais ne sont pas remboursables.

CALCULEZ VOS CHANCES D'IMMIGRER AU QUÉBEC

LE CANDIDAT À L'IMMIGRATION au Québec doit obtenir 30 points comme note de passage pour réussir la première étape. Si vous immigrez en couple, la note de passage est alors de 35 points. Prenez en compte la catégorie du conjoint pour calculer vos chances. Le conjoint peut apporter au maximum 12 points au dossier du couple.

LE VOCABULAIRE DU QUESTIONNAIRE

Au Québec, un diplôme postsecondaire est un diplôme universitaire ou collégial (du CEPEG, collège d'enseignement professionnel et général) • Le CEGEP (reportez-vous à la section sur les études) représente deux années d'études (trois pour les spécialités) entre le secondaire et l'université. Les élèves sont habituellement âgés de 17 ans à 19 ans. Il s'agit d'une institution unique au Québec • La deuxième spécialité serait une spécialité au niveau de l'université. Si par exemple après un DEUG en philosophie, l'étudiant a fait un DEUG ou une licence en géographie, on peut alors dire qu'il a deux spécialités • Les « formations privilégiées », selon les termes de l'organisme Immigration Québec, servent à définir des professions très recherchées par le Québec. La plupart des candidats n'ont aucun point à cette question.

FORMATION

a) Diplôme secondaire (3 points) ❏
b) Diplôme postsecondaire 1 an (4 points) ❏
c) Diplôme postsecondaire 2 ans (5 points) ❏
d) Diplôme postsecondaire 3 ans (7 points) ❏
e) Diplôme universitaire 1er cycle 1 an (7 points) ❏
f) Diplôme universitaire 1er cycle 2 ans (7 points) ❏
g) Diplôme universitaire 1er cycle 3 ans (8 points) ❏
h) Diplôme universitaire 1er cycle 4 ans ou plus (9 points) ❏
i) Diplôme universitaire 2e cycle (11 points) ❏

j) Diplôme universitaire 3ᵉ cycle (11 points) ❐

Deuxième spécialité, 1 an (2 points) ❐

Deuxième spécialité, 2 ans (4 points) ❐

Formation privilégiée - universitaire (4 points) ❐

Formation privilégiée - autre (4 points) · ❐

EXPÉRIENCE PROFESSIONNELLE

6 mois d'expérience (1 point) ❐

1 an (2 points) ❐

1 an et demi (3 points) ❐

2 ans (4 points) ❐

2 an et demi et plus (5 points) ❐

ÂGE

20 à 23 ans (10 points)	❐	35 ans (10 points)	❐
23 à 30 ans (10 points)	❐	36 ans (8 points)	❐
31 ans (10 points)	❐	37 ans (6 points)	❐
32 ans (10 points)	❐	38 ans (4 points)	❐
33 ans (10 points)	❐	39 ans (2 points)	❐
34 ans (10 points)	❐	40 à 45 ans (1 point)	❐

CONNAISSANCES LINGUISTIQUES

Français (compris + expressions orales) : de 0 à 8 points ❐

Anglais (compris + expressions orales) : de 0 à 3 points ❐

ÉTUDES EN FRANÇAIS

Secondaire (2 points) ❐

Postsecondaire (2 points) ❐

SÉJOURS AU QUÉBEC

a) Études pendant une session à temps plein (4 points) ❐

b) Études pendant au moins deux sessions
à temps plein ou plus (6 points) ❐

c) Emploi dont la durée d'exercice équivaut
à au moins 3 mois (4 points) ❐

d) Emploi dont la durée d'exercice équivaut
à au moins 6 mois (6 points) ❐

e) Stage de travail équivalant à au moins
3 mois *via* entente bilatérale (5 points) ❐

f) Stage de travail équivelent à 6 mois
ou plus *via* entente bilatérale (6 points) ❐

g) Autre séjour dont la durée équivaut
à 2 semaines et moins de 3 mois (1 point) ❐

h) Autre séjour dont la durée équivaut
à 3 mois ou plus (3 points) ❐

LIEN AVEC RÉSIDENT AU QUÉBEC

a) Père, mère, frère, sœur au Québec
(inclus aussi fils, fille et conjoint) (3 points) ❐

b) Grand-père, grand-mère au Québec (2 points) ❐

c) Autre parent, ami au Québec (1 point) ❐

CARACTÉRISTIQUES DU CONJOINT

a) Formation

secondaire (1 point) ❐

postsecondaire (2 points) ❐

universitaire 3 ans (3 points) ❐

deuxième spécialité ou formation privilégiée (1 point) ❐

b) Expérience professionnelle

6 mois (1 point) ❐   1 an et plus (1 point) ❐

c) Âge

de 20 à 39 ans (2 points) ❐   de 40 à 45 ans (1 point) ❐

d) Français

compris et expressions orales (0 à 2 points) ❐

études secondaires ou postsecondaires (2 points) ❐

Un entretien facultatif. Par la suite, vous pouvez être convoqué à un entretien avec un agent des autorités québécoises, ceci afin de vérifier les données de votre dossier. Tous les candidats ne sont pas convoqués à cette entrevue et l'être n'est pas en soi un mauvais présage. Les démarches au niveau de la province québécoise se terminent avec la réception du CSQ (certificat de sélection du Québec). La validité de celui-ci est de trois ans, ainsi vous pouvez attendre ce nombre d'années pour envoyer la suite de votre dossier au gouvernement fédéral.

Vous trouverez ce formulaire dans les délégations du Québec, les services d'immigration des ambassades du Canada à travers le monde et également sur le site Internet de Immigration Québec : www.immq.gouv.qc.ca

LES DÉMARCHES AU NIVEAU FÉDÉRAL

Après l'obtention du CSQ du Québec, votre dossier est envoyé au gouvernement fédéral. Par le biais d'une entente entre le Québec et le Canada, les candidats à l'immigration au Québec qui ont obtenu leur CSQ pourront normalement obtenir le visa final après avoir passé les deux étapes fédérales, celles de la visite médicale et du casier judiciaire. Les frais de traitement de votre demande à ce niveau sont de 550 $ CAN par dossier, augmentés de 150 $ CAN pour chaque enfant à charge de moins de 22 ans.

LA VISITE MÉDICALE

La visite médicale consiste en un bilan complet de santé. Vous devrez prendre rendez-vous avec un médecin accrédité par les autorités canadiennes. La liste de ces médecins est établie par l'ambassade du Canada en France ou des ambassades canadiennes à travers le monde. Lors de cette visite, le médecin notera votre poids, votre taille, votre tension, votre vue et vous posera une série de questions sur votre santé. Il vous fera aussi une prise de sang, une radiographie pulmonaire, un examen de recherche du VIH et vous demandera un échantillon d'urine. Toutes les personnes incluses dans votre dossier, même les nouveau-nés, doivent passer cette visite. Apportez deux photos d'identité pour chacune de ces personnes (les photos de Photomaton ne sont pas acceptées).

Comme la radiographie des poumons est obligatoire, les femmes enceintes doivent décaler leur visite médicale et donc leur installation au Québec. Seules les maladies graves qui coûteraient cher au système de santé québécois sont éliminatoires. Une maladie bénigne ne peut bloquer votre projet d'immigration. Le coût de cette visite peut varier selon le médecin et n'est pas remboursé par la Sécurité sociale française.

LE DOSSIER JUDICIAIRE

Puis vient l'étape du dossier judiciaire, nécessaire pour s'assurer que le candidat ne constitue pas une menace pour la sécurité des Canadiens. Pour ce faire, le candidat doit demander son casier judiciaire, ou le cas échéant un certificat de police, dans tous les pays où il a séjourné plus de six mois depuis l'âge de 18 ans. Le casier judiciaire ne doit pas avoir plus de trois mois. Vous pouvez en faire facilement la demande en France par écrit ou en ligne (www.cjn.justice.gouv.fr/cjn/b3/eje20).

Si vous avez résidé plus de six mois au Canada et au Québec, vous devez aussi formuler cette demande : pour obtenir plus d'informations, allez sur le site de la gendarmerie royale du Canada et consultez la section sur les services d'informations des casiers judiciaires canadiens (www.rcmp-grc.gc.ca).

Le mémo de vos démarches d'immigration

- **DPI (demande préliminaire d'immigration).**

- **DCS (demande de certificat de sélection) : entretien de sélection ; obtention du CSQ, certificat de sélection du Québec.**

- **Transfert du dossier au gouvernement fédéral : visite médicale, casier judiciaire, certificat de police.**

- **Obtention du visa de résident permanent pour le Canada.**

DU VISA À LA NATIONALITÉ CANADIENNE

Après ces deux dernières démarches, le candidat reçoit une lettre pour l'aviser que son dossier est accepté. Il ne reste qu'à payer les frais d'établissement du visa final de 975 $ CAN par personne. Les enfants à charge n'ont pas à payer ces droits pour la résidence permanente. Vous avez un an, à partir de la date de la visite médicale, pour vous installer au Québec.

Demander la nationalité canadienne. Depuis le 28 juin 2002, il est à noter que pour garder le statut de résident permanent canadien, vous devez être présent sur le territoire pendant 730 jours sur cinq ans. Vous pouvez obtenir la nationalité canadienne au bout de trois ans de présence sur le territoire. Il faut en faire la demande auprès de Immigration Canada et remplir le formulaire de demande de citoyenneté. Le traitement prend quelques mois et chaque adulte âgé de 18 ans à 59 ans doit passer un examen portant sur le Canada.

L'examen sur le Canada. Il s'agit d'un QCM (questionnaire à choix multiple) sur le Canada et son histoire, son économie, sa géographie, etc. Le candidat prépare ce test grâce à une brochure envoyée lors de sa convocation pour l'examen. Il est possible de repasser ce test en cas d'échec. Le nouveau Canadien est ensuite invité à une cérémonie de remise de citoyenneté où il doit chanter l'hymne national « Ô Canada » et prêter allégeance à la Reine d'Angleterre qui est le chef de l'État au Canada. Depuis peu, le gouvernement québécois a aussi sa petite cérémonie pour souligner l'appartenance des nouveaux immigrants au Québec. Pas de test à passer, juste une présence.

LA RÉPARTITION DES IMMIGRÉS SUR LE TERRITOIRE

Selon le dernier recensement canadien fait en 2001, le pays a accueilli 1,8 million d'immigrants entre 1991 et 2001. Nombre de ces immigrants sont originaires de l'Asie (incluant le Moyen-Orient) et représentent 58 % de la totalité des immigrants venus au Canada. La Chine est le premier pays d'origine avec plus d'un million d'immigrants venus au Canada. Suivent des populations venues d'Europe (20 % des immigrants), des Antilles (11 %), d'Amérique centrale et du Sud (8 %), d'Afrique (8 %) et des Américains (3 %).

Mais cette répartition n'est pas également représentée au Québec. En effet, Montréal se distingue des autres grandes villes canadiennes par son importante communauté immigrante issue de l'Afrique, principalement arrivée dans les années 1990. 18 % des immigrants montréalais provenaient de ce continent, alors qu'ils représentent seulement 6 % de la population immigrante à Toronto et 3 % à Vancouver.

Par ailleurs, la part de la population issue de l'immigration est moindre au Québec que dans les autres provinces canadiennes. En effet, en 2001, on pouvait constater que 10 % des Québécois étaient nés à l'extérieur du pays alors que cette même proportion était de 24 % en Ontario, 22 % en Colombie-Britannique, 15 % en Alberta, 12 % au Manitoba et 11 % au Yukon. L'Ontario, à elle seule, recueille plus de la

Les sites d'informations sur l'immigration

- **Les sites officiels :**
  Immigration Québec ➤ www.immigration-quebec.gouv.qc.ca
  Immigration Canada ➤ www.cic.gc.ca
  Délégation du Québec à Paris ➤ www.mri.gouv.qc.caparis
- **Autres liens :**
  Immigrer.com ➤ www.immigrer.com
  Objectif Québec ➤ www.objectifquebec.org

moitié des immigrants du Canada. En dix ans, de 1991 à 2001, le Québec a accueilli 244 900 nouveaux arrivants.

UNE CONCENTRATION DANS LES GRANDES VILLES

La grande majorité des immigrants du Canada se concentre dans les centres métropolitains de Toronto, Vancouver et Montréal ; peu s'installent en région. Au Québec, seulement 29 780 personnes (soit 12 % des immigrants québécois) se sont établies à l'extérieur de la région montréalaise. La ville de Toronto en Ontario demeure la ville qui compte le plus d'immigrants au monde. En 2001, on notait que près de 44 % de la population était née à l'étranger, soit plus du double de la moyenne canadienne. Toronto serait donc plus multiethnique que Miami aux États-Unis (40 %), Sydney en Australie (31 %) et les autres villes américaines telles Los Angeles (31 %) et New York (24 %).

UN HABITANT SUR CINQ N'EST PAS NÉ AU CANADA

Dans les vingt dernières années, le nombre de personnes provenant d'une « minorité visible » a triplé au Canada. On entend par minorité visible des individus qui ne sont ni autochtones, ni de race caucasienne ou de couleur blanche. Leur nombre était de 4 millions en 2001 à travers tout le pays, c'est-à-dire 13,4 % de la population totale, alors qu'en 1981 on ne recensait que 1,1 million de représentants, soit 4,7 % de l'ensemble du pays. À Montréal, toujours en 2001, la population de minorité visible est surtout noire (68 245), arabe ou asiatique occiden-tale (34 035) et enfin sud-asiatique (33 305).

En 2001, la proportion de la population canadienne née à l'étranger a atteint le plus haut sommet depuis soixante-dix ans soit 18,4 %, c'est-à-dire un habitant sur cinq. Il faut remonter à la vague d'immi-gration qui a précédé la crise de 1929 pour retrouver un taux plus élevé de nouveaux arrivants, alors que celui-ci se chiffrait à 22 % de la population. Selon le bureau de la statistique, seule l'Australie (22 %) devance le Canada sur ce sujet. Aux États-Unis, 11 % de la population était née à l'étranger en 2000.

Séjourner au Québec

Si vous ne souhaitez pas immigrer vers le Québec pour de longues années, mais y séjourner quelques mois seulement pour travailler ou étudier, c'est aussi possible. Nous aborderons ainsi dans ce chapitre le visa temporaire de travail, le « programme Vacances-Travail », le programme de mobilité des jeunes travailleurs, les échanges de France-Québec et de l'OFQJ (Office franco-québécois pour la jeunesse) et le visa étudiant.

LE VISA DE SÉJOUR TEMPORAIRE

Pour travailler temporairement au Québec, il faut d'abord trouver un employeur québécois prêt à vous embaucher et à faire quelques démarches administratives. Votre futur employeur doit en effet faire approuver son offre d'emploi par Développement des ressources humaines Canada et le ministère des Relations avec les citoyens et de l'Immigration. Pour vous employer, il devra prouver que malgré des efforts raisonnables de recrutement au sein de la main-d'œuvre locale, il n'a pas réussi à pourvoir le poste que vous allez occuper.

Cependant, l'employeur n'a pas à démontrer la rareté de la main-d'œuvre dans tous les secteurs d'activité. En effet, les travailleurs issus de certains domaines d'activité peuvent bénéficier de mesures d'exception afin d'être embauchés facilement par un employeur québécois. Il s'agit des professionnels du cinéma, de l'optique, des

LES DÉMARCHES ADMINISTRATIVES POUR TRAVAILLER TEMPORAIREMENT

POUR FAIRE LES DÉMARCHES, l'employeur doit remplir le formulaire de demande pour l'emploi de travailleur étranger (www.hrdc-drhc.gc.cahrib/lmd-dmt/fw-te/common/rubri4x.shtml) et le faire parvenir avec les pièces justificatives à DRHC (Développement des ressources humaines Canada).

Le dossier devra aussi être envoyé au MRCI (ministère des Relations avec les citoyens et de l'Immigration) avec un formulaire de demande de CAQ (certificat d'acceptation du Québec) (www.immq.gouv.qc.cafrancais/formulaires/dca.html) accompagné du paiement exigé pour le traitement du dossier. Le tarif est de 100 $ CAN par travailleur temporaire.

Assurez-vous que votre dossier est correctement complété afin de prévenir tout retard de traitement. Lorsque le dossier est accepté, l'employeur reçoit une lettre conjointe de validation du MRCI et du DRHC. Par la suite, l'employeur doit faire parvenir au futur employé une copie de cette lettre de confirmation ainsi qu'une offre d'emploi.

L'employé doit faire sa demande de permis de travail, muni de ces documents, auprès de l'ambassade du Canada de son pays.

D'autres frais administratifs d'un montant de 75 $ CAN sont exigés à cette étape. Il est par ailleurs possible que le futur employé doive passer un examen médical.

---

technologies de l'information, des infirmières, des médecins, des moniteurs en essai clinique, des titulaires d'une chaire de recherche, des aides familiales et des travailleurs agricoles saisonniers. Les travailleurs dans ces secteurs doivent se reporter au site d'Immigration Québec pour connaître toutes les démarches qui leur permettront d'être recrutés par un employeur québécois.

LES PROGRAMMES D'ÉCHANGES ENTRE LE QUÉBEC ET LA FRANCE

Si vous êtes âgé de 18 à 35 ans, vous pouvez profiter de différents programmes d'échanges et de réciprocité entre le Québec et la France qui permettent de travailler temporairement au Québec (pour les 35 ans et plus, il existe le programme Voyages Découverte). Voici une présentation de quelques-uns des principaux programmes.

FRANCE-QUÉBEC

France-Québec, comme son équivalent québécois Québec-France, est un organisme parrainé par les gouvernements français et québécois, qui offre différents types de programmes : le programme Intermunicipalités qui propose une expérience de travail d'été dans une municipalité québécoise, le programme Voyages Découverte et les stages professionnels.

Le programme Intermunicipalités. Il propose aux étudiants français âgés de 18 à 30 ans un emploi dans une municipalité québécoise pour une période de six à huit semaines pendant l'été. Contactez, avant toute démarche, l'association de France-Québec de votre région, qui vous dira quelle ville participe à cet échange : en effet, seuls les candidats recrutés par l'une de ces municipalités pourront profiter de ce programme. Les participants percevront environ le salaire minimum au Québec, mais devront prendre en charge les coûts du voyage, l'adhésion à l'association France-Québec et d'autres frais d'inscription.

Les stages professionnels. Pour participer à ce programme, il faut avoir la nationalité française, être étudiant et âgé de 18 ans à 30 ans et avoir une promesse d'embauche ou de stage d'un employeur québécois

Où se renseigner

● **France-Québec**

   24, rue Modigliani, 75015 Paris ☎ 01.45.54.35.37 ➤ www.france
   quebec.asso.fr ✉ stages.pro.fr@france-quebec.asso.fr

● **Québec-France**

   9, place Royale, Québec, G1K 4G2☎ 1.418.643-1616 ; 1-800-427-
   7911 (gratuit au Québec) ➤ www.quebecfrance.qc.ca ✉ squefr@
   quebecfrance.qc.ca

d'une durée maximale de six mois. Il faut aussi devenir membre d'une association régionale France-Québec et commencer les démarches au moins deux mois avant la date de départ. Pour connaître en détail les programmes et se procurer le formulaire des stages professionnels, rendez-vous sur le site Internet de France-Québec.

Voyages Découverte. Le programme « Voyages Découverte du pays d'en face » offre, pour sa part, une version pour les adolescents et une autre pour les adultes. La version adulte permet aux Français de 35 ans et plus qui ne sont encore jamais venus au Québec, de le découvrir. Le participant doit être membre de France-Québec depuis au moins un an. Il doit aussi disposer d'une somme d'argent suffisante pour couvrir, entre autres, les frais de transport et ses dépenses personnelles. Lors de son voyage, il sera hébergé par des membres québécois de Québec-France. Le réseau de France-Québec, comme son équivalent québécois, comporte plusieurs antennes réparties sur les territoires français et québécois : vous en avez sûrement une près de chez vous.

L'OFFICE FRANCO-QUÉBÉCOIS POUR LA JEUNESSE

L'OFQJ (Office franco-québécois pour la jeunesse) section française offre plusieurs programmes pour la destination Québec aux jeunes

Où se renseigner

- **L'OFQJ en France**
  Office franco-québécois pour la jeunesse, 11, passage de l'Aqueduc, 93200 Saint-Denis ☎ 01.49.33.28.50 ➤ www.ofqj.org ✉ info@ofqj.org
- **L'OFQJ au Québec**
  Office franco-québécois pour la jeunesse, 11, bd René-Lévesque Est, Montréal, Québec ☎ 1 (514) 873-4255, 1-800-465-4255 (gratuit au Québec) ➤ www.ofqj.gouv.qc.ca ✉ info@ofqj.gouv.qc.ca

de moins de 35 ans, parmi lesquels Action-Développement (monter son projet), Formation & emploi (relié aux offres de stages de l'OFQJ), Coopération institutionnelle étudiante (pour les étudiants) et Mobilité jeunes travailleurs (voir ci-après). Vous pouvez visiter le site Internet de l'organisme pour connaître les détails des programmes.

Le programme Mobilité des jeunes travailleurs existe depuis 1982 grâce aux efforts des gouvernements français et québécois et permet de travailler de six mois à un an au Québec. Pour y participer (du côté français), comme pour les autres programme de l'OFQJ, il faut avoir entre 18 et 35 ans, être de nationalité française et posséder un contrat de travail. Pour que votre dossier soit sélectionné, il faut que l'emploi trouvé au Québec ait un rapport avec votre formation ou votre expérience professionnelle. L'Office accomplit pour vous les démarches pour obtenir un permis de travail temporaire, une prestation facturée 100 €, payables lors du dépôt du dossier.

LE PROGRAMME VACANCES-TRAVAIL

Ce programme né le 6 février 2001 avec la signature d'un accord entre la France et le Canada, permet chaque année à 700 jeunes Français (et

Où se renseigner ?

- **Ambassade du Canada**, 35, avenue Montaigne, 75008 Paris
  ☎ 01.44.43.29.00 ➤ www.dfait-maeci.gc.cacanadaeuropa/
  france/visas/pvt-fr.asp ✉ paris-im.visiteur@dfait-maeci.gc.ca
- **Quelques suggestions pour l'assurance :**
  Aips Magellan ➤ www.travelexpat.com
  Axa ➤ www.axa.fr (assistance expatriés individuels-longs séjours avec
  option assurance)
  ACS ➤ assistance-etudiants.nalios.net

700 jeunes Canadiens) de séjourner et travailler dans l'autre pays pendant un an. Pour participer au PVT (programme Vacances Travail), les jeunes Français doivent résider en France au moment du dépôt de leur candidature, être âgés de 18 ans à 30 ans, ne pas être accompagnés de personne à charge et disposer d'un minimum de ressources financières, c'est-à-dire 750 € par mois, pour les trois premiers mois.

Le participant doit prendre une assurance hospitalisation et invalidité qui le couvre pour la durée du séjour. Il n'a pas besoin d'avoir au préalable un contrat de travail, il n'est pas non plus lié à un employeur spécifique puisqu'il s'agit d'un permis ouvert. Il pourra travailler pour plusieurs employeurs s'il le désire. En revanche, le visa n'est pas reconductible. Lors de son arrivée au Canada, le participant au programme devra avoir en poche un billet retour.

Comment présenter sa candidature au PVT. Pour obtenir le formulaire de demande d'autorisation d'emploi et toutes les modalités d'inscription au programme, il faut contacter l'ambassade du Canada à Paris. Les intéressés doivent fournir en plus du formulaire dûment rempli et signé, quatre photos d'identité au format passeport, une copie des pages du passeport, une lettre de motivation, un CV et un justificatif pour les fonds nécessaires. Il est important de bien peaufiner sa lettre de motivation. L'étude du dossier est gratuite, les délais de traitement d'une demande sont de trois à huit mois.

Attention, votre dossier accepté, vous avez quarante jours pour souscrire à une assurance. Par la suite, les autorités vous délivrent le visa PVT, valable un an à partir de la date de votre arrivée au Canada.

TROUVER UN EMPLOI D'ÉTÉ, UN STAGE

La notion de stage n'est pas la même au Québec. Il est surtout associé aux formations dans les secteurs scientifiques ou techniques. Les étudiants québécois et canadiens ne font pas de stage à moins qu'il ne soit relié à leurs études, à leur profession comme pour les médecins ou les avocats. En dehors de ces cursus spécialisés, vous devrez plutôt utiliser le terme de « premier emploi » afin de décrire ce que vous recherchez. Les jeunes des États-Unis sont plus familiers avec le concept du stage comme les *internships*.

VOUS CHERCHEZ UN STAGE

Ainsi, si vous cherchez un stage, selon l'acception française, dites plutôt au Québec que vous cherchez un premier emploi. Si vous voulez faire un stage ou avoir une expérience de travail temporaire au Québec, dans tous les cas, vous devrez avoir un permis de travail. Pour ceux qui détiennent un visa ou participent à un programme d'échange, il y a de nombreux emplois offerts pendant la saison estivale puisqu'elle correspond à une grande demande dans le domaine des services et de la restauration. De nombreux restaurants, magasins, terrasses cherchent des étudiants et des jeunes gens pour l'été afin de combler leurs besoins.

LES ÉTUDIANTS QUÉBÉCOIS ACCUMULENT LES JOBS

EN GÉNÉRAL, LES JEUNES QUÉBÉCOIS accumulent des expériences de travail pendant leurs années d'études, principalement pendant l'été. En effet, puisque l'année universitaire se termine en juin, de nombreux étudiants profitent de la relâche de deux mois pour acquérir une expérience de travail valable ou encore pour mettre de l'argent de côté. Ainsi, à la fin de leurs études, il n'est pas rare qu'ils aient déjà accumulé diverses expériences professionnelles.

Les Nord-Américains affectionnent surtout les expériences de travail assez précoces dans le but de développer l'initiative des jeunes. De nombreux étudiants gardent d'ailleurs un emploi à temps partiel pendant leurs études. La flexibilité des cursus et de l'horaire des cours permet cette double activité.

Tout travail doit être rémunéré sauf bien sûr les activités bénévoles, qui peuvent d'ailleurs parfois déboucher sur un emploi.

VOUS CHERCHEZ UN JOB

Si vous avez la permission de travailler au Canada et que vous cherchez un job, présentez-vous en personne, le CV à la main, dans les magasins, les restaurants et les bars. Adressez-vous directement au gérant afin de vous présenter brièvement.

Pour trouver des entreprises qui recherchent des employés au service à la clientèle, la meilleure façon est de les identifier dans un premier temps dans l'annuaire téléphonique ou sur la Toile, et d'entrer en contact avec le responsable des ressources humaines. Aussi n'hésitez pas à passer par des agences de placement pour trouver un premier emploi.

Vous trouverez dans la partie 2, les coordonnées des agences de placement et aussi des informations sur les différents secteurs d'activité et les principaux sites Internet de recherche d'emploi. Lisez aussi dans cette partie, le chapitre 5 « Trouver un emploi à partir de la France » qui vous donne les coordonnées des organismes d'aide basés en France qui offrent des possibilités d'échanges et de stages.

ÉTUDIER AU QUÉBEC

Chaque année, plus de 3 000 étudiants français viennent étudier au Québec. Au Canada, l'éducation est une compétence provinciale, il existe ainsi 13 ministères de l'Éducation dans ce pays avec leurs structures et leurs programmes propres. Le gouvernement québécois légifère donc en matière d'éducation et d'enseignement supérieur dans sa province.

LE SYSTÈME UNIVERSITAIRE QUÉBÉCOIS

L'enseignement universitaire québécois est divisé en trois cycles distincts. Habituellement, les étudiants québécois qui entrent en premier cycle à l'université sortent du CEGEP (collège d'enseignement général et professionnel) avec le DEC (diplôme d'études collégiales). Le premier cycle universitaire qui se déroule en trois à quatre ans, selon les spécialités, est sanctionné par un diplôme appelé le baccalauréat (aucun rapport avec le bac français). La maîtrise se prépare dans un deuxième cycle (en deux ans) et le doctorat (aussi appelé PhD) en troisième cycle (en trois ans). Le premier cycle est l'équivalent d'une licence française.

Les étudiants inscrits dans un programme suivent des cours obligatoires et des cours optionnels, c'est-à-dire des classes au choix.

DIPLÔMES : QUELQUES ÉQUIVALENCES

VOICI, POUR VOUS AIDER à vous repérer, les équivalences entre les diplômes obtenus au Québec et en France.

AU QUÉBEC	EN FRANCE
DEC du CEGEP	Baccalauréat
DEC technique	BTS et DUT
2 premières années du bac	DEUG
Baccalauréat	Licence
Maîtrise	DEA ou DESS
Doctorat	Doctorat

Normalement, pour compléter un baccalauréat, l'étudiant devra suivre 30 cours en trois ans, ce qui équivaut à 90 crédits, parfois 120 crédits seront nécessaires dans certaines disciplines. Ce système de crédits correspond aux UV, ou unités de valeur, du système français. Chaque cours suivi au Québec donne en général trois crédits et représente quarante-cinq heures en classe pendant l'un des trimestres. La maîtrise compte pour sa part deux ans d'étude, incluant la rédaction d'un mémoire.

Services et souplesse. Les horaires des universités québécoises sont très flexibles. Il est aussi possible dans certaines institutions de suivre des cours à distance (télé-université), le soir ou à temps partiel. Ces deux derniers avantages ne sont accessibles qu'aux résidents permanents du Québec. Sachez aussi que l'université est ouverte à tous les âges, quel que soit votre statut, résident permanent ou étudiant étranger. Les universités offrent de nombreux services à leurs communautés avec des campus à l'américaine, des bibliothèques ouvertes tous les jours même tard le soir, des résidences universitaires dans toutes les institutions, des centres sportifs, et même des garderies

LE COÛT DES ÉTUDES

LE SYSTÈME DES GRANDES ÉCOLES à la française n'existe pas au Québec, ni au Canada d'ailleurs même s'il existe des écoles spécialisées. L'enseignement universitaire n'est pas gratuit, mais les frais de scolarité des universités québécoises sont les moins élevés d'Amérique du Nord.

LES FRAIS DE SCOLARITÉ au Québec ne sont pas les mêmes pour les étudiants québécois et pour les étudiants étrangers. Toutefois, en vertu de l'accord-cadre France-Québec, les étudiants de citoyenneté française étudiant dans la Belle Province paient le même prix que les étudiants québécois. Les études de premier cycle coûtent environ 975 $ CAN pour une année, et les études de deuxième cycle, 500 $ CAN par année. Les frais de scolarité sont moins élevés si l'étudiant passe par le CREPUQ (pour plus de détails, lisez les développements sur des organismes tel le CREPUQ, page 63), mais dans ce cas, il n'obtiendra pas un diplôme québécois.

LE BUDGET À PRÉVOIR. Selon le CCIFQ (Centre de coopération interuniversitaire franco-québécoise), l'étudiant doit débourser au Québec 765 € par mois, sans compter les frais de scolarité et les frais d'installation, pendant les neuf mois de l'année universitaire. Le budget normal d'un étudiant de premier cycle ou de second cycle est de 6 885 € par an.

pour les enfants des étudiants-parents. Les professeurs sont également fort disponibles, il est possible de les rencontrer individuellement. Les services informatiques des universités sont très développés. Les études universitaires sont divisées en deux sessions principales de quinze semaines, l'automne et l'hiver. Il existe aussi une session d'été pour des cours de rattrapage et complémentaires.

Où étudier au Québec ?

Le Québec compte de nombreuses universités francophones et anglophones. À Montréal, les étudiants ont le choix entre quatre universités : université de Montréal, université du Québec à Montréal (UQAM), et les universités anglophones McGill et Concordia. À Québec, les étudiants peuvent étudier à l'université de Laval, la plus vieille université francophone. Au sud-est de Montréal, dans les Cantons de l'est, on trouve deux universités, l'université de Sherbrooke et l'université anglophone Bishop's. Dans l'Outaouais à Hull et un peu partout sur le territoire québécois, les étudiants peuvent bénéficier du réseau des universités du Québec relié à l'UQAM.

L'université de Montréal. Fondée en 1878, c'est la plus importante université francophone en Amérique regroupant près de 50 000 étudiants et des milliers d'étudiants étrangers. Elle offre plus de 250 programmes au premier cycle. On retrouve également sur son campus les écoles affiliées de la Polytechnique (www.polymtl.ca) et les HEC, les hautes études commerciales (www.hec.ca).
☛ Université de Montréal : www.umontreal.ca

L'université du Québec à Montréal. Fondée en 1969, l'UQAM accueille près de 40 000 étudiants, offre plus de 250 programmes en premier cycle. L'université du Québec a aussi son réseau de 10 établissements installés sur tout le territoire québécois dont six universités (Chicoutimi, Hull, Montréal, Rouyn-Noranda, Rimouski, Trois-Rivières) et quatre écoles spécialisées (l'ENAP, École nationale d'administration publique, à Québec ; l'ETS, École de technologie supérieure à Montréal ; l'INRS, Institut national de la recherche scientifique ; Teluq, la télé-université qui propose des cours à distance).
☛ Visitez le site de l'UQAM : www.uqam.ca et ceux des quatre écoles spécialisées : www.enap.uquebec.ca ; www.etsmtl.ca ; www.inrs.uquebec.ca ; www.teluq.uquebec.ca

L'université du Québec en Outaouais. Située à Hull, l'UQAH compte environ 5 000 étudiants. Elles est située près de la capitale du Canada, Ottawa. Fondée en 1970, cette université fait partie du réseau des universités du Québec.
☛www.uqo.ca

L'université de Laval. La plus veille université de langue française en Amérique est située dans la ville de Québec (ne pas confondre avec la ville de Laval au nord de Montréal). Fondée en 1663, Laval compte plus de 35 000 étudiants installés dans son grand campus de Sainte-Foy. Plus de 350 programmes sont offerts par cette université.
☛www.ulaval.ca

L'université McGill. Fondée à Montréal en 1821 au cœur de la métropole québécoise, McGill est une université anglophone qui attire des étudiants du monde entier, y compris des Américains. Elle compte plus de 25 000 étudiants et offre plusieurs services en plus des résidences et de nombreux centres d'études, musées, bibliothèques.
☛www.mcgill.ca

L'université Concordia. Fondée en 1974 à Montréal, cette université anglophone compte 25 000 étudiants répartis sur deux campus dont l'un en centre-ville. Elle offre plus de 160 programmes.
☛ www.concordia.ca

L'université de Sherbrooke. Cette université au cœur des Cantons de l'est, au sud-est de Montréal, a été fondée en 1954 et compte 15 000 étudiants et plus de 150 programmes.
☛ www.usherb.ca

L'université Bishop's. Cette petite université anglophone fondée au Québec en 1843 est installée à Lennoxville, dans les Cantons de l'Est

D'ÉTUDIANTE À CHERCHEUR !

ORIGINAIRE DE STRASBOURG, Christelle Brun est venue finir en 1998 son diplôme d'ingénieur en informatique à l'École Polytechnique de Montréal. Au bout de trois mois d'études au Québec, elle est certaine de vouloir y rester.

« Dans mon domaine d'activité, les gens doivent, en France, travailler à Paris, ce à quoi je me refusais. Lorsque je suis arrivée à Montréal, je me suis sentie bien. J'avais l'impression qu'il y a avait assez de choses à faire et qu'en même temps la ville était assez petite pour que je me sente chez moi. Les avantages de Paris, sans les inconvénients. »

Après avoir obtenu son diplôme, elle décide de s'inscrire en maîtrise. Elle trouve alors un emploi sur le campus pour enseigner à la Polytechnique. Au même moment, elle lance ses procédures d'immigration. « À la fin de mes études, quelqu'un à la Poly m'a dit qu'on cherchait du personnel au CRIM, le Centre de recherche informatique de Montréal. J'ai débuté là en janvier 2001 avec un salaire de 38 000 $ CAN. J'ai de très bonnes conditions de travail, une atmosphère avec peu de stress et un respect très agréable. »

Le CRIM est un organisme sans but lucratif créé en 1985 qui a pour but de renforcer les liens entre les universités et les entreprises du secteur des technologies de l'informatique. Christelle y travaille 35 heures par semaine et a trois semaines de congé par an. « J'ai des copains qui gagnent davantage ailleurs en informatique, mais j'aime mes conditions de travail. Je m'y sens appréciée. »

non loin de Sherbrooke. Elle accueille près de 2000 étudiants dans une ville de 5 000 habitants. Bishop's propose des études en anglais dans un cadre de vie très paisible.

☛ www.ubishops.ca

Obtenir le visa étudiant

Si vous voulez poursuivre des études au Québec, il est impératif d'obtenir le visa étudiant. Pour une rentrée scolaire en septembre, il est recommandé de s'y prendre plus de six mois à l'avance, soit de décembre à février. Les étudiants français ont deux possibilités pour aller étudier au Québec.

La convention CREPUQ. La première solution est de passer par le programme d'échanges *via* le Centre de coopération interuniversitaire franco-québécoise et d'obtenir son diplôme reconnu en France. Avec ce programme, vous payez les mêmes frais de scolarité que dans votre université française. Signée en 1984, la convention CREPUQ permet de faciliter les échanges d'étudiants entre la France et le Québec et concerne 200 établissements d'enseignement supérieur français. Renseignez-vous auprès de votre établissement pour savoir s'il en fait partie.

Partir seul. Le deuxième choix pour l'étudiant français est d'étudier à sa guise et autant de temps qu'il le veut dans une institution québécoise, en payant les frais de scolarité québécois, dans le but d'obtenir ou non un diplôme québécois.

Pour d'obtenir le visa étudiant, la première étape est de s'adresser au département ou à la faculté de l'institution québécoise qui vous intéresse. Il s'agit de retirer un

Informez-vous à temps

En général, pour préparer une rentrée en septembre, vous devez vous y prendre un an à l'avance. Dès l'automne précédent, informez-vous sur les programmes offerts dans les différentes universités québécoises. Certains programmes sont contingentés ou encore réservés aux Québécois. Habituellement, vous avez jusqu'en février pour remettre votre dossier à l'université qui vous intéresse.

dossier d'inscription ou d'admission pour recevoir une lettre d'admission. Lorsque vous avez l'acceptation, vous pourrez commencer la seconde étape en remplissant la « demande de certificat d'acceptation du Québec pour études », ceci afin d'obtenir le CAQ (certificat d'admission du Québec) délivré par le MRCI (ministère des Relations avec les citoyens et de l'Immigration au Québec). Vous n'êtes pas tenu d'avoir le CAQ si vous avez déjà le CSQ (certificat de sélection du Québec) ou si vous comptez étudier moins de six mois au Québec. Pour obtenir le CAQ, il faut posséder la lettre d'admission de l'institution et disposer de suffisamment d'argent pour couvrir vos frais en apportant le justificatif de l'attestation bancaire. Ces frais concernent, entre autres, le billet d'avion, les frais de scolarité, de vie quotidienne (comptez autour de 10 000 $ CAN). Les frais d'étude du dossier au niveau provincial sont de 100 $ CAN. Si une tierce personne paie vos frais (vos parents, par exemple), il vous faudra fournir une déclaration assermentée de prise en charge financière.

Après l'obtention du CAQ, vous devez faire la demande d'un permis d'étude auprès de l'ambassade du Canada en France. Le permis d'étude à l'étape fédérale coûte 125 $ CAN.

Attention, le visa étudiant ne vous donne pas la possibilité de travailler au Québec à moins que cela soit sur le campus de votre institution. Il est strictement interdit de travailler à l'extérieur de l'établissement scolaire.

POUR ÉTUDIER EN ANGLAIS

Bien qu'il soit possible de rendre la plupart de vos travaux en français dans les universités anglophones du Québec, vous devez passer le TOEFL (Test of English as a Foreign Language) pour étudier dans une université anglophone. Vous en saurez plus sur cet examen en vous adressant, en France, à la commission franco-américaine de Paris (www.fulbright-France.com).

Si vous désirez faire des études universitaires en langue anglaise, il est nécessaire d'obtenir le « certificat d'admissibilité à des études en anglais » délivré par le ministère de l'Éducation du Québec, (www.meq.gouv.qc.ca).

LA COUVERTURE SOCIALE DES ÉTUDIANTS FRANÇAIS AU QUÉBEC

Les étudiants français qui partent seuls sont couverts par le régime d'assurance maladie du Québec en raison d'une entente de récipro-cité entre cette province et la France. Mais ils doivent tout de même remplir le formulaire SE401-Q-102 intitulé « protocole d'entente Québec-France relatif à la protection sociale des étudiants et des par-ticipants à la coopération ». Celui-ci ne sert pas à la prise en charge des soins, mais à justifier que les étudiants appartiennent à un régime français de Sécurité sociale.

Pour leur part, les étudiants français qui passent par un programme d'échanges sont tenus de prendre une assurance lors de leurs études au Québec et de remplir le formulaire SE401-Q-106. Vous obtiendrez ces deux formulaires dans les caisses primaires d'assurance-maladie en France. Vous en aurez besoin pour vous inscrire auprès des services de santé lors de votre arrivée au Québec. Pour en savoir plus sur le système de santé, voir la partie 3, « Démarches à l'arrivée » (page 204).

Enfin, les étudiants étrangers peuvent aussi profiter des résidences universitaires situées habituellement sur le campus de leur université. Abordables et très pratiques, elles sont idéales pour la vie en commu-nauté universitaire.

Les liens Internet sur les études et les bourses

- **Association des universités et des collèges canadiens** ➤ **www.aucc.ca**
- **Associations des étudiants français au Canada** ➤ **welcome.to/aefc**
- **Bourses canadiennes** ➤ **www.boursetudes.com**
- **Bureau canadien de l'éducation internationale** ➤ **www.cbie.ca**
- **Centre de coopération interuniversitaire franco-québécoise (CCIFQ)** ➤ **www.sigu7.jussieu.fr/quebec** (échanges CREPUQ)
- **Immigration Québec** ➤ **www.immq.gouv.qc.cafrancais/**
- **Ministère de l'Éducation, liste des établissements reconnus** ➤ **www.meq.gouv.qc.caens-sup/index.asp**
- **Service culturel canadien à Paris, relations universitaires** ➤ **www.canada-culture.org** (cliquez sur « Relations universitaires », pour trouver la rubrique « Bourses d'études »)
- **Prêts et bourses du gouvernement québécois** ➤ **www.afe.gouv.qc.ca** (pour les résidents permanents)

ÉTUDIER PUIS TRAVAILLER AU QUÉBEC

Comme le Québec a une politique d'immigration active, il est possible de déposer une demande d'immigration à tout moment lors de vos études, que vous ayez obtenu un diplôme québécois ou français. Le fait d'étudier dans une université québécoise est un atout sur le marché du travail local.

Que vous vouliez vous établir ou non au Québec, si vous avez obtenu un diplôme québécois, il est possible, à la fin de vos études, de travailler au pays pendant un an dans le domaine de votre formation. Il faut alors faire une demande d'autorisation de travail auprès du MRCI, dans les soixante jours qui suivent la délivrance de votre diplôme.

Les préparatifs du départ

Que vous envisagiez un séjour de quelques mois ou une immigration, les préparatifs débutent au moment même où vous prenez la décision de partir. Ouvrez les yeux et les oreilles, vous avez peut-être des gens autour de vous qui ont fait des voyages ou des séjours au Québec qui pourront vous être de bon conseil. Encore mieux, votre entourage connaît peut-être des gens qui sont déjà installés au Québec. N'hésitez pas à tenter de les joindre, leur expérience vous sera précieuse. Lisez autant que vous le pouvez sur le Québec, naviguez sur Internet à la recherche d'informations sur la Belle Province. Ne manquez pas une opportunité de rencontrer des gens qui partagent le même intérêt et surtout qui vous faciliteront votre installation ou votre séjour. Tout au long de vos dernières formalités avant le grand départ, certaines questions et certains doutes s'installeront et vous hanteront de leur « Ai-je pris la bonne décision ? ». Ces hésitations de dernière minute sont tout à fait normales. Nous vous suggérons également de jeter un coup d'œil au chapitre « Les obstacles à l'intégration » dans la partie 3 concernant le choc culturel et l'introspection.

LE SÉJOUR DE PROSPECTION

Lors d'une immigration, il est fortement conseillé de faire un voyage de reconnaissance afin de prendre le pouls de la société où vous voulez vous installer. Ce séjour n'est pas obligatoire, mais ce n'est pas pour

PROSPECTION : PREMIERS CONTACTS POUR UN EMPLOI

C'EST LORS DE SON VOYAGE de prospection en mars 2001 à Montréal que Prisca a trouvé son futur employeur.

« Je suis venue en voyage de reconnaissance lors du salon de l'alimentation du SIAL qui se tenait cette année-là à Montréal, se souvient-elle. Je travaillais déjà chez Danone à Paris comme assistante de direction et j'ai réussi à rencontrer mon futur employeur sur place. »

Prisca a fait la connaissance de son futur patron qui allait monter une entreprise par le biais de l'un de ses directeurs.

Aujourd'hui, elle travaille toujours pour cet employeur, Balsavour, qui œuvre dans le domaine de l'alimentaire.

« La compagnie importe au Québec des produits européens en conserve, comme des petites olives, des champignons et des légumes. »

Depuis son arrivée au Qébec en 2002, l'entreprise a grossi, Prisca est maintenant l'assistante du directeur et perçoit un salaire de 35 000 $ CAN par an ; elle travaille 40 heures par semaine avec deux semaines de vacances par an.

---

rien qu'il donne des points dans le questionnaire de sélection (voir page 40) : il vous prépare un peu mieux à une éventuelle installation. Le Québec a une belle image à travers le monde francophone, les touristes y sont souvent choyés, mais il est important de vérifier par vous-même si le courant passe bien entre vous et cette terre d'accueil. On n'est jamais mieux servi que par soi-même ! L'idéal est d'y venir pendant l'hiver afin de vraiment tâter la saison hivernale en décembre, janvier et février. Vous verrez le Québec enseveli sous la neige et aux prises avec ses pires grands froids. Ne faites pas l'erreur de venir au mois de juillet lors des nombreux festivals qui bercent Montréal et le

Québec en haute saison estivale. Vous risquez de vous faire une image déformée du pays. La vie se passe alors à l'extérieur et vous tomberez probablement sous le charme. Mais le Québec ce n'est pas que cela, et le paysage change du tout au tout en quelques mois.

Un tel voyage de prospection se prépare bien également : il sera peut-être déterminant pour votre approche du Québec. Souvent, les futurs immigrants font ce voyage après avoir envoyé leur demande préliminaire pour l'immigration, pour confirmer des impressions avant d'être totalement engagés.

Contactez des entreprises proches de votre champ d'activité, provoquez des rencontres, même informelles, avec des employeurs potentiels. Vous pouvez commencer à identifier ces sociétés sur Internet, et après une sélection, prendre des rendez-vous. En plus de votre entourage personnel et des sites Internet, pensez aussi à nouer des contacts par le biais d'associations et d'ordres professionnels.

QUAND PARTIR

Chaque période a ses avantages et ses inconvénients pour s'installer. En général, il est conseillé aux immigrants de s'installer au printemps afin de prendre le temps de s'acclimater aux saisons avant l'arrivée de l'hiver. C'est ce que pense Fabien Lambelet, arrivé de Lyon en 1999 et installé avec sa famille à Québec. Aujourd'hui, il travaille comme conseiller dans un organisme d'aide aux immigrants, le SOIIT, Service d'orientation et d'intégration pour immigrants au travail de Québec.

« Nous étions arrivés en mai et c'est un peu tard. L'idéal c'est fin avril, le climat est plus doux et le marché de l'emploi plus dynamique. » Lors de cette période vous pourrez aussi rencontrer des employeurs et tenter de trouver un poste avant les grandes vacances.

Si vous avez des enfants, il est peut-être plus simple d'arriver en été après la fin de l'année scolaire et ainsi être prêt en septembre pour la rentrée des classes. La saison hivernale est plus porteuse du point de vue de l'emploi parce qu'à partir du mois de septembre l'activité économique bat son plein. Mais en revanche, si vous êtes seul, vous risquez de vous retrouver un peu plus désemparé face aux premières embûches. Il est plus facile de se remonter le moral lorsqu'il fait 20 degrés à l'extérieur car vous pouvez profiter facilement des terrasses et du soleil. L'hiver amène aussi son lot d'activités, mais les gens ont tendance à hiverner, à moins sortir, ainsi vous risquez peut-être de vous sentir un peu isolé.

▌ ACHETER SON BILLET D'AVION

De nombreuses compagnies aériennes françaises et canadiennes comme Air France, Corsair, Nouvelles Frontières, Air Canada, Air Transat proposent des vols réguliers pour faire le voyage transatlantique. Vous pouvez aussi vous adresser à certaines agences de voyages françaises et canadiennes. En général, il faut compter entre 700 et 1000 $ CAN pour un billet d'avion aller-retour Montréal-Paris, même si vous pouvez aussi trouver des vols charters moins chers ou des vols soldés sur Internet.

Attention à l'achat d'un billet ouvert (communément appelé *open*) c'est-à-dire sans date fixe de retour dont les douaniers se méfient lorsque vous arrivez pour un séjour temporaire au Québec. Pire encore, le biller aller simple. Il faut avoir un billet retour tant que vous n'immigrez pas. Sans la preuve de votre retour en France, vous risquez

Billets d'avion : où se renseigner et comparer ?

VOICI QUELQUES SITES qui vous permettront de procéder rapidement à des comparaisons :	
➤ anyway.com	➤ www.expedia.ca
➤ degriftour.com	➤ www.govoyages.com
➤ www.ebookers.com	➤ www.lastminute.com
	➤ www.look.fr
	➤ www.travelprice.com
	➤ www.opodo.fr

d'éveiller les soupçons des douaniers. Un billet retour est la preuve que vous ne tentez pas de vous installer illégalement au pays.

▌ LE DÉMÉNAGEMENT

De nombreux immigrants ou visiteurs temporaires font appel à un service professionnel pour transporter leur matériel lourd. En général, ils emportent avec eux des articles pratiques dans leurs bagages et font suivre le reste de leurs effets personnels par bateau. Vous devez dresser une liste précise de ces objets qui vous sera demandée par votre déménageur et par la douane canadienne. Vous pouvez bien sûr déménager votre maison, mais n'oubliez pas qu'il est parfois moins onéreux de racheter sur place. Rappelez-vous également que le voltage n'est pas le même en Amérique du Nord, les appareils de 220 volts ne fonctionnent pas sans adaptateur. Si vous voulez apporter des articles électroniques de valeur, achetez des transformateurs.

LISTEZ PRÉCISÉMENT CE QUE VOUS EMPORTEZ

Si vous faites appel à un déménageur, il faut avant toute chose dresser un inventaire précis de ce que vous voulez apporter avec vous. Ce calcul se fait en mètres cubes. Avec cette information, vous pouvez

Déménagement : où se renseigner ?

VOICI QUELQUES COORDONNÉES DE DÉMÉNAGEURS auprès desquels vous pourrez vous renseigner et demander des devis :

- **Ags déménagement** ➤ www.ags-demenagement.com
- **Asl overseas** ➤ www.asl-overseas.fr
- **Biard** ➤ www.biard.fr
- **Desbornes** ➤ www.desbordesinternational.com
- **Europack.fr** ➤ www.europack.fr
- **Géodis** ➤ www.calberson.com
- **Gallieni** ➤ www.gallieni-demenagements.com
- **Groupe CAT** ➤ www.groupecat.com
- **Schmid & Kahlert France** ➤ www.schmid-kahlert.fr
- **Seagull** ➤ www.seagull.fr

commencer à choisir un déménageur, demander un devis et comparer les différentes offres. Si vous en avez la possibilité, le partage d'un container peut s'avérer une solution fort intéressante au niveau économique. Un container standard mesure habituellement 20 pieds (environ six mètres). Il est conseillé de prendre une assurance lors du déménagement. Enfin, de nombreux déménageurs demandent le quitus fiscal (voir page 78). Afin de compléter cette section sur le déménagement et le dédouanement de vos articles personnels, reportez-vous à la partie 3, « Les démarches à l'arrivée », le paragraphe sur les douanes.

REJOINDRE LE QUÉBEC PAR BATEAU

Il est possible et pittoresque de voyager avec ses bagages... en prenant le même bateau qu'eux. La traversée entre l'Europe de l'Ouest et Montréal dure une dizaine de jours. De nombreux départs français se font à partir du Havre et de Fos-sur-Mer, en France, et d'Anvers, en

Belgique. Un gros avantage : le poids des bagages n'est pas limité comme en avion.

Peggy avait déjà vécu et étudié à Montréal pendant une année au cours des années 1990. Ainsi, lorsqu'elle a décidé de venir s'y installer définitivement en 2001, elle a voulu marquer le coup d'une façon différente : comme des milliers d'immigrants avant elle à une autre époque, elle a décidé de rejoindre le Nouveau Monde par bateau. « Une personne sur le forum d'Immigrer.com avait parlé d'un voyage par bateau pour débarquer au Québec. Je n'ai pas pu m'enlever cette idée de la tête. C'était symbolique. J'étais venue plusieurs fois au Québec, mais cette fois-ci je voulais une transition spéciale à l'occasion de mon immigration. »

Le 28 novembre 2001, Peggy embarque sur un cargo de la compagnie anglaise *Strand Voyages* dans le port du Havre. La traversée de dix jours la mène des côtes françaises au port de Montréal, le 6 décembre suivant. « Je faisais un parcours historique, beau, sans décalage horaire et j'ai eu le temps de m'adapter, de réfléchir et en plus j'ai pu prendre pas mal de bagages. »

Peggy avait réservé une cabine individuelle où elle avait une pension complète. Elle a pu emporter 130 kilos de bagages, il suffisait que tous ces bagages entrent dans sa cabine. « En revanche, on a mangé tous les jours de la cuisine indienne puisque le chef venait d'Inde. Même les petits-déjeuners étaient indiens, avoue Peggy. J'avais un petit frigo dans ma cabine et j'y avais mis une boîte de rillettes et une boîte de Chaussée aux Moines. » Au début, elle avait peur de se lasser de la nourriture indienne, mais finalement tout s'est bien déroulé. « Je mangeais mon repas avec les officiers et même si j'étais une femme seule, les rapports avec l'équipage étaient très professionnels. Je me sentais en toute sécurité. »

« On avait la possibilité de se servir de tous les équipements utilisés par l'équipage, c'est-à-dire de la piscine, du gymnase, de la télévision, des machines à laver, etc. », précise Peggy. En revanche, il faut savoir qu'il n'y a pas de médecin à bord.

APPORTER SA CAVE À VINS, SON VÉHICULE OU SON ANIMAL

Importer sa voiture, son vin ou son animal domestique au Canada est possible sous certaines conditions.

L'IMPORTATION D'UN VÉHICULE AU CANADA

Vous pourrez importer votre véhicule au Québec, s'il est conforme à toutes les lois d'importation canadiennes. Un véhicule fabriqué selon les normes de sécurité de pays autres que les États-Unis ou le Canada ne peut être importé sauf s'il a quinze ans ou plus, s'il s'agit d'un autobus qui a été fabriqué avant le 1er janvier 1971 ou si le véhicule n'est importé que temporairement. Ceci inclut aussi les motos et les

> ## Importation d'un véhicule : où se renseigner ?
>
> **Direction de la sécurité routière et de la réglementation automobile, Transports Canada, place de Ville, tour C, 330, rue Sparks, 8ᵉ étage, Ottawa Ontario, K1A 0N5, Canada**
>
> ☎ **1-800-333-0371 (numéro sans frais du Canada et des États-Unis); 1-613-998-8616 (si vous appelez de France ou d'ailleurs); fax : 1-613-998-4831**
>
> ➤ **www.tc.gc.ca**

véhicules 4x4. Avant d'importer un véhicule, assurez-vous donc d'abord auprès des autorités canadiennes qu'il est admissible. En effet, s'il ne répond pas aux normes canadiennes, il devra être exporté ou détruit sur place sous la supervision des douaniers canadiens.

Taxes à l'arrivée. Si vous pouvez faire entrer votre voiture au Canada, vous devrez payer des cotisations qui comprennent les droits, la taxe d'accise et la taxe canadienne TPS (taxe sur les produits et services) de 7 %. La valeur du véhicule est évaluée en douanes et s'appuie généralement sur le prix d'achat. De nombreux éléments peuvent aussi être pris en considération lors du calcul de l'évaluation du véhicule. Au chapitre des frais, n'oubliez pas que si votre véhicule tombe en panne au Québec, les réparations, le remplacement des pièces pourront vous coûter assez cher.

L'IMPORTATION D'UN ANIMAL

Les chats et les chiens importés au Canada n'ont pas besoin d'être mis en quarantaine lors de leur arrivée au pays. Cependant, s'ils sont importés de France ou de tout autre pays européen (sauf le Royaume-Uni), ils doivent être accompagnés d'un certificat de vaccination antirabique valide délivré par un vétérinaire agréé par le pays d'origine. Le certificat doit clairement indiquer que l'animal a été vacciné contre la rage et doit aussi comprendre le signalement de l'animal (race, couleur, poids, etc.), le nom du vaccin, son numéro de série et sa durée de validité.

Vaccins à jour. Fabien Lambelet a immigré avec sa conjointe Amélie et leurs deux chats en 1999. « On les avait gardés avec nous dans l'avion, se souvient-il. Huit heures de trajet, les chats s'ennuient ! On avait veillé à ce que les vaccins soient à jour. Il faut bien se renseigner sur les vaccins et ne pas oublier d'avoir avec soi leur carnet de santé à jour. » Il est cependant possible de faire vacciner son chat ou son chien à son arrivée au Canada au tarif de 55 $ CAN (avant taxes) et 30 $ CAN pour chaque animal supplémentaire. À votre arrivée au Canada, votre compagnon sera inspecté (comptez 30 $ CAN pour le premier animal – avant les taxes – et 5 $ CAN pour chaque animal en plus). Les chats de moins de 3 mois n'ont pas besoin d'être vaccinés. Les chiens âgés de 3 mois à 8 mois doivent également avoir un certificat de vaccination.

En avion. Les compagnies aériennes exigent des frais de transport pour votre animal. Lors de l'achat du billet, assurez-vous de bien réserver une place en soute car elles sont souvent limitées. Il est préférable pour un animal de prendre un vol direct et d'éviter les correspondances. De nombreux propriétaires d'animaux donnent un somnifère à leur animal afin de faciliter le voyage. Dans les aéroports nord-américains, les animaux doivent rester dans leur cage. N'oubliez pas que votre animal aussi vivra un décalage horaire, ainsi ne soyez pas surpris si votre chien aboie la nuit.

Où se renseigner. Si vous comptez importer d'autres types d'animaux, reportez-vous au site de l'Agence canadienne de l'inspection des aliments : www.inspection.gc.ca

L'IMPORTATION DE VINS

Comme le vin est un produit généralement importé au Québec, il est beaucoup plus cher qu'en France : ce n'est donc pas une mauvaise idée d'emporter votre cave à vins ou quelques bouteilles. Vous devez le décider lorsque vous immigrez. Lorsque vous serez installé, vous ne pourrez plus rapporter ensuite que quelques bouteilles lors de vos voyages. En effet, seuls les immigrants, les résidents temporaires et les Canadiens ayant séjourné plus d'un an à l'étranger peuvent rapatrier une cave à vins, mais à condition d'avoir au moins 18 ans, de devenir résident du Québec à leur arrivée au pays et de payer une contrepartie en taxes à la SAQ (Société des alcools du Québec).

Les conditions. Toutes les bouteilles de votre cave à vins doivent vous appartenir depuis au moins trois mois avant votre arrivée. N'est acceptée qu'une seule cave à vins par famille et la quantité totale ne peut dépasser 270 litres incluant bières, vins et spiritueux. Les caves à vins des résidents temporaires sont limitées à 45 litres d'alcool par année de séjour autorisée. Votre cave à vins doit accompagner vos effets personnels en un seul envoi. Lors de ce dernier, la cave à vins ne peut constituer la majeure partie de vos effets personnels, ni en valeur ni en quantité.

Taxes à l'arrivée. Pour la cave à vins, la contrepartie est de 3 $ CAN par litre de vin, 5 $ CAN pour les spiritueux et 3 $ CAN par caisse de 24 bouteilles de bière. Il faut aussi compter la taxe spécifique du Québec sur les boissons alcooliques de 0,89 $ CAN par litre de vin et spiritueux, et de 0,40 $ CAN par litre de bière. Comptez aussi la taxe sur les produits et services de 7 % et la taxe de vente de 7,5 %. Vous devrez aussi acquitter des droits et taxes fédéraux lors du dédouanement à Revenu Canada.

Les produits exclus de la cave à vins. Toutes les boissons acquises hors délai ou dépassant le nombre autorisé peuvent être importées,

LORS DE L'ARRIVÉE de vos effets personnels et du dédouanage de votre alcool, assurez-vous d'avoir avec vous votre visa de résident ou de séjour, la liste de vos effets personnels, une liste succincte des boissons alcoolisées de la cave et aussi une liste détaillée des bouteilles qui n'en font pas partie. Les douanes canadiennes exigeront aussi l'autorisation de la Société des alcools du Québec (www.saq.com). Pour l'obtenir, présentez-vous au bureau de la Société des alcools à Québec ou à Montréal.

Pour tout autre renseignement, contactez la Société des alcools du Québec, Service douanes et accise, 905, rue De Lorimier, Montréal (Québec) H2K 3V9 ☎ 1-514-873-7456, fax : 1-514-873-4236 ✉ douanes.accise@saq.qc.ca

mais sous d'autres conditions que la cave à vins. Vous devez payer une contrepartie équivalant à la marge bénéficiaire habituelle de la SAQ. Cette majoration est établie selon le type et la valeur des bouteilles d'alcool ainsi que des taxes provinciales. Par exemple, pour une bouteille de vin de 750 ml au coût de 10 $ CAN, Douanes Canada percevra un montant de 11,03 $ CAN. Pour une bouteille de spiritueux de 750 ml de même valeur, les douanes percevront 42,26 $ CAN. Ces bouteilles doivent figurer sur une liste distincte de celle de la cave à vins, que vous présenterez aux douanes canadiennes lors de votre arrivée.

LE QUITUS FISCAL

Les dernières démarches avant le grand saut sont nombreuses. Il faut résilier ses abonnements (téléphone, électricité, eau, câble, Internet, journaux, logement) et... régler la question relative à vos impôts. Le quitus fiscal est obligatoire pour tous les Français qui s'installent à l'étranger plus de six mois. Mais vous n'aurez pas à présenter la preuve de votre quitus fiscal à la douane canadienne, les autorités locales ne se mêlent pas de vos comptes avec votre pays d'origine. Seules les compagnies de déménagement réclament ce justificatif.

Comment procéder. Pour faire son quitus fiscal, il faut faire une déclaration de revenus pour l'année précédente et l'année en cours, basée sur une moyenne. Ensuite, vous prenez un rendez-vous avec un inspecteur à votre centre d'imposition. Vous lui remettez les deux déclarations tout en lui expliquant la situation. Vous recevrez plus tard une attestation confirmant les déclarations de revenus pour ces deux années et les sommes à payer. Afin d'effectuer le paiement, vous devez vous rendre à la trésorerie dont vous dépendez dans votre département. C'est là que vous recevrez le « bordereau de situation fiscale », c'est-à-dire le quitus fiscal. Si le paiement pose problème, vous pouvez demander de l'étaler ou solliciter un délai : mais ceci avec des garanties, comme une caution de votre ancien employeur. Si vous souhaitez plus de renseignements sur votre cas spécifique, vous pouvez toujours vous adresser au ministère des Finances français.
☛ Ministère de l'Économie, des Finances et de l'Industrie, 139, rue de Bercy, 75572 Paris cedex 12, tél. 01.40.04.04.04 ; Internet : www.finances.gouv.fr

Mésaventures fiscales. Fabien Lambelet et sa conjointe avaient pourtant bien fait leur quitus fiscal avant leur grand départ en 1999. « Un an après mon installation au Québec, j'ai reçu une déclaration où ils exigeaient les tiers provisionnels. Bien que nous ayons fait un quitus fiscal, les impôts français n'étaient pas au courant que nous étions partis ! », s'exclame Fabien qui a constaté que plusieurs amis immigrants se sont trouvés dans la même situation. « Lorsque tu fais ton

MÉMO : LES DOCUMENTS À EMPORTER

AVEC AUTANT DE CHOSES AUXQUELLES IL FAUT PENSER, vous serez sûrement débordé au dernier moment. Voici une liste pour vous aider à vous y retrouver. Ces documents vous seront utiles lors de votre installation, que ce soit à la douane canadienne, à Immigration Québec ou pour votre installation en général, lors de l'inscription des enfants à l'école, de la recherche de logement ou d'emploi :

- Billet d'avion
- Visa canadien
- CSQ (certificat de sélection du Québec)
- Passeport ou autre document de voyage
- Autres pièces d'identité
- Acte de naissance
- Livret de famille
- Permis de conduire valide
- Dossier médical
- Dossier dentaire
- Quitus fiscal

- Argent canadien en espèces et chèques de voyage
- Carnet de vaccination
- Diplômes, certificats d'études et autres attestations de scolarité
- Documents relatifs à votre reconnaissance auprès d'un ordre ou d'une profession
- Relevés de notes de cours
- Description des cours et des stages suivis
- Attestations d'emploi (ou d'expériences professionnelles, de stage de formation ou de perfectionnement, ou d'activités de formation continue)
- Lettres de recommandation d'anciens employeurs et d'employeurs actuels
- Liste de vos effets personnels pour la douane (alcool, etc.
- Permis d'exercice d'une profession ou d'un métier
- Certificats de qualification professionnelle
- *Curriculum vitæ* à jour

quitus fiscal, il est très important de bien conserver tous les documents. Et surtout de ne pas être surpris lorsque les impôts te contactent un an plus tard en te disant que tu es dans ton tort », avertit-t-il. Fabien affirme qu'il faut préparer psychologiquement les personnes

qui recevront vos documents à l'adresse postale laissée en France.
« Ma mère avait toutes les photocopies du quitus et, malgré tout, ils
l'ont harcelée pendant six mois jusqu'au jour où elle est allée les voir
en personne aux impôts pour leur réexpliquer la situation. »

S'IMPRÉGNER DE LA CULTURE QUÉBÉCOISE

Vous connaissez certainement les grands noms de la chanson québécoise, mais savez-vous qu'à Paris ou en province, vous pouvez en
découvrir davantage sur la culture du Québec ? En 2001, la France et
le Québec ont souligné le quarantième anniversaire de leurs relations
privilégiées, depuis l'ouverture de la Délégation du Québec à Paris. En
2002, ce sont les villes de Bordeaux et de Québec qui fêtaient leur
40 ans de jumelage. Les échanges culturels, sociaux et commerciaux
ne cessent de s'accroître entre les deux régions.

ATMOSPHÈRE QUÉBÉCOISE SUR PARIS

Participez aux activités sociales et culturelles à Paris de la commu-
nauté québécoise. Fêtez la Saint-Jean-Baptiste le 24 juin à la
Délégation du Québec rue Pergolèse, assistez à des conférences au
Centre culturel canadien, courez les soirées d'auteurs québécois à la
Librairie du Québec rue Gay-Lussac ou à l'Abbey Bookshop dans le
quartier Latin, flânez dans les bars québécois et canadiens de Paris.
Chaque année, à l'automne, le Cinéma des cinéastes de l'avenue de
Clichy dans le 17e arrondissement propose un minifestival de cinéma
québécois.

Devenez membre de l'Association France-Québec dans votre région,
abonnez-vous à la lettre d'information de la Délégation du Québec,

Quelques adresses à Paris

- The Abbey Bookshop, 29, rue de la Parcheminerie, 75005 Paris
  ☎ 01.46.33.16.24 ➤ ourworld.compuserve.comhomepages/ ABParis (librairie canadienne).
- Centre culturel canadien, 5, rue de Constantine, 75007 Paris
  ☎ 01.44.43.21.90 ➤ www.canada-culture.org
- Délégation générale du Québec, 66, rue Pergolèse, 75116 Paris. Vous trouverez à cette adresse tous les renseignements culturels, le service d'immigration se trouvant rue de la Boétie.
- L'Envol, 30, rue Lacépède, 75005 Paris
  ☎ 01.45.35.53.93, (bar québécois).
- Librairie du Québec, 30, rue Gay-Lussac, 75005 Paris
  ☎ 01.43.54.49.02 ➤ www.libriszone.comlib/indexquebec.htm
- The Moosehead-Canadian Bar, 16, rue des Quatre-Vents, 75006 Paris
  ☎ 01.46.33.77.00.

Sites sur la culture et l'actualité québécoise :
- Chemin des érables ➤ www.chemin-des-erables.com
- Ouellette, art de vivre ➤ www.ouellette001.com
- Vivre à Québec ➤ www.vivreaquebec.com
- Radio-Canada ➤ www.radio-canada.ca
- Le journal *La Presse* ➤ www.cyberpresse.ca

lisez le magazine québécois *Au Québec* distribué en France, accueillez un jeune Québécois en stage dans votre entreprise *via* l'OFQJ, une ribambelle d'activités sont possibles pour vous imprégner de la culture québécoise. procéder

APPROCHEZ LE QUÉBEC DE LA PROVINCE FRANÇAISE

En dehors de Paris, il existe aussi de nombreux lieux ouverts au public pendant la belle saison qui soulignent les liens privilégiés entre les deux pays : la Maison du Québec et la maison de Jacques-Cartier à Saint-Malo, le musée de l'émigration percheronne au Canada à Tourouvre, le site commémoratif des soldats canadiens morts en 1917 à la bataille de la crête de Vimy, non loin d'Arras.

Dans un autre registre, il est aussi possible de découvrir quelques restaurants et pubs québécois un peu partout sur le territoire français : à Enghien-les-Bains en région parisienne, à Compiègne, à Mortagne dans le Perche, à La Chaussée-Saint-Victor non loin de Blois et dans la région Midi-Pyrénées à Clarac et Labège (les restaurants O-Québec).

Trouver un emploi à partir de la France

Il n'est pas simple de trouver un emploi au Québec à partir de la France. « Je ne dis pas que c'est impossible, affirme Yann Hairaud, directeur de l'AMPE (Agence montréalaise pour l'emploi) à Montréal, mais ce n'est pas évident à cause de l'éloignement géographique. »

À moins d'avoir des contacts au Québec qui peuvent vous ouvrir des portes ou d'avoir un profil très demandé. En dehors de ces possibilités, il faudra un peu compter sur votre bonne étoile. Les trois principaux problèmes se résument à la distance, au visa de travail et à la nature du marché du travail.

L'IMPORTANCE DE L'ENTRETIEN AU QUÉBEC

Les employeurs québécois ont besoin de vous rencontrer, cet élément est crucial au Québec et certainement plus important encore qu'en France. Un très beau CV avec de belles lettres de référence ne constitue qu'une partie de votre candidature, les employeurs du Québec veulent connaître votre personnalité. Pour cela, ils ne procéderont pas à des examens graphologiques mais voudront tout simplement vous voir en personne pour déterminer si vous pouvez vous fondre dans l'équipe et si vous correspondez à la personne qu'ils cherchent pour un poste. Ainsi, à moins de rencontrer des employeurs potentiels lors d'un séjour de prospection, il est à peu près impossible de se faire connaître personnellement à 7 000 kilomètres de distance.

OBTENIR UN VISA DE TRAVAIL

Vous devez avoir un visa de travail pour pouvoir travailler au Québec, qu'il soit temporaire et établi dans le cadre de programmes d'échanges ou bien permanent, si vous faites les démarches d'immigration. Aucun employeur québécois ne pourra vous embaucher si vous n'avez pas de permis de travail. Au mieux, ils vous diront de les recontacter une fois le visa en poche.

Yann Hairaud le confirme : « Sans autorisation de travail c'est peine perdue. Au Québec, l'embauche se fait rapidement, ce qui n'est pas le cas en France. On peut très bien passer un entretien et commencer son travail quelques jours plus tard. » Ainsi, l'employeur québécois ne peut se permettre d'attendre des mois pour que vous puissiez régulariser votre situation et travailler pour lui. Il veut qu'un employé soit rapidement fonctionnel et productif pour le bien de sa compagnie. Le marché du travail est tel qu'il trouvera plus facilement sur place des gens aptes à travailler immédiatement pour lui.

Si vous voulez travailler temporairement au Québec, reportez-vous aussi au chapitre 3 « Séjourner au Québec » dans lequel vous trouverez des renseignements sur l'obtention du visa de séjour temporaire.

UN MARCHÉ TRÈS RÉACTIF : DISPONIBILITÉ DEMANDÉE

Fabien Lambelet, conseiller dans un organisme d'aide aux immigrants à Québec, le SOITT, pense aussi qu'il est pratiquement impossible de trouver un travail à partir de la France. « Les employeurs québécois ne font pas de planification à long terme de leurs ressources humaines. Il y a beaucoup de petites entreprises au Québec et elles réagissent au jour le jour, à court terme, constate-t-il. En plus, il subsiste toujours un doute sur la venue effective du travailleur étranger. »

Le marché du travail nord-américain et québécois est en constante évolution. Des entreprises se créent en quelques heures, les employés sont licenciés ou quittent d'eux-mêmes leur fonction en quelques jours ou quelques semaines, les employeurs n'ont pas aussi peur qu'ailleurs d'embaucher car ils ont moins de charges et surtout l'embauche représente un engagement moins lourd. C'est un marché dynamique et très attractif, mais lorsqu'un employeur québécois veut faire une embauche c'est généralement tout de suite. « La meilleure chose reste de cibler, puis de contacter des entreprises lorsque vous êtes sur le point de partir, conseille Fabien. Vous les recontacterez de nouveau, une fois sur place. »

LES ORGANISMES D'AIDE EN FRANCE

En plus des programmes d'échanges que nous avons abordés précédemment, vous trouverez ici les coordonnées d'organismes qui viennent en aide au travailleur qui s'apprête à partir à l'étranger. Certaines de ces organisations proposent même des postes à l'étranger.

L'ESPACE EMPLOI INTERNATIONAL

Depuis 1999, cet espace regroupe des services de l'ANPE (Agence nationale pour l'emploi) et de l'OMI (Office des migrations internationales) dans les domaines de l'emploi et de la mobilité internationale afin de faciliter l'emploi à l'international pour les entreprises et les candidats. Il existe dans ces locaux un service de placement à l'étranger pour les travailleurs diplômés et qualifiés. Les services mettent aussi à disposition une documentation relative à l'expatriation. L'espace offre parfois des ateliers sur le travail au Québec *via* des opérations de promotion. Le site Internet offre un éventail d'informations et des offres d'emploi. Le réseau a par ailleurs des antennes en région, des délégations OMI à l'étranger (comme à Montréal) ainsi que des comités consulaires pour l'emploi et la formation professionnelle (ministère des Affaires étrangères) implantés à l'étranger auprès des consulats de France ou des chambres de commerce et d'industrie.

☛ L'Espace emploi international, 48, boulevard de la Bastille, 75012 Paris, tél. 01.53.02.25.50 ; e-mail : eei.omi@anpe.fr ; Internet : www.emploi-international.org. Du lundi au vendredi de 9 heures à 17 heures, sauf le mardi jusqu'à 12 heures, entretiens personnalisés toutes les matinées.

LA MAISON DES FRANÇAIS DE L'ÉTRANGER

La MFE (Maison des Français de l'étranger) est un service du ministère des Affaires étrangères chargé d'informer sur l'expatriation. Vous pouvez consulter sur place une vaste documentation sur ce projet. La MFE publie *Le Livret du Français de l'étranger* que vous pouvez vous procurer dans leurs bureaux ou en le téléchargeant sur leur site Internet. Vous trouverez sur le site de nombreuses informations sur l'expatriation ainsi qu'un forum et des informations pratiques.

☛ Maison des Français de l'étranger, accueil du public : 30, rue La Pérouse, 75016 Paris, tél. 01.43.17.60.79, de 9 heures à 17 heures, sauf le mercredi, à partir de 14 heures ; Internet : www.mfe.org

L'ASSOCIATION FRANÇAISE POUR LES STAGES TECHNIQUES À L'ÉTRANGER

L'AFSTE s'adresse aux étudiants des établissements qui sont membres de l'association (domaine scientifique ou de l'architecture).

L'étudiant doit trouver lui-même son stage, et l'AFSTE se charge des démarches administratives.

☞ AFSTE, Comité français de l'IAESTE (International Association for Exchange of Students for Technical Experience), campus Jarlard, 81013 Albi cedex 9, tél. 05.63.49.31.09 ; Internet : www.iaeste.free.fr.

L'Association internationale des étudiants en sciences économiques et commerciales

L'AIESEC propose des stages pour tout étudiant en fin de cursus dans les domaines administratif, technologique et de la communication. Pour en bénéficier, l'établissement scolaire du candidat peut être membre ou non de cet organisme. L'AIESEC se charge des formalités administratives et est présente dans 83 pays.

☞ AIESEC, 14, rue de Rouen, 75019 Paris, tél. 01.40.36.22.33, site Internet : www.fr.aiesec.org

L'APEC

L'APEC (Association pour l'emploi des cadres), créée et gérée par des organisations patronales et syndicales, s'occupe du placement et du recrutement des cadres de l'industrie et du commerce en France. Elle dispose d'un service international réservé aux cadres inscrits, ainsi qu'un centre de documentation.

☞ APEC, 51, boulevard Brune, 75689 Paris cedex 14, tél. 01.40.52.20.00 ; Internet : www.apec.asso.fr

Le CIDJ

Le CIDJ (Centre d'information et de documentation jeunesse) qui est une association agréée par le ministère français de la Jeunesse et des Sports dispose de plus de 31 centres dont 4 en Île-de-France.

Vous pourrez y consulter des fiches par pays et de nombreuses informations sur l'emploi temporaire à l'étranger.

☞ CIDJ, 101, quai Branly, 75740 Paris cedex 15, tél. 01.44.49.12.34, site Internet : www.cidj.asso.fr

LE CLUB TELI

Le Club Teli se fait l'intermédiaire d'offres de stages, d'offres d'emploi temporaires et de séjours linguistiques, essentiellement dans les pays anglo-saxons, dont le Canada et le Québec. Il propose une gamme de publications d'informations générales et de listes d'entreprises. Il y a des frais d'adhésion pour devenir membre.

☞ Club Teli (Association Teli), 7, rue Blaise-Pascal, 74600 Seynod, tél. 04.50.52.26.58 ; Internet : www.teli.asso.fr

LE CIEE

Le Council on International Educational Exchange propose des formations à l'étranger dont des cours d'anglais et des stages au Canada.

☞ CIEE, 112 ter, rue Cardinet, 75017 Paris, tél. 01.58.57.20.50 ; Internet : www.councilexchanges-fr.org

SESAME

Sesame (Services des échanges et des stages agricoles dans le monde), propose des stages rémunérés pour les étudiants de 18 à 30 ans dans plus de 40 pays, dont le Canada. Les domaines de stage sont l'agriculture, la viticulture et l'horticulture. Les étudiants doivent déjà suivre un cursus dans un établissement d'enseignement agricole, et avoir au moins six mois d'expérience professionnelle.

☞ Sesame, 9, square Gabriel-Fauré, 75017 Paris, tél. 01.40.54.07.08, site Internet : www.agriplanete.com

PARTIE 2

Travailler au Québec

S elon le FMI (Fonds monétaire international), le Canada a connu en 2002 la plus forte croissance des pays du G8, rebondissant, selon les experts, plus rapidement que les autres après les événements du 11 septembre 2001. Cet élan de l'économie canadienne devrait se poursuivre en 2003 selon l'OCDE (Organisation de coopération et de développement économique).

Des ambiances de travail à la création d'entreprise, en passant par les secteurs porteurs et les régions les plus favorables, vous trouverez dans cette partie tous les conseils pratiques pour profiter de cette situation avantageuse.

Sommaire

Le travail à la mode québécoise

Les relations entre employés et employeurs ne sont pas établies sur un rapport de force. « Les relations de travail sont plus détendues, il y a moins de pressions, affirme Éric Celton, preneur de son installé au Québec depuis 1997. Les gens se prennent moins au sérieux, mais cela ne veut pas dire qu'ils ne font pas bien leur travail. En France, en tout cas dans le milieu de la télévision, les gens se mettent une pression qui n'a pas lieu d'être. »

Moins de hiérarchie et de stress, mais aussi un marché de l'emploi plus dynamique et plus volatile. Lorsqu'on décide d'aller travailler au Québec, on doit ainsi accepter de vivre avec moins de sécurité d'emploi et de vacances qu'en France, en contrepartie, on trouve plus de possibilités d'avancement et d'occasions de rebondir.

EMBAUCHE ET DÉBAUCHE MINUTE

Le marché de l'emploi au Québec est en effet bien différent de celui de l'Hexagone. Les travailleurs n'hésitent pas à changer souvent d'emploi et l'employeur a moins de réticences à embaucher puisque les charges et les implications sont moindres qu'en France. C'est le royaume de l'embauche et de la débauche minute ! Au Québec, l'employeur et l'employé sont liés par une entente verbale, il n'y a pas de contrat signé. Les CDI (contrats à durée indéterminée) et les CDD (contrats à durée déterminée) n'existent pratiquement pas. Ne cherchez pas à en signer un absolument, vous risqueriez de demeurer longtemps sans emploi.

LE CHÔMAGE DÉDRAMATISÉ

Les employeurs ne s'étonnent pas d'un parcours en zigzag. Il n'est pas rare de voir des candidats qui ont touché à plusieurs domaines ou qui n'ont pas fait plus d'un an ou deux dans chaque entreprise. Dans ce contexte, la mobilité et l'avancement sont des réalités. « Si vous cherchez la sécurité, ce n'est pas sur le continent nord-américain que vous la trouverez, affirme Yann Hairaud. Mais ce système offre toute la mobilité, ainsi quand on perd un emploi, on en retrouve un autre facilement. »

Laurent Kaelin, ingénieur aéronautique, a traversé des périodes de chômage au Québec, qu'il compare au parcours de son frère resté en France. Il constate que ce n'est pas vécu de la même façon de part et d'autre de l'Atlantique. « Si je suis au chômage au Québec, je ne m'inquiète pas plus que cela. Ça va prendre des mois, mais je sais que je vais trouver dans mon secteur, et en attendant je peux exercer un emploi alimentaire, constate-t-il. Alors qu'en France, être chômeur c'est la panique totale. Pour mon frère, je sais qu'il lui faudra un an pour retrouver un poste dans son domaine. »

▌ SÉDUIRE UN EMPLOYEUR QUÉBÉCOIS

Évacuons tout d'abord la question du visa, abordée dans la partie précédente : rappelez-vous en effet, que tout Français qui veut travailler de façon permanente ou temporaire doit détenir un visa de travail valide. Cette formalité remplie, vous allez pouvoir vous mettre en quête d'un poste. Mais sur un marché de l'emploi très volatil où plus de 80 % des emplois disponibles ne sont pas annoncés dans les journaux, il faut user d'autres stratagèmes. Avant tout, renseignez-vous pour savoir si votre profession est régie par l'un des 45 ordres professionnels québécois (dont vous trouverez les coordonnées à la page 188).

L'approche de l'employeur québécois est différente sur bien des sujets. « Le candidat doit être capable de répondre à des besoins en termes de compétences. Lors de l'entretien d'embauche, il faut mettre en avant celles qui peuvent répondre aux besoins de l'entreprise. Le plus important au Québec n'est pas nécessairement le diplôme, mais plutôt le savoir-faire. C'est une grande différence culturelle, explique Yann Hairaud, directeur de l'Agence montréalaise pour l'emploi. Il faut avoir un contact direct, ne pas avoir peur de déranger l'employeur. Il est essentiel aussi de suivre ses démarches d'emploi. »

INITIATIVE, COMPÉTENCES : PLUS IMPORTANT QUE LE DIPLÔME

« Ce qui est apprécié au Québec, c'est l'initiative. Relancer l'employeur pour montrer son intérêt pour le poste est bien vu », affirme Paul Bilger qui travaille en ingénierie chez Nortel. Éric Celton, preneur de son, a réussi à faire sa place dans ce milieu convoité de l'audiovisuel. « Il faut harceler l'employeur, montrer que vous êtes intéressé, c'est finalement du télémarketing, affirme-t-il. Moi, j'y vais directement, en personne. C'est plus difficile de rabrouer quelqu'un qui se trouve en face de soi ! Et puis, on a quand même plus de chance d'obtenir un rendez-vous lorsqu'on se déplace. »

Selon Éric, la mentalité française est complètement différente dans l'approche de l'employeur. « En France, on considère qu'un chercheur d'emploi est un "casse-pieds", affirme Éric. Il ne s'agit pas d'un échange de services entre un employeur et un employé, qui de fait, se retrouve en position de faiblesse. Les candidats ont donc moins tendance

DES FRANÇAIS SÉDUITS PAR LA CONVIVIALITÉ

JEAN BOURRETTE, CHARGÉ DE RELATIONS PUBLIQUES à Montréal chez Insertec, pense que le chercheur d'emploi français doit rester humble et honnête. « Il ne faut pas arriver au Québec avec la science infuse. La vie est différente ici, avertit-il. Il y a plus de "copinage en façade", les gens sont souriants au travail. Mais ensuite, le week-end, tu es seul ! Ce n'est pas parce qu'on parle le français au Québec que c'est la France. » Cette convivialité sur le lieu de travail à laquelle les Français ne sont pas toujours habitués crée souvent une grande illusion : il arrive qu'ils confondent la gentillesse des Québécois avec un début d'amitié.

Pour sa part, Prisca, mère de deux enfants arrivée en 2002, a été agréablement surprise par une certaine simplicité. « Ce qui m'a étonnée, c'est la franchise au travail, confie Prisca qui exerce dans une entreprise d'importation de produits alimentaires européens. Les gens sont compréhensifs. Ils ne s'énervent pas facilement. Ils sont moins agressifs. Lorsqu'ils ont un problème, ils se demandent comment ils vont faire pour le régler. Ils viennent me voir, on en parle et puis c'est fini. »

Chez Christelle Brun, chercheur au CRIM (Centre de recherche informatique de Montréal), c'est la fibre féministe qui a vibré. « Au Québec, en tant que femme, on ne part pas avec un handicap. Une femme ici a davantage de chance d'avoir des responsabilités qu'en France. »

à appeler. Au Québec, c'est l'inverse, il faut y aller, il ne faut pas avoir peur ! En plus, ici, le téléphone n'est vraiment pas cher, donc ce n'est pas un problème d'attendre en ligne pendant des heures ! »

Avant de foncer vers ce Nouveau Monde, soyez conscient que pour y faire sa place, il faut son lot de labeur et de temps. « Il faut compter au moins deux ans pour retrouver le même niveau de vie que dans son pays d'origine », affirme Yann Hairaud.

LE CADRE LÉGAL DU TRAVAIL

Les lois qui régissent les relations entre le salarié et l'employeur sont également très différentes de celles en vigueur en France. On l'a vu, le marché du travail se caractérise par une plus grande souplesse, un aspect qui ne présente pas que des avantages pour les Français habitués à plus de sécurité.

LES SALAIRES

Les salaires sont toujours annoncés en brut et non en net. Habituellement, la rémunération affichée pour un poste est donnée à l'heure ou à l'année. Lors de la publication d'une offre d'emploi, il est toujours précisé s'il s'agit d'un poste permanent, d'un emploi temporaire ou à temps partiel. Les impôts provinciaux et fédéraux sont directement prélevés sur le salaire de l'employé. Pour en savoir plus sur les impôts, reportez-vous à la page 257 dans la troisième partie.

L'employeur a un mois pour verser une première paie à un employé. Par la suite, il doit verser un salaire à un intervalle maximal de seize jours. Généralement les travailleurs sont payés deux fois par mois, souvent le jeudi, toutes les deux semaines. Les salariés dépendent des contrats collectifs propres à chaque entreprise, régis par les syndicats.

LES CONDITIONS DE LICENCIEMENT

Les préavis de licenciement sont très courts. Un employeur chez qui vous travaillez depuis moins de trois mois peut vous débaucher du

LES SALAIRES AU QUÉBEC

LE SALAIRE MINIMUM auquel les employés ont droit est fixé par le gouvernement du Québec. Au 1er février 2003, ce salaire était de 7,20 $ CAN l'heure et de 6,55 $ pour les employés à pourboire. Voici les salaires moyens annuels de quelques professions.

Agent et courtier d'assurance	33 626 $
Analyste de système informatique	45 209 $
Architecte	36 839 $
Audiologiste et orthophoniste	42 618 $
Avocat et notaire	61 009 $
Bibliothécaire	37 853 $
Charpentier-menuisier	22 244 $
Diététiste et nutritionniste	36 390 $
Électricien	32 178 $
Facteur	33 136 $
Graphiste	25 924 $
Instituteur maternelle et primaire	38 946 $
Infirmière diplômée	37 741 $
Ingénieur civil	47 172 $
Ingénieur électricien	52 785 $
Journaliste	38 559 $
Mécanicien d'aéronefs	43 153 $
Médecin spécialiste	113 216 $
Plombier	32 312 $
Programmeur	34 596 $
Réceptionniste et standardiste	18 504 $
Secrétaire	23 062 $
Soudeur-monteur	26 962 $

Source : Emploi-Québec, 2001

jour au lendemain. Si vous travaillez depuis plus de trois mois mais moins d'un an, le préavis passe à une semaine. De un an à cinq ans d'ancienneté, le préavis est de deux semaines. De cinq ans à dix ans, le préavis est de quatre semaines.

« La précarité d'emploi est plus présente, on peut être licencié assez facilement, constate Jean Bourrette. Mais c'est une arme à double tranchant, on peut quitter aisément son emploi. Ainsi les employeurs québécois font plus d'efforts pour garder un bon salarié. »

LES HORAIRES, LES CONGÉS

La semaine normale de travail est de 40 heures, avec une plage horaire quotidienne qui s'étale généralement de 8 heures à 16 heures ou de 9 heures à 17 heures avec une demi-heure ou une heure de pause-déjeuner. L'employé a droit après une période de travail de cinq heures consécutives à trente minutes sans salaire pour le repas. Les heures supplémentaires travaillées doivent être payées avec une majoration de 50 % du salaire horaire habituel du salarié. La pause-café n'est pas obligatoire. Si elle est accordée par l'employeur, elle doit être payée et comptée dans les heures de travail.

Après un an passé chez le même employeur, les Québécois ont droit à deux semaines de congés payés par an. D'autres semaines de congés peuvent s'ajouter selon le contrat de travail ou l'ancienneté.

LE CHÔMAGE, LE CONGÉ PARENTAL ET LE CONGÉ MALADIE

Pour avoir droit au programme d'« assurance emploi », mis en place par le gouvernement fédéral d'Ottawa anciennement appelé « assurance chômage », vous devez avoir perdu votre travail sans en être responsable et avoir travaillé pendant le nombre requis

Les jours fériés au Québec

- 1er janvier, le Jour de l'an
- Vendredi saint ou le lundi de Pâques
- Le lundi qui précède le 25 mai, fête de Dollard (1)
- 24 juin, fête nationale du Québec, Saint-Jean-Baptiste
- 1er juillet, Fête nationale du Canada
- Premier lundi de septembre, fête du Travail
- Deuxième lundi d'octobre, Action de grâces
- 25 décembre, Noël

(1) Dollard des Ormeaux, colon français de la Nouvelle-France qui aurait sauvé la colonie en 1660, est devenu un véritable mythe et héros national (québécois). Ce même jour, dans le reste du Canada, c'est la fête de la Reine Victoria !

d'heures assurables. Ce nombre est déterminé en fonction de votre lieu de résidence au Canada et du taux de chômage en vigueur dans votre région économique au moment du dépôt de votre demande de prestations. Si vous perdez votre emploi, il vous faudra avoir cumulé au moins 910 heures d'emploi assurable au cours des 52 dernières semaines.

Pour toucher les prestations de maternité, parentales ou de maladie vous devez avoir cumulé 600 heures d'emploi au cours des 52 dernières semaines, ou depuis le début de votre dernière période de prestations. Pour en savoir plus sur ces prestations, lisez l'encadré sur les congés accordés aux parents dans le chapitre consacré à l'inscription des enfants à l'école, page 264.

LA RETRAITE

L'âge normal de la retraite au Québec est 65 ans. Tous les Canadiens ont droit à une pension de vieillesse à l'âge de 65 ans de la part du gouvernement du Canada, et ceci indépendamment du nombre d'années de travail et des cotisations. Mais attention, ce montant est minime, il se chiffrait autour de 450 $ CAN par mois au printemps 2003. Vous devez avoir résidé au Canada pendant au moins dix ans après l'âge de 18 ans pour y avoir droit.

En plus de cette pension de base, les Québécois peuvent toucher dès l'âge de 60 ans une pension qui tient compte de l'âge du prestataire et des cotisations salariales versées au Régime de rentes du Québec. Le montant est moindre si la rente est réclamée avant l'âge normal de la retraite, c'est-à-dire avant 65 ans. Cette rente équivaut à environ 25 % de la moyenne mensuelle des revenus sur lesquels vous avez cotisé. Selon la Régie des rentes du Québec, le montant maximum de la rente est de 801,25 $ CAN en 2003. En cas de décès, le conjoint de même sexe survivant peut réclamer la pension de son partenaire de vie.

En plus de leur épargne personnelle, les Québécois ont souvent recours au REER (Régime enregistré d'épargne-retraite) et à des régimes privés afin de préparer leurs vieux jours.

L'immigrant français qui a aussi travaillé dans l'Hexagone, pourra percevoir, grâce à une entente entre le Québec et la France, une retraite française et québécoise. Pour en savoir plus sur cette entente avec la France et sur les retraites en général, reportez-vous au développement qui leur est consacré dans la partie suivante, page 262.

☛ Régie des rentes du Québec : www.rrq.gouv.qc.ca. Sécurité de la vieillesse et régime de pension du Canada : www.hrdc-drhc.gc.ca/isp

Trouver du travail sur place

Réseau, petites annonces, club de recherches d'emploi, aide aux nouveaux arrivants, sites Internet, agences de placement... lors d'une recherche d'emploi, il ne faut négliger aucune piste pour trouver la perle rare. Nous vous présentons dans ce chapitre tous les outils de votre quête.

LE « RÉSEAUTAGE »

Comme plus de 80 % des offres d'emploi ne sont pas publiées, il est impératif de développer d'autres créneaux pour trouver le bon emploi. La plupart des gens trouvent un travail au Québec *via* le « réseautage ». « Tout se fait au Québec par réseau », avertit Peggy, qui est traductrice à son compte à Montréal depuis 2002.

RÉSEAU N'EST PAS PISTON

« Attention, ça n'a rien à voir avec le piston à la française. C'est vraiment le principe du réseau : vous avez un copain qui veut embaucher et vous lui dites que vous connaissez une personne qui pourrait faire l'affaire », précise Peggy. Il ne s'agit pas de passer devant les autres, mais plutôt de savoir faire jouer son entourage. Les employeurs québécois privilégient l'approche humaine. Le fait d'être recommandé par quelqu'un confirme que vous êtes quelqu'un de confiance. Ainsi, ce n'est pas un CV ou un diplôme qui compte, mais plutôt un individu.

CONSTRUIRE UN RÉSEAU

Un réseau se travaille dès que l'idée vous vient de partir travailler au Québec. Dès cet instant, toute personne croisée dans la journée peut devenir un contact intéressant, lui ou quelqu'un de son entourage. Fréquentez les lieux québécois en France (voir la première partie). Une fois sur place, le réseau peut se construire à partir des organismes d'aide aux immigrants. D'ailleurs, c'est souvent à l'Office des migrations internationales ou aux sessions d'informations du MRCI que les nouveaux arrivants se font leurs premiers amis. Même si ces immigrants sont dans la même situation que vous, ils peuvent vous aider à établir des contacts avec des employeurs..., d'autant plus qu'ils savent que vous pouvez faire de même pour eux.

Le séjour de repérage sera aussi un moment fort pour prendre le pouls du marché du travail et rencontrer des gens qui travaillent dans votre secteur. Aujourd'hui, Internet constitue un moyen idéal, grâce notamment à de nombreux sites de rencontres, pour créer de nouveaux liens et recueillir de multiples et précieuses informations.

LA « RENCONTRE D'INFORMATION »

Peu connue des chercheurs d'emploi, la méthode de la rencontre d'information s'avère très efficace pour rencontrer des employeurs potentiels, s'informer sur une entreprise ou un secteur et se faire connaître des employeurs. Cette méthode est particulièrement conseillée pour construire ce fameux réseau dont les nouveaux arrivants manquent souvent cruellement à leurs débuts. Cette démarche est bien perçue par les employeurs, car elle démontre l'initiative personnelle, une qualité très recherchée sur le marché du travail nord-américain.

Lors de cette rencontre, vous n'avez pas à vous présenter comme un demandeur d'emploi, mais plutôt comme quelqu'un qui cherche de l'information. Le fait d'être un nouvel arrivant favorise cette approche. Après tout, il est tout naturel que vous cherchiez à comprendre votre secteur en terre québécoise. Appelez les employeurs en disant que vous voulez explorer votre secteur d'activité au Québec, que vous voulez rencontrer des gens pour avoir « l'heure juste » sur votre secteur. Lors de cette rencontre informelle, vous en profiterez pour vous renseigner aussi sur l'entreprise, et pourrez ainsi évaluer s'il y a des besoins que vous seriez en mesure de combler à court ou moyen terme. Les employeurs sont assez accessibles au Québec et en Amérique du Nord, ne manquez pas d'en profiter.

Cette démarche de l'entrevue d'information permet de bien préparer un éventuel entretien d'embauche. Même s'il n'y a pas d'emploi directement en jeu, il est fondamental de bien se préparer à cette rencontre informative car il s'agit d'un investissement. Préparez une série de questions sur le fonctionnement de l'entreprise, ses buts, ses développements, les possibilités d'embauche. Lorsqu'un employeur a besoin d'un employé, il consulte d'abord la liste des personnes récemment rencontrées, regarde la pile de CV qu'il a sous la main et ensuite fait une brève recherche dans son entourage. S'il ne trouve pas le candidat idéal, il recourt aux petites annonces dans les journaux. Ainsi, lorsque vous vous présentez spontanément, vous lui évitez une sélection longue et coûteuse, cette démarche est bénéfique autant pour le candidat que pour l'employeur.

LES PETITES ANNONCES

On l'a vu, la majorité des offres d'emploi ne passent pas par les petites annonces des journaux, mais plutôt par le bouche à oreille. Cependant, si l'employeur n'a pu trouver le candidat idéal par relation ou en piochant dans le vivier des candidats déjà rencontrés, il a recours aux petites annonces : il est donc toujours possible de dénicher un emploi ainsi.

Les journaux du samedi sont traditionnellement ceux qui publient le plus d'offres d'emplois. Ces cahiers sont habituellement identifiés comme les pages « Carrières et professions ». Pour le journal *La Presse* de Montréal, le numéro du mercredi offre aussi son petit lot d'annonces de recrutement.

Il est possible de retrouver en ligne sur Internet les mêmes opportunités : certains journaux permettent de télécharger les pages d'annonces en version PDF, c'est le cas du journal *La Presse* de Montréal. Il vous faudra le plug-in Acrobat Reader pour lire le document PDF, que vous pouvez télécharger gratuitement sur le site francophone de la compagnie Adobe (www.adobe.fr).

Ne manquez pas de consulter l'hebdomadaire *Les Affaires,* ainsi que le magazine culturel *Voir* qui renferment tous deux de nombreuses offres. Vous constaterez que la majorité des petites annonces québécoises demandent systématiquement une personne bilingue.

Pour faire le point sur le bilinguisme, reportez-vous à la rubrique consacrée à la connaissance de l'anglais page 186. Inutile de dire qu'il faut réagir rapidement lorsque vous voyez une annonce dans les journaux. Vous pouvez téléphoner pour connaître le nom de la personne à qui envoyer votre CV ou vous présenter en personne.

LES SITES INTERNET

Jean Bourrette, chargé de relations publiques à Montréal, a trouvé en quelques mois un travail à sa mesure. « J'ai mis mon CV en ligne sur Jobboom et Monster.ca. J'ai également répondu à des annonces. C'est comme cela que j'ai trouvé mon emploi actuel chez Insertec. » Grâce à Internet, vous pouvez obtenir à des kilomètres de distance une information qui peut tout changer. Mais encore faut-il savoir l'utiliser et surfer sur les sites les plus efficaces. L'encadré page suivante présente une liste de sites incontournables pour une recherche d'emploi au Québec. Nombre d'entre eux permettent à la fois de consulter des offres et de déposer son CV. Ne manquez pas non plus de vous inscrire sur les listes de discussion ou les forums en lien avec votre propre secteur d'activité.

LES AGENCES DE PLACEMENT

Les agences de placement et de recrutement peuvent se révéler une bonne piste pour dénicher un premier job et acquérir une première expérience québécoise. De nombreuses agences internationales

LES GRANDS SITES D'OFFRES D'EMPLOI

- **Emplois, travailleurs, formations et carrières** ➤ www.emploisetc.ca : gouvernement du Canada.
- **Jobboom** ➤ www.jobboom.com : le site de recrutement électronique le plus important au Québec, avec de nombreux conseils sur le marché du travail.
- **Guichet emplois-Développement des ressources humaines Canada** ➤ www.guichetemplois.gc.ca
- **Monster** ➤ french.monster.ca : version francophone de ce site, de nombreux conseils pour la recherche d'emploi.
- **Workopolis.com** ➤ www.workopolis.com : le plus grand site d'emplois au Canada.
- **Activ'emploi** ➤ www.activemploi.com : le collectif des entreprises d'insertion au Québec ➤ www.collectif.qc.ca
- **Développement des ressources humaines Canada** ➤ www.qc.hrdc-drhc.gc.ca : province du Québec.
- **Développement des ressources humaines Canada** ➤ www.qc.hrdc-drhc.gc.ca/imt/html/menu_bull.html : toutes les régions du Québec.
- **Emploi-Québec, service de placement** ➤ emploiquebec.net/francais/placement.htm : portail du gouvernement du Québec.
- **Vous.net emploi** ➤ travaillez.vous.net
- **Réseau Carrefour Jeunesse Emploi (CJE)** ➤ www.cjereseau.org : centres d'aide à l'emploi du gouvernement, pour les 16-35 ans.
- **Magazine *Voir*, Québec et Montréal** ➤ www.voir.ca : voir les offres d'emploi dans les petites annonces.

Où trouver des conseils pratiques et des informations sur le marché de l'emploi

- **CICDI (Centre d'information canadien sur les diplômes internationaux)** ➤ www.cicic.ca

- La CVthèque ➤ www.cvtheque.com
- L'emploi et le marché du travail expliqué au nouvel arrivant ➤ www.immigrer.com/travailler.html
- Le journal *Les Affaires* ➤ www.lesaffaires.com : listes des entreprises.
- Montréal International ➤ www.montrealinternational.com : guichet d'accueil pour les travailleurs stratégiques.
- Perspectives canadiennes ➤ www.careerccc.org/products/cp_00/guide/index_f.cfm : l'avenir des professions au Canada.
- Projetemploi ➤ www.projetemploi.gc.ca : sites d'offres d'emploi spécialisés.
- Contractuels Québec ➤ www.contractuels.com : multimédia, cinéma, vidéo et télévision.
- Infopressejobs ➤ www.infopressejobs.com : professionnels de la communication.
- Pro emploi ➤ www.proemploi.com : affaire, finance et administration.
- Qui fait quoi ➤ www.qfq.com : réseau professionnel de l'audiovisuel et du multimédia.

comme Kelly, Manpower, Adecco sont présentes sur le territoire québécois, mais il est aussi possible de passer par des agences locales. Certaines ont des créneaux spécialisés, il faut se renseigner *via* les sites Web. Même si les services des agences de placement sont gratuits, sachez qu'elles travaillent avant tout pour leurs clients, c'est-à-dire les entreprises pour lesquelles elles recherchent des candidats. En guise de rémunération, elles retiennent un pourcentage de votre salaire lorsqu'elles vous placent auprès d'un employeur. Les agences peuvent proposer des emplois temporaires ou permanents.

QUI PROPOSE QUOI

L'agence Drake recrute des gens dans les secteurs de l'administration, la vente et le marketing, la finance et la comptabilité, la gestion, la

AGENCES D'INTÉRIM : OÙ LES CONTACTER ?

VOICI UNE LISTE NON EXHAUSTIVE d'agences d'intérim que vous pouvez contacter à Montréal ou à Québec.

- **Adecco, siège social, 635, Grande-Allée Est, Québec, Québec, G1R 2K4** ☎ **1-418-522-9922,** ➢ **www.decouvrez.qc.ca**

- **Adecco Québec, 15, rue de la Commune Ouest, Montréal, Québec, H2Y, 2C6** ☎ **1-514-845-4255.**

- **Ancia Personnel, 8032, av. des Églises, bur. 226, Charny, Québec, G6X 1X7** ☎ **1-418-832-6600** ➢ **www.ancia.qc.ca**

- **Drake International, 1155, rue University, bur. 1212, Montréal, Québec, H3B 3A7** ☎ **1-514-395-9595** ➢ **www.drakeintl.com. Il existe également un bureau à Québec.**

- **Groupe Télé-Ressources, 2021, av. Union, bur. 915, Montréal, Québec H3A 2S9** ☎ **1-514-842-0066** ➢ **www.cafedelemploi.com**

- **Kelly scientifique, 110, boulevard Crémazie Ouest, bur. 505, Montréal, Québec, H2P 1B9** ☎ **1-514-388-9779** ➢ **www.kelly scientific.com**

- **Les Services Kelly, 1000, rue Sherbrooke Ouest, bur. 2000, Montréal, Québec, H3A 3G4** ☎ **1-514-284-0323** ➢ **www.kellyser-vices.com**

- **Manpower, 1800, av. McGill-College, bur. 900, Montréal, Québec, H3A 3J6** ☎ **1-514-848-9922** ➢ **www.manpower.com**

- **Services de gestion Quantum, 2000, avenue McGill-College, bur. 1800, Montréal, Québec, H3A 3H3** ☎ **1-514-842-5555** ➢ **www.quantum.ca**

- **Thomson Tremblay, 1250, rue Mansfield, Montréal, Québec, H3B 2Y3** ☎ **1-514-861-9971** ➢ **www.thomsontremblay.com**

technologie de l'information, les centres d'appels, le service à la clientèle et le travail journalier et industriel.

Adecco a plus de dix implantation réparties sur tout le territoire québécois : vous trouverez des bureaux à Chicoutimi, Granby, Laval, Longueuil, Montréal, Québec, Saint-Hyacinthe, Saint-Laurent, Sherbrooke et Terrebonne. Elle place du personnel dans les domaines d'activité du secrétariat, de la bureautique, les centres d'appels, le service à la clientèle, l'administration, la gestion et l'industriel, la technique et le multimédia.

Télé-Ressources est spécialisé dans les secteurs du soutien administratif, des centres d'appels, des services financiers, de la comptabilité, du juridique, du placement de cadres et professionnels, dans le domaine de l'industriel léger et des cols bleus, de l'ingénierie et des techniciens, et des technologies de l'information multimédia.

Kelly Scientifique recrute dans les domaines de la pharmaceutique et des cosmétiques, les biotechnologies, la recherche clinique, la chimie et l'alimentation.

Manpower, qui propose du travail dans des domaines très variés, a des bureaux à Granby, Montréal, Québec et Sherbrooke.

L'agence Quantum, avec des bureaux au Québec à Montréal, Pointe-Claire, Laval, Longueil et Québec, est spécialisée dans le personnel des secteurs de services de bureau, de la finance, des ventes, mais également dans la main-d'œuvre industrielle et le recrutement de personnels permanents dans le secteur des hautes technologies.

Thomson Tremblay, pour sa part, est une agence québécoise qui a des bureaux à Dorval, Laval, Longueil et Montréal.

Les centres d'aide et les organismes pour les nouveaux arrivants

De nombreux organismes proposent une aide concrète et immédiate aux nouveaux arrivants en matière de recherche de logement ou d'emploi en proposant des sessions de formation, des rencontres avec un conseiller d'emploi et d'orientation, des conseils pour faire son CV à la québécoise, des services de placement jusqu'au support technique : fax, téléphones, connexion Internet et documentation.

Les Français sont accueillis par tous ces organismes, mais sachez que l'AMPE (Agence montréalaise pour l'emploi) et l'OMI (Office des migrations internationales de Montréal) aident chaque année des centaines de nouveaux arrivants de France. L'AMPE a accueilli 1 200 personnes en 2002, dont plus de 500 Français nouvellement installés au Québec. L'agence a placé 224 personnes dans des entreprises québécoises. Pour sa part, l'OMI, qui a le mandat de s'occuper exclusivement des gens arrivant de France, a reçu dans ses locaux 1 421 personnes en 2002 et a placé 790 candidats chez des employeurs.

Deux semaines après son arrivée de Paris en 2002, Sandrine Arrault est passée dans les bureaux de l'OMI au centre-ville de Montréal. « J'y ai trouvé une aide appréciable, et en plus j'ai pu échanger avec d'autres chercheurs d'emploi, explique Sandrine. Ils mettent à disposition des ordinateurs, des fax, des journaux et tout ce dont on a besoin pour faire sa recherche d'emploi. On peut également rencontrer un conseiller. Ce sont des services gratuits. » La majorité des organismes d'aide à l'emploi offrent ce soutien pour vous aider à trouver un travail sur place.

CENTRES D'AIDE : OÙ SE RENSEIGNER ?

VOICI UNE LISTE NON EXHAUSTIVE des organismes qui peuvent vous aider au Québec. Plusieurs d'entre eux ont des projets d'immersion professionnelle pour placer les candidats au sein des entreprises.

À Montréal

- Accueil liaison pour arrivants, 1490, av. de la Salle, Montréal, Québec ☎ 1-514-255-3900 ➤ www.vitrine-sur-montreal.qc.ca/carrefour/alpa
- AMPE (Agence montréalaise pour l'emploi), 1595, rue Saint-Hubert, bur. 100, Montréal, Québec ☎ 1-514-987-1759 ➤ www.ampe.ca
- CAMO Personnes immigrantes, 3575, rue Saint-Laurent, Montréal, Québec ☎ 1-514-845-3939 ➤ www.camo-pi.qc.ca
- Carrefour de liaison et d'aide multiethnique, 7290, rue Hutchinson, bur. 200, Montréal, Québec ☎ 1-514-271-8207.
- L'Hirondelle, 4652, rue Jeanne-Mance, 3ᵉ étage, Montréal, Québec ☎ 1-514-281-2038 ➤ www.hirondelle.qc.ca
- Ministère des Relations avec les citoyens et l'Immigration, MRCI, Direction régionale de Montréal, 415, rue Saint-Roch, Montréal, Québec ☎ 1-514-864-9191 ➤ www.mrci.gouv.qc.ca (voir les carrefours d'intégration).
- OMI (Office des migrations internationales), 1550, rue Metcalfe, cours Mont-Royal, Suite 508, Montréal, Québec ☎ 1-514-987-1756.
- Promis, 5770, chemin de la Côte-des-Neiges, Montréal, Québec, ☎ 1-514-345-1615 ➤ www.promis.qc.ca

À Québec

- SOIIT (Service d'orientation et d'intégration pour immigrants au travail de Québec), 275, rue de l'Église, bur. 300, Québec, Québec ☎ 1-418-648-0822 ➤ www.soiit.qc.ca

- Camo, 580E, Grande-Allée Est, bur. 50, Québec, Québec ☎ 1-418-529-9582 ➤ www.camo-pi.qc.ca
- Centre multiethnique de Québec, 369, rue de la Couronne, 3ᵉ étage, Québec, Québec ☎ 1-418-687-9771. Aide à la recherche de logement.

À Hull

- Service d'intégration du travail Outaouais, 4, rue Tachereau, bur. 400, Hull, Québec ☎ 1-819-776-2260 ➤ www.sito.qc.ca

En Estrie

- Service d'aide aux Néo-Canadiens de Sherbrooke, 535, rue Short, Sherbrooke ☎ 1-819-566-5373 ➤ www.aide-internet.org/~sanc
- SERY (Solidarité ethnique régionale de la Yamaska), programme de régionalisation de l'Immigration, 331, rue Principale, Granby, Québec ☎ 1-450-777-7213 ➤ www.pourtravailler.qc.ca/sery

LES CLUBS DE RECHERCHE D'EMPLOI

Les clubs de recherche d'emploi ou les ateliers des organismes d'aide aux immigrants peuvent vous informer, vous orienter et vous soutenir lors de vos démarches. Les services des clubs de recherche d'emploi ci-contre sont gratuits puisque financés par Emploi-Québec, le ministère du Travail québécois.

Vous y trouverez des conseils mais également en accès gratuit Internet, des téléphones, des ordinateurs, des photocopieurs, des matériels audiovisuels, des services de traitement de texte, des centres de documentation et des quotidiens. Ces clubs ne sont pas spécialisés dans l'accueil aux nouveaux arrivants : vous souhaitez une aide plus adaptée, consultez la rubrique sur les organismes d'aide aux immigrants (page 110).

CLUBS DE RECHERCHE D'EMPLOI

UN SITE INDISPENSABLE : celui de l'ACREQ (Association des clubs de recherche d'emploi du Québec), www.cre.qc.ca. Vous y trouverez la liste des CRE (clubs de recherche d'emploi) pour choisir le plus proche de votre domicile. Vous pourrez aussi vous tester en ligne pour savoir si vous êtes « un bon chercheur d'emploi ».

À Montréal
- Club de recherche d'emploi Montréal centre-ville, 550, rue Sherbrooke Ouest, 10ᵉ étage, bur. 1000 ☎ 1-514-286-9595.
- Centre de recherche d'emploi Côte-des-Neiges, 3600, rue Barclay, bur. 421, Montréal QC H3S 1K5 ☎ 1-514-733-3026 ⪼ pages.infinit. net/crecn

En Outaouais
- Club de recherche d'emploi La Relance Outaouais, 170, bd Saint-Laurent, Hull ☎ 1-819-770-6444 ⪼ www.larelance.ca

À Québec
- Groupe intégration travail, point de service : Sainte-Foy, 2750, chemin Sainte-Foy, bur. 220, Sainte-Foy ☎ 1-418-653-3099.

À Sherbrooke
- Club de recherche d'emploi de l'Estrie, 385, rue Belvédère Sud ☎ 1-819-563-9111.

LES CENTRES DE RECHERCHE D'EMPLOI

Des organismes gouvernementaux pourront vous assister sur place dans votre quête de travail. Nous vous présentons ici trois catégories d'organismes : les centres locaux d'emploi, les centres de ressources humaines du Canada et les carrefours jeunesse-emploi. Même si ces

CENTRES D'EMPLOI : OÙ SE RENSEIGNER ?

VOICI UNE LISTE NON EXHAUSTIVE des centres d'emploi classés par villes ; pour la liste complète, voir les liens Internet.

À Montréal

- Centre local d'emploi, CLE Plateau Mont-Royal, 160, rue Saint-Viateur Est, bur. 300, 3ᵉ étage, Montréal, Québec, H2T 1A8, ☎ 1-514-872-4922.
- Centre local d'emploi, CLE Côte-des-Neiges, 6655, ch. de la Côte-des-Neiges, 3ᵉ étage, Montréal, Québec, H3S 2B4 ☎ 1-514-872-6530.
- Carrefour jeunesse-emploi de Côte-des-Neiges, 6555, ch. Côte-des-Neiges, bur. 240, Montréal, Québec, H3S 2A6 ☎ 1-514-342-5678.
- Carrefour jeunesse-emploi Centre-Sud/Plateau Mont-Royal/Mile-End, 1035, rue Rachel Est, 3ᵉ étage, Montréal, Québec, H2J 2J5 ☎ 1-514-528-6838
- Carrefour jeunesse-emploi Montréal Centre-Ville, 1184, rue Sainte-Catherine Ouest, bur. 300, Montréal, Québec, H3B 1K1, ☎ 1-514-875-9770.
- Centres de ressources humaines du Canada, CRHC Centre-Est de Montréal, 5100, rue Sherbrooke Est, RC-16, Montréal, Québec, H1V 3T3 ☎ 1-514-335-3330.
- Centres de ressources humaines du Canada, CRHC Centre-ville/Sud-Ouest de Montréal, 1001, bd de Maisonneuve Est, 2ᵉ étage, Montréal, Québec, H2L 5A1 ☎ 1-514-522-4444.

À Laval

- Centre local d'emploi, CLE Chomedey-Sainte-Dorothée, 1438, bd Daniel-Johnson, Laval, Québec, H7V 4B5 ☎ 1-450-680-6400.
- Centre local d'emploi, CLE Sainte-Rose-de-Laval, 205, bd Curé-Labelle, 2ᵉ étage, Laval, Québec, H7L 2Z9 ☎ 1-450-628-8066.

- Carrefour jeunesse-emploi de Laval, 3, place Laval, bur. 10, Laval, Québec, H7N 1A2 ☎ 1-450-967-2535.
- Centre de ressources humaines Canada, CRHC Laval, 1575, bd Chomedey, Chomedey, Laval, Québec, H7V 2X2 ☎ 1-450-682-8950.

À Québec

- Centre local d'emploi, CLE des Quartiers-Historiques, 400, bd Jean-Lesage, hall ouest, bur. 40, Québec, Québec, G1K 8W1 ☎ 1-418-643-3300.
- Centre local d'emploi, CLE Sainte-Foy, 1020, route de l'Église, 4e étage, Sainte-Foy, Québec, G1V 5A7 ☎ 1-418-646-8066.
- Carrefour jeunesse-emploi de la Capitale nationale, 265 A, rue de la Couronne, Québec, Québec, G1K 6E1 ☎ 1-418-524-2345.
- Carrefour jeunesse-emploi Jean-Talon/La Peltrie/Louis-Hébert, (centre de formation option travail Sainte-Foy), 2750, ch. Sainte-Foy, bur. 295, Sainte-Foy, Québec, GIV 1V6 ☎ 1-418-651-6415.
- Centre de ressources humaines du Canada, CRHC Québec, 330, rue de la Gare-du-Palais, 3e étage, Québec, Québec, G1K 7L5 ☎ 1-418-692-7150.
- Centre de ressources humaines du Canada, CRHC Sainte-Foy, 3175, ch. des Quatre-Bourgeois, bur. 200, Sainte-Foy, Québec, G1W 5A9 ☎ 1-418-654-3000.

À Sherbrooke

- Centre local d'emploi, CLE Sherbrooke-Est, 1235, rue King Est, Sherbrooke, Québec, J1G 1E6 ☎ 1-819-820-3680 ou 1-800-567-8423 (sans frais).
- Centre local d'emploi, CLE Sherbrooke-Ouest, 2130, rue King Ouest, Sherbrooke, Québec, J1J 4P2 ☎ 1-819-820-3411 ou 1-800-268-3411 (sans frais).
- Carrefour jeunesse-emploi de Sherbrooke, 49, rue Wellington Nord Sherbrooke, Québec, J1H 5A9 ☎ 1-819-565-2722.

- **Centre de ressources humaines du Canada, CRHC Sherbrooke, 124, rue Wellington Nord, Sherbrooke, Québec, J1H 5X8 ☎ 1-819-564-5864.**

À Hull

- Centre local d'emploi, CLE Hull, 170, rue Hôtel-de-Ville, 9ᵉ étage, Hull, Québec, J8X 4C2 ☎ 1-819-772-3502.
- Centre local d'emploi, CLE Gatineau, 456, bd de l'Hôpital, bur. 300, Gatineau, Québec, J8T 8P1 ☎ 1-819-568-6500.
- Carrefour jeunesse-emploi de l'Outaouais, 350, bd de la Gappe, Gatineau, Québec, J8T 7T9 ☎ 1-819-561-7712 ➤ www.cjeo.qc.ca
- **Centre de ressources humaines du Canada, CRHC Outaouais, 920, bd Saint-Joseph, Hull, Québec, J8Z 1S9 ☎ 1-819-953-2830.**

centres ne sont pas spécialisés dans l'accueil des immigrants, vous y trouverez cependant des offres d'emploi, des listes d'entreprises, des conseillers. En consultant les sites Web de ces organismes, vous découvrirez une foule d'informations, d'offres et leurs coordonnées.

Les **CLE (centres locaux d'emploi)** du ministère de l'Emploi et de la Solidarité du Québec sont répartis en 154 centres dans les 17 régions administratives de la province (www.mess.gouv.qc.ca/francais/spligne/cle/recherche/index.htm). Tous les CLE d'Emploi-Québec comprennent un service d'accueil, d'emploi et d'aide financière, ainsi qu'une salle multiservice.

Les centres de ressources humaines du gouvernement du Canada se trouvent sur tout le territoire (www.hrdc-drhc.gc.ca/profiles/list-QC-f.shtml). Ils gèrent les offres d'emploi et proposent, par ailleurs, plusieurs services d'accompagnement. Ainsi, c'est dans ces centres que les travailleurs étrangers, sans visa de résident permanent, doivent valider leur travail.

Les **carrefours jeunesse-emploi du Québec** s'adressent aux jeunes de 18-35 ans de la province (www.cjereseau.org/lescje/lescje01.html).

▌ LES ENTREPRISES FRANÇAISES AU QUÉBEC

La France est l'un des plus importants investisseurs au Canada, avec plus de 24 milliards de dollars canadiens, dont 8 milliards pour le Québec. Au cours des années 1990, les investissements français ont augmenté d'année en année, même si le premier investisseur dans l'économie canadienne reste, et de loin, les États-Unis. Plus de 40 000 employés se retrouvent maintenant dans les filiales françaises en terre canadienne et selon le dernier recensement de la Mission économique de Montréal, 280 sièges sociaux de ces filiales françaises se sont installés au Québec. Les entreprises françaises établies au Québec sont présentes dans tous les domaines : la haute technologie, la construction automobile, le textile, la distribution alimentaire, l'édition, etc. Dans les relations économiques franco-canadiennes de ces dernières années, l'aéronautique constitue 25 % des échanges autant au niveau de l'importation que de l'exportation. Le Québec occupe une large place dans les rapports entre les deux pays puisqu'il absorbe à lui seul 50 % des exportations françaises au Canada.

FAIBLE OUVERTURE POUR LES FRANÇAIS

Il est faux de croire qu'il est plus facile d'approcher les entreprises françaises installées au Québec plutôt que les autres. Selon Yann Hairaud de l'AMPE (Agence montréalaise pour l'emploi), ceci est même fortement déconseillé aux Français. « Les entreprises françaises qui se sont implantées au Québec se sont installées là pour développer leur part de marché. Elles fonctionnent donc avec une équipe très restreinte et cherchent plutôt des gens du cru. Lorsqu'un Français débarque, il a peu de chance de les intéresser. D'un point de vue stratégique, ces entreprises n'ont pas intérêt à n'embaucher que de Français. » Selon lui, si ces entreprises veulent s'adapter aux marchés québécois et nord-américain, elles ont tout intérêt à s'attacher les services de personnel connaissant bien le milieu. « Seuls les candidats plus expérimentés qui connaissent le marché québécois pourraient avoir des ouvertures. Après quelques années, comme ils connaissent le marché, ça peut jouer en leur faveur », affirme-t-il.

ENTREPRISES FRANÇAISES AU QUÉBEC : QUI CONTACTER ?

Nous vous proposons ici une liste non exhaustive des entreprises françaises installées au Québec, classées par secteurs d'activité.

Assurances et banques
- Axa, 2020, rue Université, bureau 600, Montréal, Québec, H3A 2A5 ☎ 1-800-361-4330 ➤ www.axa.ca
- BNP Paribas, 1981, McGill College, bur. 515, Montréal, Québec, H3A W8 ☎ 1-514-285-6000 ➤ www.bnpparibas.ca
- Société générale, 1501, McGill College, bur. 1800, Montréal, Québec, H3A 3M8 ☎ 1- 514-841-6000 ➤ www.socgen.com

Industries
- Air liquide, 1250 bd René-Lévesque Ouest, bur. 1600, Montréal, Québec, H3B 5E6 ☎ 1-514-933-0303 ➤ www.airliquide.ca
- Lectra Systèmes, 50, bd Crémazie Ouest, bur. 200, Montréal, Québec, H2P 1A2 ☎ 1-514-383-4613 ➤ www.lectra.com
- Alcatel, 800 bd René Lévesque Ouest, suite 400, Montréal, Québec, H3B 1X9 ☎ 1-514-935-7750 ➤ www.alcatel.ca
- Messier Dowty (SNECMA), 13000, Du Parc, Mirabel, Québec, J7J 1P3 ☎ 1-450-434-3400 ➤ www.snecma.com, www.messier-dowty.com

- Alstom Canada, 7-B, place du Commerce, Brossard, Québec, J4W 3K3 ☎ 450 923-7070 ➤ www.alstom.com
- Lafarge, 606, rue Cathart, bur. 800, Montréal, Québec, H3B 1L7 ☎ 1-514-861-1411 ➤ www.lafarge.com
- Danone, 100, rue de Lauzon, Boucherville, Québec, J4B 1E6 ☎ 1-450-655-7331 ➤ www.groupedanone.fr
- Michelin, 2540, bd Daniel-Johnson, Laval, Québec, H7T 2T9 ☎ 1-450-978-4700 ➤ www.michelin.ca
- Essilor Canada, 295, rue des Lauriers, Saint-Laurent, Québec H4N 1W2, ☎ 1-514-337-2211 ➤ www.essilor.ca
- Thalès Avionique, 7190, rue Frédérick-Banting, bur. 100, Saint-Laurent, Québec, H4S 2A1 ☎ 1-514-832-0900 ➤ www.thales-group.com
- Sodexho-Marriot Canada, 930, rue Wellington, bur. 100, Montréal, Québec, H3C 1T8 ☎ 1-514-866-7070 ➤ www.sodexhoca.com

Informatique
- Access Commerce Inc., 1, rue Holiday, tour Ouest, bur. 500, Pointe-Claire, Québec, H9R 5N3 ☎ 1-514-694-9944 ➤ www.accesscommerce.com
- Matra Datavision, 7575, route Transcanadienne, bur. 500, Saint-Laurent, Québec, H4T 1V6 ☎ 1-514-332-4544 ➤ www.matradatavision.com
- Gemplus Canada-Québec, 3, place du Commerce, bur. 101, Île-des-Sœurs, Québec, H3E 1H7 ☎ 1-514-732-2300 ➤ www.gemplus.com
- Microïds, 87, rue Prince, suite 140, Montréal, Québec, H3C 2M7 ☎ 1-514-390-0333 ➤ www.microids.com
- Ubi Soft, 5505, bd Saint-Laurent, bur. 5000 Montréal, Québec, H2T 1S6 ☎ 1-514-490-200 ➤ www.ubisoft.qc.ca
- Kazibao Productions, 4200, bd Saint-Laurent, Montréal, Québec, H3B 5E4 ☎ 1-514-285-1185 ➤ www.kazibao.net

TRAVAILLER DANS UNE PROVINCE ANGLOPHONE

DE NOMBREUX IMMIGRANTS décident de mettre le cap sur une province anglophone du Canada, parfois après un séjour plus ou moins long au Québec. C'est le cas de Laurence Dupin qui a quitté la Belle Province après quatre ans et demi à Montréal. Cette journaliste n'a jamais pu trouver un travail à sa mesure au Québec. En mai 2001, elle débarque à Toronto, la capitale cosmopolite et économique du Canada.

« L'adaptation à Toronto a été très dure. Lorsque l'on arrive de France à Montréal c'est très facile, ça se ressemble beaucoup, même si on commet quelques erreurs au début. Toronto : c'est le choc culturel ! On est vraiment à l'étranger cette fois. Passer par Montréal m'a permis de savoir comment marchait le système canadien et ce n'est pas plus mal. Je ne suis pas sûre que j'aurais pu aussi bien m'adapter à Toronto en arrivant directement de France. Car je me serais retrouvée confron-tée en même temps à la langue et au système, et rien que la langue c'est déjà beaucoup ! »

Laurence a trouvé un emploi à sa mesure, mais elle paie son logement trois fois plus cher qu'à Montréal. « Par contre, les Ontariens ont moins d'a priori vis-à-vis des Européens que les Québécois », affirme-t-elle.

Tous les immigrants résidant au Québec peuvent ensuite s'installer dans une autre province, puisqu'ils ont déjà leur visa pour le Canada et un numéro d'assurance sociale.

Les démarches d'immigration sont grosso modo les mêmes, le marché du travail fonctionne de la même façon qu'au Québec, la même attitude nord-américaine est présente au niveau des relations de travail et dans les rapports entre les individus.

La seule réelle différence : il faut vivre dans un cadre anglophone et s'exprimer en anglais au travail.

Loisirs, transports, services

- Air France, 2000, rue Mansfield, 15e étage, suite 1510, Montréal, Québec, H3A 3A3 ☎ 1-514-847-5020 ➤ www.airfrance.com/cafrench
- Publicis Canada, 413, rue St-Jacques Ouest, 10e étage, Centre de commerce mondial, Montréal, Québec, H2Y 1N9 ☎ 1-514-285-1414 ➤ www.publicis.ca
- L'Oréal Canada, 2115, rue Crescent, Montréal, Québec, H3G 2C1 ☎ 1-514-287-4800 ➤ www.lorealcanada.com
- Salomon, 3545, bd Thimens, St-Laurent, Montréal, H4R 1V5 ☎ 1-514-684-2412 ➤ www.salomonsports.com
- Rossignol, 955, rue André-Liné, Granby, Québec, J2J 1J6 ☎ 1-450-378-9971 ➤ www.rossignolcanada.com
- Librairie Gallimard, 3700, bd Saint-Laurent, Montréal, Québec, H2X 2V4 ☎ 1-514-499-2012 ➤ www.gallimardmontreal.com

Pharmacie, laboratoires, recherche biotechnologique

- Aventis Technologies, 6875, bd Décarie, Montréal, Québec, H3W 3E4 ☎ 1-514-335-7312 ➤ www.aventisbiochallenge.com
- Fournier Pharma, 1010, rue Sherbrooke Ouest, bur. 1900, Montréal, Québec, H3A 2R7 ☎ 1-514-287-7061 ➤ www.groupe-fournier.com
- Boiron Canada, 816, rue Guimond, Longueuil, Québec, J4G 1T5 ☎ 1-450-442-2066 ➤ www.boiron.com
- Mérial Canada, 500, bd Morgan, suite 1, Baie-d'Urfé, Québec, H9X 3V1 ☎ 1-514-457-1555 ➤ www.merial.com
- Dolisos Canada, 1400, rue Hocquart, Saint-Bruno, Québec, J3V 6E1, ☎ 50 441-2121 ➤ www.dolisos.ca
- Servier, 235, bd Armand-Frappier, Laval, Québec, H7V 4A7 ☎ 1-450-978-9700 ➤ www.servier.ca

Les secteurs porteurs

L'économie du Québec s'est largement diversifiée ces dernières années. Longtemps assise sur les ressources naturelles, elle s'est tournée vers les nouvelles technologies, tout en demeurant fidèle à d'autres secteurs fleurissants. Selon Yann Hairaud de l'AMPE (Agence montréalaise pour l'emploi), de nombreux secteurs sont porteurs tels que la santé, les services professionnels (ingénieurs, génie mécanique et génie électrique, etc.), la fabrication et la production manufacturière, la construction, les métiers techniques dans la construction industrielle.

Avec la croissance économique, une baisse de la démographie et les départs à la retraite prévus d'ici quelques années, le Québec manque de main-d'œuvre dans les domaines d'activité les plus divers.

Le nombre de chantiers de construction étant encore en hausse dans la province, ce domaine a besoin de toutes sortes de corps de métier allant des briqueteurs-maçons aux carreleurs, en passant par les mécaniciens industriels. La géomatique (science des données géographiques), dont le Canada est le leader mondial, a besoin de techniciens, d'ingénieurs et d'autres spécialistes.

Le secteur de la chimie vivra aussi bientôt une pénurie de personnels liée au vieillissement de la population, la demande s'accroît pour les techniciens de production tels les mécaniciens de machine fixe, les soudeurs, les techniciens de laboratoire et de production.

L'éducation est aussi très touchée par les départs imminents à la retraite. Au Québec, 95 % des enseignants des CEGEP ont entre 45 ans et 55 ans. Ces collèges d'enseignement général et profession- nel forment en général les étudiants âgés de 17 ans à 19 ans.

▌ LES BIOTECHNOLOGIES

L'essor du secteur des biotechnologies a été spectaculaire. Il s'agit de l'un des fleurons de l'économie québécoise. De 1994 à 1999, le nombre d'entreprises est passé de 25 à 150.

Principalement installées à Montréal, les biotechnologies comptent aujourd'hui près de 200 entreprises et 4 000 salariés. 80 % de leur activité dans la recherche et le développement se concentrent sur les soins de santé. Un domaine complémentaire aux biotechnologies, celui de la pharmaceutique, a développé la commercialisation des médicaments et vu ses ventes multipliées par sept au niveau mondial pendant la dernière décennie. La pharmaceutique emploie 11 000 personnes dans plus de 230 entreprises au Québec.

Le plus important centre de recherche spécialisé en biotechnologies au monde, l'Institut de recherche en biotechnologies, est installé à Montréal. Mais il existe d'autres centres un peu partout au Québec, par exemple, la Cité de la biotech à Laval, le centre de développe- ment des biotechnologies Angus à l'est de Montréal,, ainsi que le nouveau centre de biotechnologies à Saint-Augustin-de-Desmaures, non loin de Québec.

L'âge moyen du salarié des entreprises en biotechologies est de 30 ans, la question de la relève inquiète donc moins les employeurs que dans d'autres secteurs d'activité.

Les entreprises leaders du secteur

Les biotechnologies regroupent des entreprises dans trois secteurs distincts : la santé humaine et animale ; l'agriculture, le bioalimentaire et la foresterie ; l'environnement.

Le secteur de la santé humaine et animale regroupe des entreprises comme AstraZeneca, Boehringer-Ingelheim, Bristol-Myers Squibb, Diagnocure, Laboratoires Aeterna, Merck Frosst, Q Biogene et BioSignal, SignalGene, Technologies Ibex, Theratechnologies.

Le secteur de l'agriculture, du bioalimentaire et de la foresterie pour sa part se divise en deux catégories : la transformation des aliments et la production primaire. Les recherches portent sur les biopesticides, la production de plantes plus résistantes aux bactéries pathogènes et aux virus, le développement de vecteurs pour la manipulation génétique des récoltes et la production de graines hybrides exemptes de maladies. Les entreprises suivantes font des recherches dans ces différents secteurs : Agropur, Lactel, Danone, Boviteq, Lallemand, Aliments Burns Philp, Nexia Biotechnologies, Premier Tech.

Dans le secteur de l'environnement, les entreprises des bio-industries traitent principalement de l'assainissement des eaux potables et industrielles et de la réhabilitation des sites contaminés. Les travaux dans ce domaine portent, entre autres, sur la biofertilisation, les biopesticides et le traitement des sols contaminés. Sont concernées les entreprises suivantes : Biogénie, Serrener, Premier Tech, SNC-Lavalin, Sodexen. Pour les quinze prochaines années, certaines entreprises sont orientées vers la génomique, c'est-à-dire l'étude de la fonction des gènes. Les deux principaux secteurs de cette spécialité de la recherche sont, pour les premiers, le génie génétique, l'ingénierie peptidique et protéinique, les antigènes, les vaccins et l'immunologie, la biorestauration, les biopuces et les biocapteurs. La deuxième spécialité

LES CONTACTS UTILES DANS LE SECTEUR

LES ENTREPRISES QUI EMBAUCHENT

- Axcan Pharma Inc., 597, bd Laurier, Mont-Saint-Hilaire, Québec, J3H C4 ☎ 1-450-467-5138 ➢ www.axcan.com ✉ ijob@axcan.com
- CTBR, 87, ch. Senneville, Senneville, Québec, H9X 3R3 ☎ 1-514-630-8209 ➢ www.ctbr.com ✉ hr@ctbr.com
- DSM Biologics, 6000, av. Royalmount, Montréal, Québec, H4P 2T1 ☎ 1-514-341-9940 ➢ www.dsm.com ✉ recruitment.biologics@dsm.com
- Laboratoires Abbott Ltée, 8401, rte Transcanadienne, Saint-Laurent, Québec, H4S 1Z1 ☎ 1-514-832-7000 ➢ www.abbott.ca
- Margo, 19701, bd Clark-Graham, Baie-d'Urfé, Québec, H9X 3T1 ☎ 1-541-457-4555 ➢ www.alcanpackaging.com
- Merck Frosst, 16711, rte Transcanadienne, Kirkland, Québec, H9H 3L1 ➢ www.merckfrossttalent.ca
- Pfizer Canada, 17300, rte Transcanadienne, Kirkland, Québec, H9J 2M5 ➢ www.pfizer.ca
- Schering Canada, 3535, rte Transcanadienne, Pointe-Claire, Québec, H9R 1B4 ☎ 1-541-426-7300 ➢ www.schering-plough.com ✉ hr.scering.canada@spcorp.com

LIENS INTERNET DANS CES SECTEURS

- BioQuébec ➢ www.bioquebec.com
- Comité sectoriel de main-d'œuvre des industries des produits pharmaceutiques et biotechnologiques du Québec ➢ www.pharmabio.qc.ca
- Compagnies de recherche pharmaceutique du Canada ➢ www.canadapharma.org
- Conseils des ressources humaines en biotechnologie ➢ www.bhrc.ca
- Industries Canada/Produits pharmaceutiques ➢ strategis.ic.gc.ca/sc_indps/sectors/frndoc/phar_hpg.html
- Institut de recherche en biotechnologie : www.bri.nrc.ca

est le développement des infrastructures. Ces développements requièrent des techniciens de contrôle de la qualité, des opérateurs de fabrication et aussi des représentants des ventes.

LES EMPLOIS PROPOSÉS DANS CES SECTEURS

Voici les principaux postes proposés dans les biotechnologies et la pharmaceutique : agent de brevets, agent de marketing, bio-informaticien, biologiste moléculaire, chimiste, gestionnaire de projet, infirmière, nanotechnologue, opérateur de fabrication, pharmaco-logue, représentant des ventes, représentant pharmaceutique, spécialiste en génomique et en protéomique, statisticien, technicien de laboratoire, technicien de production, technicien en contrôle de la qualité, toxicologue.

LES SERVICES DE SANTÉ

Le système de santé québécois regroupe plus de 480 établissements publics et privés parmi lesquels des centres hospitaliers, des CHSLD (centres d'hébergement et de soins de longue durée), des centres locaux de services communautaires, des centres de réadaptation et des centres de protection de l'enfance et de la jeunesse. Il existe de nombreux cabinets de médecins et des cliniques offrant différents soins. La grave pénurie de personnel dans ce secteur a déjà com-mencé à se faire sentir dans le système de santé québécois.

PÉNURIE DE MÉDECINS ET INFIRMIERS

D'ici 2009, les autorités devront embaucher entre 10 000 et 15 000 per-sonnes par an afin de répondre à une demande grandissante dans le secteur de la santé. Les départs à la retraite du personnel, le vieillissement de la population et en corollaire une plus forte demande en soins de santé, le développement des soins à domicile mènent à une pression accrue sur le système de santé. Certaines professions sont plus touchées que d'autres, les infirmières et les médecins manquent grandement. 60 % des médecins de famille du Canada ne peuvent plus répondre aux besoins et prendre de nouveaux patients. Le Canada aurait besoin, dès maintenant, de 3 000 médecins pour combler les attentes. Le manque de médecins est particulièrement criant dans les régions de la Mauricie ou en Gaspésie.

Du côté des infirmières, l'Ordre des infirmières et infirmiers du Québec considère qu'il faudrait embaucher 2 500 infirmières chaque année pour combler les départs à la retraite. Mais le système a aussi besoin d'autres renforts tels des préposés aux bénéficiaires, des infirmières auxiliaires, des techniciens de laboratoire en radiologie et en radio-oncologie.

En 2002, les besoins en réadaptation physique ont augmenté de 5,3 %. Une pénurie d'urologues est aussi en vue puisque 25 % de ces professionnels auront l'âge de la retraite dans cinq ans. Ces besoins ne sont pas prêts de diminuer et ceci dans toutes les régions du Québec. Les autorités sont même allées chercher une main-d'œuvre en France en renouvelant, par exemple, leur présence au Salon Infirmier de Paris. Entre mai 2000 et novembre 2002, 406 infirmières françaises ont été recrutées lors de ces missions pour un travail temporaire. Près de 50 % de ces premières infirmières engagées ont demandé la résidence permanente au Québec.

FAIRE RECONNAÎTRE SON DIPLÔME FRANÇAIS

Les médecins, les infirmières et les autres travailleurs du système de santé peuvent déposer une demande d'immigration pour le Québec.

LES LIENS INTERNET SUR LA SANTÉ

VOICI QUELQUES SITES INTERNET qui vous permettront de compléter vos informations sur le secteur de la santé au Québec.

- **Collège des médecins du Québec** ➤ **www.cmq.org**
- **L'univers santé** ➤ **www.sante.qc.ca**
- **Ministère de la Santé et des Services sociaux** ➤ **www.msss. gouv.qc.ca**
- **Ordre des infirmières et infirmiers auxiliaires du Québec** ➤ **www.oiiaq.org**
- **Ordre des infirmières et infirmiers du Québec** ➤ **www.oiiq.org**

Si vous voulez immigrer, sachez que vous devrez faire homologuer votre titre auprès de l'ordre professionnel concerné. Il est très important de se renseigner au préalable auprès de ce dernier sur les modalités, les délais et les frais de cette démarche. Pour en savoir plus sur les ordres, reportez-vous à la page 179.

Infirmières et médecins peuvent aussi travailler temporairement au Québec. Nous vous suggérons de contacter plusieurs institutions québécoises, surtout celles en région. Ensuite, vous devrez accomplir les démarches indiquées sur le site d'Immigration Québec (www.immq. gouv.qc.ca/francais/immigration/travailleur-temporaire/travailleur-temporaire-intro.html).

LES PROFILS RECHERCHÉS

De nombreuses spécialités médicales sont les bienvenues. Peuvent ainsi postuler les professionnels suivants : anatomopathologistes, anesthésistes, audiologistes, cardiologues, chirurgiens, ergothérapeutes, gestionnaires, gestionnaires de soins infirmiers, infirmières, infirmières auxiliaires, infirmières cliniciennes spécialisées, médecins généralistes, néphrologues, orthophonistes, pharmaciens, physiciens médicaux, physiothérapeutes, aides-infirmiers, psychiatres, radio-oncologues, techniciens ambulanciers, techniciens en inhalothérapie, techniciens en médecine nucléaire, techniciens en radio-oncologie, urgentistes.

▌L'AÉROSPATIALE

Simulateurs de vols, satellites de communications, composants d'aéronefs, moteurs, hélicoptères, avions d'affaires et de transport régional, tous ces produits sont issus du secteur de l'aérospatiale. La tragédie du 11 septembre 2001 a sérieusement affecté cette industrie qui avait déjà commencé à s'essouffler avant les événements. La crise a touché 15 à 20 % des ventes, et plusieurs compagnies aérospatiales québécoises telles que Bombardier et Pratt & Whitney ont dû licencier. De nombreux transporteurs ont ralenti la cadence de leur trafic et enregistré des milliers de dollars de pertes. Mais malgré tout, les spécialistes du secteur restent optimistes.

LE SECTEUR RESTE DYNAMIQUE

Selon Carmy Hayes, conseiller en formation au CAMAQ (Centre d'adaptation de la main-d'œuvre en aérospatiale au Québec), l'aérospatiale reste un domaine très dynamique au Québec, avec un besoin de 1 200 à 1 300 nouveaux travailleurs chaque année. « L'industrie aérospatiale est un secteur cyclique », affirme Bernard Strauss, conseiller en aéronautique au gouvernement québécois. Selon ce spécialiste, le secteur traverse une crise tous les dix ans. Bombardier commençait déjà à rappeler au printemps 2002 une partie du personnel licencié à l'automne précédent. Depuis, la zone de commerce international de Montréal, située à Mirabel, ne cesse d'attirer de nouvelles compagnies importantes comme Turbomeca et Aeroceltic. Et le groupe français Mecachrome, quant à lui, s'est installé au Québec dans l'Atelier d'usinage Aéro de Montréal-Nord.

Montréal, grand centre de l'aéronautique

Avant les événements, ce secteur avait connu une période de croissance continue débutant au milieu des années 1990. Après la croissance, l'heure est venue de la consolidation dans le secteur de l'aérospatiale. Les emplois se situent à 80 % sur l'île de Montréal, à Saint-Laurent et dans l'ouest de l'île, non loin de Dorval. Malgré le ralentissement, Montréal reste un centre mondial de l'aéronautique avec près de 40 000 travailleurs dans ce secteur. En fait, la région accueille plus de la moitié de la production en aérospatiale au Canada. Plus de 250 entreprises y sont installées telles Bombardier, Bell Helicopter Textron, CAQ Électronique, Pratt & Whitney, de véritables leaders. Près de 250 petites et moyennes entreprises de sous-traitance sont implantées également dans la région.

C'est à Montréal encore qu'ont choisi de s'établir de nombreuses organisations internationales liées à l'aviation : l'OACI (Organisation de l'aviation civile internationale), l'AITA (Association internationale du transport aérien), la Société internationale de télécommunications aéronautiques, l'Institut de formation et de perfectionnement en aviation et le Conseil international de l'aviation d'affaires.

Constructeurs, équipementiers et sous-traitants

L'industrie de l'aérospatiale regroupe trois types d'entreprises dont les constructeurs, les équipementiers et les sous-traitants. Les constructeurs emploient plus de 26 000 personnes. Ils commercialisent des

UN INGÉNIEUR AÉRONAUTIQUE À SON COMPTE

LAURENT KAELIN, INGÉNIEUR AÉRONAUTIQUE de 29 ans, est arrivé au Québec en février 1999. « L'idée du Canada était là depuis 1992, mais il me fallait une expérience professionnelle. » Ce Français originaire de Fontainebleau termine sa spécialité en aéronautique à Bordeaux au milieu des années 1990. En août 1998, il vient pour la première fois à Montréal faire un séjour de repérage. « Je pouvais rencontrer les gens pour me présenter. J'ai contacté des entreprises dans l'aéronautique comme Pratt & Whitney, ainsi que les gens de Rolls Royce. »

DÉBUTS CHAOTIQUES, PROGRESSION RAPIDE. Quelques mois plus tard, il débarque pour de bon, mais Pratt venait de licencier un peu de personnel. En attendant, il accepte un premier emploi alimentaire chez UPS, un service de courrier rapide. Et c'est finalement par l'OMI qu'il trouve le premier emploi dans son domaine chez Waimea Technology comme rédacteur technique. Il est embauché au départ à 35 000 $ CAN par an mais au bout de six mois, il devient chef de service avec 45 000 $ CAN. Quelques mois plus tard, la compagnie est rachetée et il décide de passer chez l'un de ses clients, Liebherr Aerospace, où il s'occupe du service de rédaction technique. Il travaille dans cette compagnie de juin 2000 à septembre 2002 et perçoit un salaire annuel de 60 000 $ CAN.

ENVIE D'INDÉPENDANCE. Mais il a envie de monter sa propre structure et de devenir indépendant. En septembre 2002, il laisse tout pour s'y préparer. « Je me suis pris six mois pour voir si je pouvais travailler en tant que travailleur autonome, si ça pouvait marcher. J'ai rencontré quelques difficultés à l'Ordre des ingénieurs à propos de la responsabilité civile. Il leur faudra trois à quatre mois pour étudier mon dossier et voir si je peux devenir ingénieur junior, ce qui me

…/…

.../...

permettrait d'être couvert. » En tant que travailleur indépendant, Laurent estime que s'il arrive à s'en sortir avec le même salaire et plus de liberté, il sera très satisfait. « Ça me plaît de faire du télétravail. Je vais avoir des horaires qui me permettront de travailler à ma guise. Personnellement c'est entre 9 heures du soir et 3 heures du matin que je suis à mon plein potentiel ! »

UN MILIEU PROPICE À L'INITIATIVE. Après quatre années au Québec, il constate qu'il n'aurait jamais réalisé le centième de ce qu'il a fait s'il était resté en France. « Au Québec, ça bouge ! À partir du moment où on a de la volonté. Si ça ne bouge pas assez à son goût, on cherche ailleurs et on va trouver. C'est pour cela que les entreprises font tant pour nous garder. » L'heure est au travail indépendant pour Laurent qui n'a pas envie de passer à côté de cette occasion. « En France, je vivais un peu en assisté, je ne prenais pas d'initiative. Le fait d'avoir traversé l'océan m'a fait beaucoup de bien. Je me suis rendu compte que j'étais capable de me prendre en charge. »

produits complets sous leurs propres marques comme Bell Helicopter Textron (premier fabricant mondial des hélicoptères civils légers et intermédiaires), Bombardier Aéronautique (troisième constructeur mondial d'avions civils, premier constructeur mondial pour l'aviation régionale et d'affaires), CAE Électronique (premier constructeur mondial de simulateurs de vol), Pratt & Whitney Canada (premier au monde pour la construction de moteurs à turbine de petite et moyenne puissance), Rolls Royce Canada (leader dans l'entretien et la réparation d'une gamme de moteurs). Bombardier a su développer des valeurs sûres, à la base de ses succès, avec ses avions régionaux Regional Jet et ses avions d'affaires Challenger. Grâce au développement d'une gamme étendue d'avions d'affaires de luxe ou transcontinentaux, la compagnie a maintenu sa position de pointe sur le marché.

Une autre grande réussite, les simulateurs de vols de CAE qui détiennent maintenant 75 % du marché mondial.

Après les maîtres d'œuvre, les constructeurs, il y a les équipementiers, ces fournisseurs spécialisés dans les composants et les services. Citons parmi ceux-ci : CMC Électronique (BAE Systems, équipements électroniques et avioniques), Lockheed Martin Canada (intégrateur de systèmes électroniques), Messier-Dowty et Héroux-Devtek (60 % du marché mondial des trains d'atterrissage), Thales Avionique Canada (intégrateur de commandes de vol), Honeywell Aérospatiale (composants de moteur) et EMS Technologies Canada (sous-systèmes et composants de satellites).

Vient enfin le réseau des sous-traitants prêts à répondre aux besoins des maîtres d'œuvre et des grands équipementiers. Ces petites et moyennes entreprises ont un solide savoir-faire dans diverses activités de sous-traitance : composites et thermoplastiques, découpe, essais et contrôle, grenaillage, métal en feuille et soudure, prototypage rapide, traitement de surface et peinture, traitement thermique, usinage et programmation. Selon les prédictions, la croissance de l'emploi sera plus soutenue chez les sous-traitants et les fournisseurs de pièces que chez les maîtres d'œuvre.

LES EMPLOIS PROPOSÉS DANS L'AÉROSPATIALE

Sont recherchés des agents de méthodes, assembleurs, ingénieurs en génie électrique, ingénieurs informaticiens, ingénieurs mécaniciens, machinistes, monteurs-câbleurs, monteurs de circuits imprimés, monteurs de structures, opérateurs de machines à commande numérique, outilleurs, plaqueurs, soudeurs, techniciens d'aéronefs, techniciens en génie mécanique, électrique et informatique, techniciens en informatique.

AÉROSPATIALE : OÙ POSTULER, OÙ SE RENSEIGNER ?

VOICI LA LISTE DES ENTREPRISES qui embauchent dans la région de Montréal

- Bombardier Aéronautique, 400, ch. de la Côte-Vertu Ouest, Dorval, Québec, H4S 1Y9 ☎ 1-514-855-9379 ➤ www.bombardier.com
- CAE, 8585, ch. de la Côte-de-Liesse, Saint-Laurent, Québec, H4L 4X4 ➤ www.carrieres.cae.com ✉ hr@cae.ca
- Héroux Devtek Inc., 755, rue Thurber, Longueuil, Québec, J4H 3N2 ☎ 1-450-679-5450 ➤ www.Herouxdevtek.com ✉ rh@heroux devtek.com
- Pratt & Whitney Canada, 1000, bd Marie-Victorin, Longueuil, Québec, J4G 1A1 ➤ www.pwc.ca ✉ human.resources@pwc.ca
- Rolls Royce Canada Ltée, 9500, ch. Côte-de-Liesse, Lachine, Québec, H8T 1A2 ☎ 1-514-636-0964 ➤ www.rolls-royce.com ✉ cv@rolls-royce.ca

LISTE DES SITES INTERNET EN AÉROSPATIALE

- Association des industries aérospatiales du Canada (AIAC) ➤ www.aiac.ca
- Centre d'adaptation de la main-d'œuvre en aérospatiale au Québec (CAMAQ) ➤ www.camaq.org
- Conseil canadien de l'entretien des aéronefs ➤ www.camc.ca
- L'Aérospatiale, ministère de l'Industrie et du Commerce ➤ www.mic.gouv.qc.ca/aerospatiale/index.html
- Musée national de l'aviation du Canada ➤ www.aviation.nmstc.ca
- Space Jobs Inc. ➤ www.spacejobs.com/index.shtml

LES TECHNOLOGIES DE L'INFORMATION

Au Québec, les technologies de l'information et des télécommunications emploient plus de 100 000 personnes réparties dans plus de

5 000 entreprises. Ce secteur qui génère des revenus de 31 milliards de dollars est concentré pour les trois quarts dans la région de Montréal. Selon Industrie Canada, en 2001, les salariés des industries des logiciels et des services informatiques gagnaient en moyenne 52 565 $ CAN par an. On dénombre aussi plusieurs centres de recherche comme le CRIM (Centre de recherche informatique de Montréal), l'INO (Institut national d'optique), le CESAM (Centre d'expertise et de services en applications multimédias), le CEFRIO (Centre francophone d'informatisation des organisations).

Un travailleur sur quatre dans ce secteur d'activité est un travailleur indépendant, selon le Comité sectoriel de la main-d'œuvre en technologie de l'information.

Les six grands secteurs d'activité des technologies de l'information sont : les télécommunications, le multimédia, les services informatiques et les logiciels, le commerce électronique et les médias électroniques, la microélectronique et les composants, l'équipement informatique. Tous ne vivent pas le ralentissement économique de la même façon, même si « la lune de miel est terminée dans ce secteur, affirme Yann Hairaud de l'Agence montréalaise pour l'emploi. Surtout dans les télécommunications. Un informaticien trouvera des emplois dans des fonctions plus classiques comme le développement et la programmation ».

LES TÉLÉCOMMUNICATIONS, AFFECTÉES PAR LA CRISE

L'industrie québécoise des télécommunications représente plus de 40 % des activités de télécommunications au Canada et regroupe 384 entreprises employant 38 500 travailleurs. C'est assurément, elle, la plus touchée dans ce secteur. Alors qu'entre 1997 et 1999 elle avançait, vent dans les voiles, la débandade boursière des valeurs technologiques a mis fin à l'optimisme. Selon TechnoCompétences, le secteur des télécommunications a perdu un tiers de son effectif en 2002, et tourne aujourd'hui au ralenti.

Embauches : priorité à l'expérience. Malgré tout, d'après *Les Carrières d'avenir 2003* des éditions Jobboom, il subsiste encore un peu d'espoir avec l'ouverture de plusieurs postes à la suite des départs à la retraite dans les trois prochaines années. Les ingénieurs expérimentés en télécommunication et issus du génie électrique sont recherchés. Les entreprises du secteur sont principalement des sociétés de télécommunications telles que Bell Canada, AT&T, Sprint Canada, Téléglobe Canada, Vidéotron et Cogeco. Il faut aussi compter les entreprises fabriquant des équipements de télécommunications telles que Nortel Networks, Ericsson Communications, Motorola, Harris Corporation, SR Telecom.

MULTIMÉDIA : LES JEUX ET LE E-LEARNING RÉSISTENT

1200 entreprises au Québec travaillent dans le secteur du multimédia, un domaine qui, après une forte période de croissance entre 1997 et 2000, a enregistré, dès 2001, un certain repli. Le travailleur du multimédia doit s'adapter au marché qui demande de plus en plus de polyvalence. Toutefois, deux branches de ce secteur se sont démarquées avec succès, celui des jeux électroniques et celui de l'apprentissage électronique (e-learning). Pour les jeux, on note une nette progression des jeux pour consoles. Le e-learning, pour sa part, a connu une croissance de 21 % en 2001 et de beaux jours sont encore en perspective selon les prévisions.

Les six plus importantes compagnies de jeux électroniques comptent 75 % de l'effectif dans ce domaine : Artifical Mind and Movement (A2M), CinéGroupe, Microïds, Softimage, Strategy First et Ubi Soft.

EMPLOI : PLUS D'OPPORTUNITÉS HORS DES GRANDS CENTRES

SI MONTRÉAL ATTIRE de nombreuses compagnies et des centres technologiques comme celui du multimédia dans le Vieux-Montréal ou la Cité du commerce électronique, la situation est différente en région où il est parfois plus difficile de recruter du personnel qualifié, la firme Numérique à Thetford Mines en constitue un bel exemple.

En région, le manque de travailleurs qualifiés est souvent problématique pour les entreprises. Ainsi le nouvel arrivant prêt à quitter la métropole québécoise pourrait avoir plus de chance de trouver un emploi.

La ville de Québec offre aussi de nombreux débouchés dans ce secteur.

CROISSANCE MAINTENUE POUR LES SERVICES INFORMATIQUES ET LES LOGICIELS

L'industrie québécoise de l'informatique et des logiciels emploie 26 200 travailleurs dans plus de 3 300 entreprises. Le service-conseil informatique et le domaine des logiciels ont été touchés par un ralentissement comme d'autres secteurs. Autrefois aux prises avec une pénurie de main-d'œuvre, le secteur connaît aujourd'hui l'équilibre plus que le chômage. Les entreprises offrant du « service-conseil » ont pour leur part maintenu leur rythme de croissance...

Plusieurs entreprises installées au Québec sont des chefs de file mondiaux dans le domaine des systèmes informatiques (CGI, DMR, IBM et Cognicase), dans la conception de logiciels (SAP Labs, Oracle et J.D. Edwards), dans l'animation et la simulation multimédia (Toonboom, Softimage, Discreet et Virtual Prototypes), la navigation multilingue (Alis Technologies) et la conception d'applications Internet et Intranet (Eicon Technology et Locus Dialogue).

COMMERCE ET MÉDIAS ÉLECTRONIQUES

Le commerce électronique est encore à un stade embryonnaire au Québec, comme ailleurs dans le monde. Selon l'Institut de la statistique du Québec, 44 % des entreprises employant plus de cinq employés ont recours à Internet pour faire des achats. Pour leur part, les médias électroniques offrent de plus en plus de contenu en ligne et peuvent offrir quelques possibilités à des travailleurs flexibles et polyvalents.

Plusieurs sociétés se sont spécialisées dans le cybercommerce telles que BCE Emergis, SAP Labs, CGI, DMR, Cognicase et IBM.

MICROÉLECTRONIQUE ET COMPOSANTS

Le secteur de la microélectronique et des composants emploie près de 10 000 travailleurs et compte 84 entreprises, dont Zarlink (Mitel) et IBM qui produisent des semi-conducteurs (tous deux à Bromont près de Montréal), Viasystems, Samnina et Solectron, et de nombreuses entreprises en instrumentation tels Exfo, Bomem, et Lab-Volt.

Comme le mentionne *Le Guide de l'emploi 2003* des éditions Septembre, l'industrie électronique a connu de grandes pertes ces dernières années. Mais les déboires des sous-traitants du secteur de la microélectronique tirent à leur fin grâce au développement continu d'Internet.

ÉQUIPEMENT INFORMATIQUE

Le domaine de l'équipement informatique comprend 144 entreprises disposant d'une main-d'œuvre de 7 500 personnes. Il comprend les manufacturiers d'ordinateurs et de périphériques tels que CAE Electronics, Matrox Electronics et SCI Systems.

« LA MOBILITÉ EST RECONNUE ET ACCEPTÉE »

ORIGINAIRE DE LYON, Jocelyn Montjaux travaillait en France comme ingénieur informaticien spécialisé en sécurité. « Nous avions envie de découvrir autre chose pour voir si c'était mieux, on était curieux. » Après un voyage de noce et de repérage au Québec en 1998, Jocelyn arrive à Montréal en juin 2000 avec sa femme Magalie et leur fille, alors âgée de 3 mois. « Nous pensions nous installer à Hull-Gatineau, mais j'ai rapidement trouvé du travail à Montréal même. »

QUATRE CV SUR INTERNET ET UN GAGNANT. Avant de partir, Jocelyn avait envoyé par Internet quatre CV bien ciblés à des compagnies spécialisées dans la sécurité informatique. Il est tout de suite contacté par l'une d'entre elles prête à le rencontrer dès son arrivée. « Chez Net Secure Software, l'entretien se passe bien, la société me plaît et on me propose un poste similaire à celui que j'avais en France. »

TROIS EMPLOIS... EN UN AN. Deux mois plus tard, il est contacté par une compagnie montréalaise, Zero Knowlegde Software, à qui il avait adressé son CV avant d'arriver. Il accepte le poste à 70 000 $ CAN (10 000 $ de plus que chez Net Secure), trois semaines de congés payés pour débuter, la pleine couverture sociale ainsi que des options d'achat en bourse. L'aventure s'arrête six mois plus tard, en mars 2001, avec la chute des valeurs technos. « Il faut s'attendre à être débarqué rapidement. Tu sais qu'en tout temps ça peut se faire en à peine deux semaines, mais l'employé est libre, lui aussi, de quitter l'entreprise rapidement. » Jocelyn est licencié mais la compagnie offre un soutien pour replacer son personnel. Trois semaines plus tard, il trouve un autre emploi grâce à un message posté sur le forum privé des anciens employés de Zero Knowlegde.

.../...

MOBILITÉ RECONNUE. « Cela ne paraît pas anormal d'avoir fait trois sociétés en moins d'un an. En France, on se méfierait de quelqu'un qui bouge si souvent. La mobilité est reconnue et acceptée au Québec. » Jocelyn est entré en avril 2001 chez Microcell i5 en tant que spécialiste en sécurité informatique avec des conditions comparables à celles de son ancien employeur.

LES PROFILS RECHERCHÉS

Notez avant tout qu'au Québec on ne parle pas d'ingénieur informaticien mais plutôt d'informaticien, tout court. Sont donc particulièrement recrutés les administrateurs de base de données, analystes, chargés de projet, concepteurs et programmeurs expérimentés, gestionnaires de projet, ingénieurs logiciels, programmeurs-analystes orientés objet, préposés au soutien à l'usager, responsables de la sécurité informatique, ainsi que les profils dans l'e-learning, infographistes, intégrateurs multimédias, rédacteurs techniques, technologues éducationnels jeux électroniques, techniciens en informatique, animateurs 3D, dessinateurs en dessin animé. Le secteur recrute également pour des fonctions plus transversales : des professionnels de la vente de produits et services, spécialistes de la finance, du marketing, des ressources humaines, de la gestion de réseau étendu.

Le Top 10 des profils. Selon Jobboom et TechnoCompétences, les dix profils les plus recherchés en technologies de l'information en décembre 2002 étaient : analyste d'affaires, chargé de projet, soutien technique, programmeur orienté objet (C++, Smalltalk, Java, Delphi), programmeur progiciels (SAP, PeopleSoft, JDEdwards), programmeur Internet (HTML, Perl, Java, VC++, ASP), gestionnaire de réseau étendu (WAN), coordonnateur en programmation et opération.

▌LE COMMERCE

Une grande partie de la croissance économique du Québec est attribuable à ce secteur, selon Statistiques Canada. Chaque année, le Québec enregistre une augmentation des ventes au détail. Entre 1995 et 2000, le secteur a ainsi vu ses gains augmenter au rythme de 5 % par an. Le commerce de détail, malgré l'implantation de grandes surfaces, est dominé par les petites entreprises, ainsi 72 % des entreprises de ce secteur ont moins de cinq employés. On retrouve dans ce secteur des concessionnaires automobiles, des magasins d'alimentation, de meubles, de vêtements, des pharmacies et autres établissements commerciaux. De nombreuses grandes surfaces continuent de s'installer sur tout le territoire québécois, les franchises se multiplient de même que le nombre de centres d'appels afin de répondre aux besoins pressants de la clientèle.

Il n'y a pas de pénurie de personnel en vue, mais les employés qualifiés manquent dans ce secteur qui a dû s'adapter au virage technologique. Il est important que ces travailleurs puissent intégrer facilement les outils informatisés. Le roulement du personnel est très élevé et certains employeurs se plaignent d'avoir des difficultés à retenir un personnel compétent. 1700 emplois, qu'ils soient à temps plein, à temps partiel ou saisonniers, étaient offerts en mars 2002 au Salon de l'emploi du commerce de détail de Montréal. Les principaux profils recherchés sont les agents de centres d'appels, les commis-vendeurs, les conseillers-vendeurs et les gérants. Comme ce travail est intimement lié au public, il est souhaitable de maîtriser l'anglais au moins à l'oral, pour exercer ces fonctions.

Commerce : qui contacter ?

Voici quelques grands noms du commerce au détail installés au Québec qui connaissent une forte expansion : Archambault (livres et musique), L'Aubainerie, Bureau en gros, Canadian Tire, Future Shop, Home Dépôt, IKEA, Pharmaprix, SAQ, Sears, Yves Rocher, Wal-Mart, Zellers.

L'OPTIQUE-PHOTONIQUE

Au Québec, ce secteur regroupe plus de soixante entreprises dont une quarantaine dans la grande région de Montréal et le reste dans la région de Québec. 2 000 personnes travaillent à la Cité de l'optique de la capitale. Ce secteur a réussi une forte percée ces dernières années avec des croissances annuelles de 20 % et même 30 %, mais, depuis 2001, les espoirs ont été quelque peu réduits par les récents déboires économiques.

Ce secteur a néanmoins besoin de personnel tels des chercheurs en optique. Afin de répondre à la demande, le ministère de l'Immigration du Québec a même organisé des missions de recrutement en France. Le gouvernement québécois a ainsi mis sur pied un « guichet unique » afin de recevoir les candidatures de personnels spécialisés dans ce domaine pointu.

Vous trouverez tous les détails sur le site d'Immigration Québec (www.immq.gouv.qc.ca/francais/immigration/travailleur-temporaire/optique.html), mais vous devez d'abord contacter leur bureau de Québec.

TOURISME : OÙ SE RENSEIGNER ?

LIENS VERS LE TOURISME

- Commission canadienne du tourisme ➤ www.canadatourism.com
- Ministère du Tourisme ➤ www.tourisme.gouv.qc.ca
- Société des établissements de plein air du Québec (SEPAQ) ➤ www.sepaq.com

LE TOURISME

Depuis dix ans, le Québec a énormément investi, multiplié ses atouts et développé son infrastructure afin d'accueillir des touristes d'Europe et des États-Unis. Plus de 32 000 entreprises se partagent ce secteur entre les hébergements, les restaurants, les attractions touristiques d'aventure et de loisirs de plein air, les agences de voyage, les transports, les services touristiques divers et les congrès. Le Québec est plus visité que jamais, sa première clientèle après les Canadiens reste les Américains qui viennent maintenant plus souvent par voie terrestre depuis les événements du 11 septembre 2001. Les compagnies aériennes et les agences de voyages ont été très touchées depuis cette date, mais le secteur touristique québécois s'en est bien sorti, retrouvant rapidement le même niveau d'activité.

Le Conseil québécois des ressources humaines en tourisme a même noté une augmentation de fréquentation, le réseau de Relais-Santé (SPA) ayant bénéficié d'une clientèle nord-américaine qui auparavant se rendait en Europe. Montréal et Québec attirent de nombreux voyageurs. Les Laurentides, au nord de Montréal, attirent les touristes grâce au développement de la station de ski du Mont-Tremblant. La région de Charlevoix, quant à elle, est attractive avec le Manoir Richelieu. Plus de la moitié des établissements touristiques sont en fait des restaurants. Selon un sondage de l'Association des restaurants du Québec, ses membres ont besoin de cuisiniers, aides-cuisiniers et « préposés au service des mets et boissons », c'est-à-dire des serveurs.

L'AGROALIMENTAIRE

L'agroalimentaire, avec la transformation des aliments et les commerces, est en plein essor. Au Québec, il existe près de 10 000 commerces de détail et 1 500 magasins de gros. Quelques grandes chaînes d'alimentation sont présentes sur le marché comme Loblaws-Provigo, Métro-Richelieu et IGA. Malgré tout, les établissements indépendants (affiliés ou non affiliés) représentent 70 % du secteur. La transformation des aliments, pour sa part, emploie 60 000 salariés répartis dans 1 300 entreprises, à 90 % des PME. Ces dernières œuvrent dans des secteurs aussi différents que les produits laitiers, les boissons, les viandes et les volailles, les fruits et les légumes, la boulangerie et la pâtisserie.

Un grand nombre de marques sont présentes sur le territoire québécois. Voici la liste de quelques-unes d'entre elles : Exceldor, Groupe Brochu-Lafleur, Olymel, Aliments Breton, Agropur, Danone, Lactel, Parmalat Canada, Saputo, Barry Callebaut Canada, Biscuits Leclerc, Multi-Marques, Maple Leaf, Kraft Canada, McCain Foods, Nestlé, Pillsbury.

Le manque de main-d'œuvre se fait surtout sentir dans les emplois saisonniers, en rapport avec la transformation des fruits et légumes. Dans les magasins, on recherche des commis, des caissiers. Même le nombre des bouchers, des boulangers et des pâtissiers est insuffisant.

LES PROFESSIONS LES PLUS DEMANDÉES

CETTE LISTE ÉTABLIE PAR IMMIGRATION QUÉBEC date de juin 2002. Le fait d'exercer une de ces professions n'est pas une garantie de pouvoir immigrer et travailler au Québec. Si votre profession n'est pas listée, cela ne veut pas dire non plus que vous n'avez aucune chance. Cette liste est établie selon le code de la classification nationale des professions, de Développement des ressources humaines Canada.

● Physiciens et astronomes ● Physiciens ● Chimistes ● Ingénieurs mécaniciens ● Ingénieurs électriciens et électroniciens ● Ingénieurs chimistes ● Ingénieurs d'industrie et de fabrication ● Ingénieurs informaticiens, sauf les ingénieurs en logiciel ● Ingénieurs physiciens ● Mathématiciens, statisticiens et actuaires ● Statisticiens ● Analystes et consultants en informatique ● Ingénieurs en logiciel ● Programmeurs et développeurs en médias interactifs ● Programmeurs ● Technologues et techniciens en chimie ● Technologues et techniciens en génie mécanique ● Technologues et techniciens en génie électronique et électrique ● Électroniciens d'entretien (biens de consommation) ● Techniciens et mécaniciens d'instruments industriels ● Technologues spécialistes en analyses d'entretien ● Mécaniciens, techniciens et contrôleurs d'avionique et d'instruments et d'appareillages électriques d'aéronefs ● Designers industriels ● Machinistes et vérificateurs d'usinage et d'outillage ● Régleurs-conducteurs de machines-outils à commandes numériques ● Outilleurs-ajusteurs.

LA TOUCHE FRANÇAISE

Le fait d'être français présente un net avantage dans certains métiers, surtout ceux liés à la gastronomie et la restauration. « C'est sûr que tous les métiers de bouche sont des domaines de savoir-faire français », affirme Yann Hairaud de l'AMPE. Pâtissiers, boulangers et cuisiniers originaires de l'Hexagone ont de nombreuses possibilités au Québec. Depuis plus de dix ans, les Québécois redécouvrent maints plaisirs dont ceux de la table et de la bonne chère. Les goûts se raffinent et s'ouvrent sur le monde. Ainsi de nombreuses boulangeries ont vu le jour à Montréal ou ailleurs et proposent du pain de qualité. « Je ne sais pas si c'est une mode ou une découverte, mais les pains à la française ont la cote, constate Pascal, boulanger à Montréal. C'est un atout d'être français dans ce domaine-là ! » Dans les cuisines des restaurants, les Français ont aussi la préférence. Même constat dans d'autres domaines comme ceux de la beauté et des soins. « Il est clair que le fait d'être française aide dans ma profession », reconnaît Isabelle, esthéticienne dans la ville de Québec.

René Sicard, propriétaire de la boulangerie artisanale De Froment et de Sève installée rue Beaubien à Montréal, a eu bien des difficultés à trouver de bons boulangers. Sur 35 employés, le tiers est d'origine française. « Il y a un manque de formation au Québec dans notre domaine, ainsi j'ai décidé d'aller chercher des gens formés et qualifiés », explique-t-il. Ce propriétaire québécois est même passé par l'OMI (Office des migrations internationales) de Montréal pour trouver, il y a quelques années, du personnel à l'étranger. Et l'unique travailleur qu'il avait trouvé n'était finalement jamais venu au Québec. « Depuis deux ans, ça va mieux. Il y a plus de gens qui sont prêts à travailler. » Il a constaté que la façon de travailler n'était pas toujours la même, qu'il est moins paternaliste dans ces rapports avec ces employés. « Au Québec, les patrons laissent la responsabilité à l'employé. Les Européens ont du mal parfois à gérer cette autonomie. »

Arrivé en 1997 à Québec pour suivre son amie québécoise, Gilles Dupouj est chef cuisinier au restaurant Paris Brest de la Grande-Allée

UN BOULANGER FRANÇAIS AU QUÉBEC

ORIGINAIRE DE HAUTE-SAVOIE, Pascal, jeune boulanger de 31 ans, est arrivé en septembre 1997 dans la Belle Province après avoir travaillé pendant dix ans en Suisse. « Plus jeune, j'avais vu Gilles Vigneault à la télé, et ça m'a donné envie de venir voir. Je voulais savoir d'où venait sa bonne humeur. »

AVANT SON INSTALLATION, Pascal a fait deux voyages de prospection. « Lors de mon premier voyage en 1995, je suis allé à Québec et j'ai rencontré des Français dans la pâtisserie qui m'ont refroidi. Alors j'ai fait un deuxième voyage de reconnaissance en 1996, je suis allé à Montréal et j'ai rencontré un pâtissier installé depuis un an, ainsi qu'un professeur de l'Institut de tourisme et d'hôtellerie du Québec qui m'a donné l'heure juste. » Pascal voulait travailler dans des boulangeries de qualité et le professeur lui a donné quelques pistes.

DIX JOURS APRÈS SON ARRIVÉE, il débute à la boulangerie Premières Moissons à Montréal.

« Je ne cherchais pas vraiment aussi vite, mais j'ai rencontré quelqu'un de chez eux et j'ai été engagé. » Au début, il gagnait 12 $ CAN de l'heure, au bout de trois ans à la même boulangerie du marché Jean-Talon, il passe à 16,50 $ CAN l'heure. C'est alors qu'il a envie d'autre chose et entre en 2000 à la boulangerie De Froment et de Sève située dans le quartier de Rosemont où il touche 14,50 $ CAN.

« COMME DANS TOUS LES MÉTIERS, il n'y a pas de hiérarchie. Ainsi, tout le monde a son mot à dire sur le travail, c'est moins strict qu'en France », affirme-t-il. Pour rencontrer les employeurs potentiels, Pascal suggère de faire un tour des boulangeries. « Moi, je me présente en personne et je demande le patron. » Pascal habite aujourd'hui sur le plateau Mont-Royal de Montréal. « Pour s'adapter, il faut aimer, proclame-t-il. Faut pas venir au Québec juste pour le travail. Faut aimer le Québec. Être curieux et avoir envie de découvrir. »

de la capitale depuis quelques années. « En cinq ans, cela a beaucoup changé, constate-t-il. Des fromages, il y en a partout et la SAQ (Société des Alcools du Québec) a aussi explosé. C'est le meilleur marchand de vin au monde car il est hétéroclite. » Il constate que les chefs cuisiniers gagnent à peu près la même chose qu'en France. Mais pour les simples cuisiniers, c'est plus difficile. « Le cuisinier est plus important en France. La restauration n'est pas toujours un métier reconnu au Québec. Le chef gagne bien sa vie, mais pas les cuisiniers qui sont souvent des étudiants ou des gens de passage. Les cuisiniers sont moins payés que les serveurs, alors qu'en France c'est tout le contraire. »

Bien qu'il soit originaire du sud-ouest de la France et qu'il ait travaillé en Nouvelle-Calédonie, il s'est bien adapté au climat québécois. « En hiver, il suffit d'avoir de grosses mitaines et un manteau. Tout est fonctionnel, tout est déneigé. » L'adaptation culinaire a tout de même été plus facile pour Gilles. « Au Québec, ce sont les mêmes produits qui marchent : thon, sole, porc. » Il caresse le rêve d'ouvrir un jour son propre restaurant. « C'est plus facile de monter sa propre entreprise ici, peut-être que je vais le faire un jour. »

L'emploi selon les régions

C'est à Montréal que s'installent 88 % des immigrants du Québec. Pourtant, votre profil sera parfois plus recherché à Québec ou dans d'autres régions de la province où la main-d'œuvre se fait plus rare. La diversification de l'économie québécoise au fil des vingt dernières années rend celle-ci moins vulnérable qu'auparavant aux soubresauts économiques. De nombreuses villes ont su multiplier leurs secteurs d'activité comme vous allez le voir dans les présentations des villes. Le taux de chômage pour l'ensemble du Québec était de 8,4 % en novembre 2002.

Après avoir présenté chaque région, nous vous donnons un aperçu des professions les plus recherchées dans le secteur, extrait du *Guide de l'emploi,* édition 2003 des éditions Septembre. Tous les emplois mentionnés ici sont accompagnés du code du CNP (classification nationale des professions) qui correspond au classement national des professions du Canada. Il est à noter que certaines professions dont le titre comprend « autres » peuvent porter à confusion : il faut alors vous reporter à la liste avec le numéro CNP. Pour consulter la liste complète et la description précise de ces profils, et en savoir plus sur ces professions, nous vous invitons à consulter le site Web de ce classement. Pour accéder à la profession qui vous intéresse, entrez sur le site Internet le chiffre du code CNP correspondant à votre métier (www.qc.hrdc-drhc.gc.ca/emploi-avenir). Cette classification inventorie 512 professions, vous y trouverez également des statistiques sur les professions, la description des tâches, les titres professionnels les plus courants et les principales industries qui embauchent. N'oubliez pas que la liste ci-dessous n'est pas exhaustive, de nombreuses autres professions sont recherchées dans ces différentes villes.

▋ Montréal

La métropole économique et culturelle du Québec attire des milliers de travailleurs tous les ans. Montréal et sa grande région comptent la moitié de la population du Québec, un peu plus de 3 426 000 personnes, selon le dernier recensement de 2001. Elle représente la deuxième région métropolitaine au Canada après Toronto. En octobre 2002, son taux de chômage était, pour la première fois en trente ans, inférieur à celui de Toronto avec un niveau de 7,5 %. À la même période, ce taux atteignait 7,7 % à Toronto et 8,1 % à Vancouver. Montréal est une ville de choix pour les nombreux travailleurs et étudiants venus de partout. Il est également facile de s'adapter à Montréal, selon une étude comparative sur les expatriés, publiée à l'automne 2002 par l'agence londonienne Economist Intelligence Unit. Grâce notamment à une vie sociale et culturelle active, une excellente sécurité et une infrastructure développée.

Elle arrive au huitième rang dans le palmarès de 130 villes, bien avant Amsterdam, Tokyo, Paris, Londres et New York. Selon le magazine londonien branché *Wallpaper*, Montréal est aussi l'une des dix villes au monde où l'on vit mieux. En vingt ans, Montréal a bien changé, devenant une véritable métropole cosmopolite et diversifiant son économie. La ville s'est taillé une place de choix avec des secteurs de la haute technologie comme l'aérospatiale, les nouvelles technologies et les biotechnologies. Le quart des Montréalais a une formation universitaire, alors que ce pourcentage tombe à 15 % pour l'ensemble de la population du Québec.

LES PROFESSIONS LES PLUS DEMANDÉES À MONTRÉAL

NOUS VOUS RAPPELONS QUE pour avoir plus d'informations (statistiques, description des missions, etc.), vous devez vous rendre sur le site Internet de Développement des ressources humains Canada et entrer le chiffre du code CNP correspondant à votre métier : www.qc.hrdc-drhc.gc.ca/emploi-avenir

CNP	Titre de la profession
1113	Agents en valeurs, agents en placements et courtiers
3234	Ambulanciers et autre personnel paramédical
2162	Analystes de systèmes informatiques
1112	Analystes financiers et analystes en placements
3235	Autre personnel technique en thérapie et en diagnostic
1114	Autres agents financiers
3219	Autres technologues et techniciens des sciences de la santé (sauf soins dentaires)
2112	Chimistes
9422	Conducteurs de machines de traitement des matières plastiques
2252	Designers industriels
111	Directeurs financiers
131	Directeurs de la transmission des télécommunications
113	Directeurs des achats
114	Directeurs des autres services administratifs
112	Directeurs des ressources humaines
314	Directeurs des services sociaux, communautaires et correctionnels
311	Directeurs des soins de santé
213	Directeurs des systèmes et des services informatisés
3233	Infirmiers auxiliaires autorisés

CNP	Titre de la profession
3152	Infirmiers diplômés
3151	Infirmiers en chef et superviseurs
2134	Ingénieurs chimistes
2131	Ingénieurs civils
2133	Ingénieurs électriciens et électroniciens
2147	Ingénieurs informaticiens
2141	Ingénieurs d'industrie et de fabrication
2142	Ingénieurs métallurgistes et des matériaux
3214	Inhalothérapeutes et perfusionnistes cardio-vasculaires
2161	Mathématiciens, statisticiens et actuaires
2244	Mécaniciens, techniciens et contrôleurs d'avionique et d'instruments et d'appareillages électriques d'aéronefs
7232	Outilleurs-ajusteurs
2111	Physiciens et astronomes
4215	Professeurs et instructeurs en éducation spécialisée
1122	Professionnels des services aux entreprises de gestion
2163	Programmeurs
1121	Spécialistes des ressources humaines
9212	Surveillants dans le raffinage du pétrole, le traitement du gaz et des produits chimiques et les services d'utilité publique
3212	Techniciens de laboratoire médical
2243	Techniciens et mécaniciens d'instruments industriels
3211	Technologues de laboratoire médical et assistants en pathologie
3215	Technologues en radiologie
2211	Technologues et techniciens en chimie appliquée
2233	Technologues et techniciens en génie industriel et en génie de fabrication
1111	Vérificateurs et comptables

LES PROFESSIONS LES PLUS DEMANDÉES À LAVAL

CNP	Titre de la profession
1113	Agents en valeurs, agents en placements et courtiers
3413	Aides et auxiliaires médicaux
2162	Analystes de systèmes informatiques
1112	Analystes financiers et analystes en placements
3235	Autre personnel technique en thérapie et en diagnostic
1114	Autres agents financiers
3414	Autres aides et assistants/assistantes de soutien des services de santé
3219	Autres technologues et techniciens des sciences de la santé (sauf soins dentaires)
2121	Biologistes et autres scientifiques
2112	Chimistes
4143	Conseillers pédagogiques et conseillers d'orientation
111	Directeurs financiers
210	Directeurs des services du génie, des sciences et de l'architecture
213	Directeurs des systèmes et des services informatisés
3233	Infirmiers auxiliaires autorisés
3152	Infirmiers diplômés
3153 3151	Infirmiers en chef et superviseurs
2134	Ingénieurs chimistes
2133	Ingénieurs électriciens et électroniciens
2147	Ingénieurs informaticiens
2132	Ingénieurs mécaniciens
2141	Ingénieurs d'industrie et de fabrication

CNP	Titre de la profession
7231	Machinistes et vérificateurs d'usinage et d'outillage
2244	Mécaniciens, techniciens et contrôleurs d'avionique et d'instruments et d'appareillages électriques d'aéronefs
3111	Médecins spécialistes
3112	Omnipraticiens et médecins en médecine familiale
3131	Pharmaciens
1122	Professionnels des services aux entreprises de gestion
2163	Programmeurs
6221	Spécialistes des ventes techniques, vente en gros
3212	Techniciens de laboratoire médical
2243	Techniciens et mécaniciens d'instruments industriels
3211	Technologues de laboratoire médical et assistants en pathologie
3215	Technologues en radiologie
2221	Technologues et techniciens en biologie
2211	Technologues et techniciens en chimie appliquée
2253	Technologues et techniciens en dessin
2232	Technologues et techniciens en génie mécanique
1111	Vérificateurs et comptables

Sur l'île de Montréal, près de quatre salariés sur cinq travaillent dans le secteur des services. Les personnels de la santé, de l'éducation et de la fonction publique occupent un grand nombre d'emplois. Le domaine du commerce de détail y a aussi connu une forte progression. Le secteur de la fabrication représente 20 % des emplois de la région dans des champs d'activité aussi variés que le meuble, le textile, le vêtement et les aliments. Des entreprises de technologie s'y installent continuellement. Fait nouveau, les Montréalais sont désormais plus nombreux à sortir de leur île pour aller travailler vers les rives nord et sud, que les banlieusards ne le font pour se diriger vers le centre-ville.

LAVAL

Le deuxième pôle économique du Québec se situe à Laval, une ville de la proche banlieue nord de Montréal. Cette ville jeune jouit d'un des plus bas taux de chômage au Québec avec 6,6 % en novembre 2002. Plus de 50 % des Lavalois travaillent sur l'île de Montréal. Ces dernières années, des investissements de près d'un milliard de dollars ont relancé l'économie régionale avec des projets de construction tels que le prolongement du métro de Montréal vers Laval. Le commerce de détail draine de nombreux emplois dans cette ville où le secteur tertiaire occupe 80 % du marché de l'emploi. Quatre parcs industriels sont présents sur le territoire. Par ailleurs, de nombreuses entreprises de biotechnologies s'y sont implantées. Laval est aussi considéré comme la capitale de l'horticulture québécoise.

AU NORD DE LAVAL

Au nord de Laval, les régions des Laurentides et de Lanaudière offrent un cadre de vie au cœur de la nature avec un taux de chômage plus bas que la moyenne québécoise. Le sud des Laurentides est surtout manufacturier, avec des entreprises de haute technologie, des firmes dans le domaine des aliments, des produits métalliques, du bois, du meuble, de la machinerie. Un centre de commerce international est aussi présent à Mirabel. Au centre des Laurentides s'est surtout développé un secteur touristique dynamique ; c'est là que l'on retrouve la station de ski du Mont-Tremblant.

Pour sa part, la région de Lanaudière, au nord-est de Montréal, offre une économie diversifiée. De nombreux résidents du sud de la région de Lanaudière travaillent à Montréal. Cette région recèle maints

LES PROFESSIONS LES PLUS DEMANDÉES AU NORD DE LAVAL

CNP Titre de la profession

Dans les Laurentides

CNP	Titre de la profession
1113	Agents en valeurs, agents en placements et courtiers
3413	Aides et auxiliaires médicaux
3234	Ambulanciers et autre personnel paramédical
2162	Analystes de systèmes informatiques
1112	Analystes financiers et analystes en placements
3411	Assistants dentaires
3235	Autre personnel technique en thérapie et en diagnostic
1114	Autres agents financiers
3414	Autres aides et assistants de soutien des services de santé
3123	Autres professionnels en diagnostic et en traitement de la santé
3219	Autres technologues et techniciens des sciences de la santé (sauf soins dentaires)
3113	Dentistes
2252	Designers industriels
111	Directeurs financiers
632	Directeurs de l'hébergement
631	Directeurs de la restauration et des services alimentaires
621	Directeurs de la vente au détail
113	Directeurs des achats
123	Directeurs des autres services aux entreprises
112	Directeurs des ressources humaines
210	Directeurs des services du génie, des sciences et de l'architecture
311	Directeurs des soins de santé
213	Directeurs des systèmes et des services informatisés
2242	Électroniciens d'entretien (biens de consommation)

.../...

LES PROFESSIONS LES PLUS DEMANDÉES AU NORD DE LAVAL

CNP	Titre de la profession
3143	Ergothérapeutes
3233	Infirmiers auxiliaires autorisés
3152	Infirmiers diplômés
3151	Infirmiers en chef et superviseurs
2131	Ingénieurs civils
2133	Ingénieurs électriciens et électroniciens
2147	Ingénieurs informaticiens
2132	Ingénieurs mécaniciens
2141	Ingénieurs d'industrie et de fabrication
2146	Ingénieurs en aérospatiale
3214	Inhalothérapeutes et perfusionnistes cardio-vasculaires
7231	Machinistes et vérificateurs d'usinage et d'outillage
2244	Mécaniciens, techniciens et contrôleurs d'avionique et d'instruments et d'appareillages électriques d'aéronefs
3111	Médecins spécialistes
9481	Monteurs d'aéronefs et contrôleurs de montage d'aéronefs
3112	Omnipraticiens et médecins en médecine familiale
7232	Outilleurs-ajusteurs
3131	Pharmaciens
3142	Physiothérapeutes
1122	Professionnels des services aux entreprises de gestion
2163	Programmeurs
3232	Sages-femmes et praticiens des médecines douces
1121	Spécialistes des ressources humaines
3212	Techniciens de laboratoire médical
2243	Techniciens et mécaniciens d'instruments industriels
3211	Technologues de laboratoire médical et assistants/assistantes en pathologie
3215	Technologues en radiologie
2211	Technologues et techniciens en chimie appliquée

CNP	Titre de la profession
2241	Technologues et techniciens en génie électronique et électrique
2233	Technologues et techniciens en génie industriel et en génie de fabrication
2232	Technologues et techniciens en génie mécanique
1111	Vérificateurs et comptables
3114	Vétérinaires

Dans Lanaudière

CNP	Titre de la profession
123	Directeurs des autres services aux entreprises
213	Directeurs des systèmes et des services informatisés
3152	Infirmiers diplômés
2133	Ingénieurs électriciens et électroniciens et électroniciennes
2147	Ingénieurs informaticiens
7231	Machinistes et vérificateurs d'usinage et d'outillage
3111	Médecins spécialistes
3112	Omnipraticiens et médecins en médecine familiale
1122	Professionnels des services aux entreprises de gestion
1121	Spécialistes des ressources humaines
3211	Technologues de laboratoire médical et assistants en pathologie
2232	Technologues et techniciens en génie mécanique

secteurs d'activité allant de l'agriculture à l'élevage et la production ainsi que l'horticulture ornementale et la biotechnologie végétale. Une personne sur quatre dans la région travaille dans le secteur secondaire de la construction et la fabrication.

MONTÉRÉGIE

Tout juste au sud de Montréal, la région de la Montérégie comprend toutes les villes de banlieue au sud de la métropole et les petites

LES PROFESSIONS LES PLUS DEMANDÉES EN MONTÉRÉGIE

CNP	Titre de la profession
1113	Agents en valeurs, agents en placements et courtiers
3413	Aides et auxiliaires médicaux
1112	Analystes financiers et analystes en placements
1114	Autres agents financiers
112	Directeurs des ressources humaines
210	Directeurs des services du génie, des sciences et de l'architecture
213	Directeurs des systèmes et des services informatisés
3233	Infirmières auxiliaires autorisées
3152	Infirmiers diplômés
2134	Ingénieurs chimistes
2131	Ingénieurs civils
2133	Ingénieurs électriciens et électroniciens et électroniciennes
2147	Ingénieurs informaticiens
2132	Ingénieurs mécaniciens
3214	Inhalothérapeutes et perfusionnistes cardio-vasculaires
1122	Professionnels des services aux entreprises de gestion
1121	Spécialistes des ressources humaines
3215	Technologues en radiologie
2211	Technologues et techniciens en chimie appliquée
1111	Vérificateurs et comptables

villes dans les terres agricoles frontalières des États-Unis. Cette région stratégique avait un taux de chômage de 6,6 % en été 2002. Sa population est la deuxième en nombre au Québec après celle de Montréal. Caractérisée par d'importantes terres agricoles, comptant plus de 8000 fermes, la Montérégie bénéficie d'une économie dynamique à la fois dans le secteur agroalimentaire, mais aussi dans celui de la technologie et dans celui de l'industrie. Elle accueille de nombreuses compagnies dans le domaine de l'aérospatiale et dans le secteur industriel de l'énergie. Les services représentent 70 % des emplois dans la région.

QUÉBEC

La région de la capitale du Québec offre de nombreuses possibilités d'emplois. Longtemps, l'économie a reposé sur la fonction publique, mais Québec a su diversifier ses centres d'intérêt. Le ralentissement économique de 2001 a complètement épargné la ville qui, avec sa région, réunit plus d'un demi-million d'habitants. D'ailleurs, en 2002, selon le Conference Board, Québec a connu l'expansion économique la plus rapide au Canada avec une croissance de 4,4 % de son PIB (produit intérieur brut), juste devant Montréal qui a bénéficié d'une croissance de 4,3 %, alors que la moyenne canadienne était de 3,4 %. Pour la même année, Québec connaissait un taux de chômage de 6,7 % en novembre 2002 avec une majorité d'emplois créés à temps plein et de bon niveau.

L'enseignement, la fonction publique, la santé occupent 30 % des emplois du territoire québécois. Le commerce de détail, le tourisme et la restauration sont aussi très présents dans la région. Les manufactures ne comptent que pour 10 % des emplois, et le secteur primaire regroupe 2 % des emplois. Québec s'est résolument tourné ces dernières années vers la nouvelle économie et a réussi à développer plusieurs secteurs de pointe comme l'optique-phonique, la géomatique, les biotechnologies, le biomédical. Le secteur des technologies de l'information a réussi à prendre son envol dans la capitale, malgré les récents contrecoups. En raison des départs à la retraite

LES PROFESSIONS LES PLUS DEMANDÉES À QUÉBEC

CNP	Titre de la profession
2162	Analystes de systèmes informatiques
2148	Autres ingénieurs
2121	Biologistes et autres scientifiques
213	Directeurs des systèmes et des services informatisés
2133	Ingénieurs électriciens et électroniciens
2147	Ingénieurs informaticiens
2132	Ingénieurs mécaniciens
6621	Spécialistes des ventes techniques, vente en gros
7247	Techniciens en montage et en entretien d'installations de câblodistribution

dans de nombreux secteurs et du développement du pôle technologie, Québec constitue un lieu d'établissement intéressant pour les nouveaux arrivants.

SHERBROOKE ET L'ESTRIE

Au sud-est de Montréal, se trouve la ville de Sherbrooke, située au cœur de la région de l'Estrie. Aussi appelée les « Cantons de l'Est », la région accueille l'université de Sherbrooke, de langue française, et aussi l'université Bishop's, une institution scolaire anglophone.

Quoique majoritairement francophone, cette région frontalière avec les États-Unis possède une importante communauté anglophone. Elle avait un taux de chômage de 7,2 % en juillet 2002. L'Estrie est reconnue pour la vigueur de son secteur manufacturier qui couvre

« ON PARLE FRANÇAIS, MAIS CE N'EST PAS LA MÊME CULTURE »

TROIS JOURS APRÈS SON ARRIVÉE à Montréal avec sa petite famille, Élizabeth Farinacci met le cap sur Sherbrooke et la belle région des Cantons de l'Est. Trois mois plus tard, toujours sans emploi, Élizabeth contacte Annie, rencontrée en France, immigrée depuis plus de dix ans. Celle-ci travaille dans une importante agence de pub du Québec, Cossette, et lui propose un stage non rémunéré qu'Élizabeth accepte. Après le stage et quelques mois de remplacement, le département des relations publiques lui propose un poste. « Il faut partir avec beaucoup d'humilité, on ne nous attend pas ! On a beau se dire qu'on doit recommencer à zéro avec ses valises, quand on doit le faire en vrai, on galère ! »

ÉLIZABETH GAGNE 37 000 $ CAN comme conseillère en relations publiques chez Cossette à Québec. « Je n'ai pas un gros salaire, mais je me sens très bien dans mon milieu de travail, j'apprends et je sais que les choses vont s'améliorer. » Elle est persuadée qu'elle n'aurait pas atteint ce niveau dans son pays d'origine. « En France, on m'aurait dit que je n'avais pas le diplôme pour travailler dans la pub. Ici on donne plus d'importance aux qualités humaines. »

ÉLIZABETH HABITE QUÉBEC. « La ville de Québec propose un cadre de vie extraordinaire, les gens ont plus le temps qu'à Montréal, ils sont aussi plus accessibles. La vie y est paisible, les pentes de ski sont tout à côté. Tout le monde se connaît, ainsi si on travaille bien, ça se sait rapidement. Évidemment, l'inverse est aussi vrai ! » Après trois ans, elle estime qu'elle a encore beaucoup à apprendre, parce que le monde du travail est différent au Québec. « De l'entretien d'embauche à la relation de travail de tous les jours, on travaille à la nord-américaine. On a beau parler français, ce n'est pas la même culture. Un Français, ça parle beaucoup quand on lui pose une question, au Québec il faut répondre en 2 secondes et demie ! »

LES PROFESSIONS LES PLUS DEMANDÉES EN ESTRIE

CNP Titre de la profession

6233 Acheteurs des commerces de gros et de détail
1113 Agents en valeurs, agents en placements et courtiers
3234 Ambulanciers et autre personnel paramédical
1112 Analystes financiers et analystes en placements
7263 Assembleurs et ajusteurs de plaques et de charpentes métalliques
9482 Assembleurs, contrôleurs et vérificateurs de véhicules automobiles
9495 Assembleurs, finisseurs et contrôleurs de produits en plastique
3235 Autre personnel technique en thérapie et en diagnostic
9434 Autres conducteurs de machines dans la transformation du bois
2112 Chimistes
9436 Classeurs de bois d'œuvre et autres vérificateurs et classeurs dans la transformation du bois
5241 Concepteurs graphistes et artistes illustrateurs
9513 Conducteurs de machines à travailler le bois
9511 Conducteurs de machines d'usinage
9461 Conducteurs de machines de procédés industriels dans la transformation des aliments et des boissons
4213 Conseillers en emploi
811   Directeurs de la production primaire (sauf l'agriculture)
114   Directeurs des autres services administratifs
123   Directeurs des autres services aux entreprises
112   Directeurs des ressources humaines
314   Directeurs des services sociaux, communautaires et correctionnels
311   Directeurs des soins de santé
7214 Entrepreneurs et contremaîtres du formage, façonnage et montage des métaux
3233 Infirmiers auxiliaires autorisés

CNP Titre de la profession

2134 Ingénieurs chimistes

2131 Ingénieurs civils

3214 Inhalothérapeutes et perfusionnistes cardio-vasculaires

7246 Installateurs et réparateurs de matériel
de télécommunications

5123 Journalistes

7231 Machinistes et vérificateurs d'usinage et d'outillage

7245 Monteurs de lignes et de câbles de télécommunications

9493 Monteurs et contrôleurs d'autres produits en bois

9486 Monteurs et contrôleurs de matériel mécanique

9492 Monteurs et contrôleurs de meubles et d'accessoires

9431 Opérateurs de machines à scier dans les scieries

9231 Opérateurs de poste central de contrôle et de conduite
de procédés industriels dans le traitement des métaux
et des minerais

5131 Producteurs, réalisateurs, chorégraphes et personnel assimilé

4121 Professeurs d'université

4215 Professeurs et instructeurs en éducation spécialisée

1122 Professionnels des services aux entreprises de gestion

3232 Sages-femmes et praticiens des médecines douces

1121 Spécialistes des ressources humaines

9211 Surveillants dans la transformation des métaux et des minerais

6215 Surveillants des services de nettoyage

3212 Techniciens de laboratoire médical

5223 Techniciens en graphisme

3211 Technologues de laboratoire médical et assistants
en pathologie

2251 Technologues et techniciens en architecture

2211 Technologues et techniciens en chimie appliquée

2241 Technologues et techniciens en génie électronique
et électrique

9494 Vernisseurs en finition et en réparation de meubles

des domaines traditionnels tels le textile, le vêtement, les pâtes et papiers mais aussi le caoutchouc, le plastique, la microélectronique, etc.

La présence de la compagnie Bombardier dans la région explique la prolifération des entreprises de sous-traitance. Le biomédical se développe aussi, Sherbrooke abrite un parc biomédical et son centre de développement des biotechnologies. Les hautes technologies s'installent également dans le secteur ainsi que les centres d'appels, profitant du nombre assez élevé de personnes bilingues. L'industrie touristique des Cantons de l'Est n'a cessé de prospérer et d'élargir son offre.

▌ L'OUTAOUAIS

L'économie de l'Outaouais est indissociable de sa voisine, la région d'Ottawa-Carleton, la capitale nationale du Canada. La rivière des Outaouais (« Ottawa river » du côté ontarien) sépare la ville de Hull au Québec de sa voisine Ottawa, en Ontario. Tous les jours, plus de 50 000 employés québécois traversent les ponts enjambant la rivière pour aller travailler à Ottawa. Près du quart des résidents de l'Outaouais travaillent pour la fonction publique, principalement fédérale. En 2002, le taux de chômage était de 7,8 %. Les secteurs du commerce de détail et de gros, des soins de santé et de la construction sont d'importants employeurs dans la région. Récemment, l'économie de la région s'est diversifiée grâce au tourisme de loisirs. Le secteur des technologies de l'information s'y déploie aussi, plusieurs entreprises ont vu le jour en 2002 dans la vallée de Kanata.

La crise du logement qui frappe depuis quelques années la ville d'Ottawa amène les Québécois à demeurer de leur côté de la frontière. Le territoire offre de nombreux attraits naturels autour du parc de la Gatineau.

LES PROFESSIONS LES PLUS DEMANDÉES EN OUTAOUAIS

CNP Titre de la profession

1113 Agents en valeurs, agents en placements et courtiers

3234 Ambulanciers et autre personnel paramédical

2162 Analystes de systèmes informatiques

2151 Architectes

2148 Autres ingénieurs

5241 Concepteurs graphistes et artistes illustrateurs

9435 Conducteurs de machines à façonner le papier

9414 Conducteurs de machines dans le façonnage et la finition des produits en béton, en argile ou en pierre

4153 Conseillers familiaux, conseillers matrimoniaux et personnel assimilé

7318 Constructeurs et mécaniciens

111 Directeurs financiers

131 Directeurs de la transmission des télécommunications

113 Directeurs des achats

114 Directeurs des autres services administratifs

123 Directeurs des autres services aux entreprises

112 Directeurs des ressources humaines

132 Directeurs des services postaux et de messageries

311 Directeurs des soins de santé

6470 Éducateurs et aides-éducateurs de la petite enfance

5243 Ensembliers de théâtre, modélistes de vêtements, concepteurs d'expositions et autres concepteurs artistiques

7212 Entrepreneurs et contremaîtres en électricité et en télécommunications

3152 Infirmiers diplômés

2134 Ingénieurs chimistes

.../...

CNP Titre de la profession

2131 Ingénieurs civils

2133 Ingénieurs électriciens et électroniciens et électroniciennes

2147 Ingénieurs informaticiens/informaticiennes

2132 Ingénieurs mécaniciens/mécaniciennes

2141 Ingénieurs d'industrie et de fabrication

2146 Ingénieurs en aérospatiale

7246 Installateurs et réparateurs de matériel de télécommunications

7335 Mécaniciens de petits moteurs et autres équipements

7315 Mécaniciens et contrôleurs d'aéronefs

3111 Médecins spécialistes

9493 Monteurs et contrôleurs d'autres produits en bois

9484 Monteurs et contrôleurs dans la fabrication de matériel, d'appareils et d'accessoires électriques

3112 Omnipraticiens et médecins en médecine familiale

9433 Opérateurs de machines dans la fabrication et finition du papier

5212 Personnel technique des musées et des galeries d'art

3131 Pharmaciens

2111 Physiciens et astronomes

5131 Producteurs, réalisateurs, chorégraphes et personnel assimilé

4122 Professeurs adjoints et assistants d'enseignement et de recherche au niveau postsecondaire

2163 Programmeurs

4151 Psychologues

3232 Sages-femmes et praticiens des médecines douces

6461 Shérifs et huissiers

1121 Spécialistes des ressources humaines

CNP	Titre de la profession
9225	Surveillants dans la confection d'articles en tissu, en cuir et en fourrure
9211	Surveillants dans la transformation des métaux et des minerais
7342	Tailleurs, couturiers, fourreurs et modistes
3212	Techniciens de laboratoire médical
2224	Techniciens du milieu naturel et de la pêche
5223	Techniciens en graphisme
7247	Techniciens en montage et en entretien d'installations de câblodistribution
5211	Techniciens et assistants dans les bibliothèques et les archives
2225	Techniciens et spécialistes de l'aménagement paysager et de l'horticulture
4211	Techniciens juridiques et personnel assimilé
2211	Technologues et techniciens en chimie appliquée
2253	Technologues et techniciens en dessin
2241	Technologues et techniciens en génie électronique et électrique
2232	Technologues et techniciens en génie mécanique
2212	Technologues et techniciens en géologie et en minéralogie
5125	Traducteurs, terminologues et interprètes
4152	Travailleurs sociaux

Une candidature à la québécoise

On ne cherche pas du travail au Québec exactement avec les mêmes méthodes qu'en France. Les photos et les lettres manuscrites de présentation ne sont pas utilisées. On ne procède pas à l'analyse graphologique en Amérique du Nord. Tous les renseignements personnels sur le CV sont également proscrits et considérés comme discriminatoires. La personnalité est un élément très important en Amérique du Nord, mais pour les employeurs ça n'a aucun rapport avec les questions personnelles. Les Nord-Américains ont une approche plus « séparée » des choses, c'est plus une mentalité à tiroirs. Ainsi, un employeur ne veut pas savoir l'âge exact d'un employé, mais s'il est en mesure de s'adapter facilement. On peut être jeune et pas flexible du tout, pour ne citer que cet exemple.

LE SUIVI TÉLÉPHONIQUE

Idéalement, le chercheur d'emploi devrait tenir à jour un agenda de ses envois de candidature et de leur suivi téléphonique. Avant d'envoyer son CV, il est impératif de toujours vérifier par téléphone le nom du responsable. L'idéal étant de lui parler et de décrocher un entretien.

Chaque année, l'Agence montréalaise pour l'emploi aide des centaines de nouveaux arrivants francophones à trouver un travail. « Nous conseillons l'approche directe et personnelle avec un membre de l'entreprise, qui n'est pas forcément le responsable des ressources humaines, affirme son directeur, Yann Hairaud. Il ne s'agit pas de demander directement un emploi, mais d'une prise de contact. L'exploration, l'information de l'offre de service permet de cibler et développer l'information, d'avoir une meilleure connaissance du marché du travail et de débusquer un emploi. » Les gens vivent à un rythme plus lent au Québec qu'à Paris, il n'est donc pas rare de pouvoir un peu échanger afin d'obtenir de l'information.

Au Québec, il est fondamental de téléphoner après l'envoi de votre CV et de votre lettre de motivation, il ne faut pas avoir peur de déranger comme le craignent trop souvent les Français. Si vous ne tombez pas sur la personne responsable du recrutement, n'hésitez pas à la rappeler pour vous assurer qu'elle a bien reçu votre dossier et qu'elle va l'examiner. Ici, il faut montrer qu'on en veut !

Lors de ces appels téléphoniques, ne parlez pas trop vite ou lentement, soyez audible et enchaînez sans hésitation. Présentez-vous et exprimez-vous toujours de façon courtoise et professionnelle, soyez également sympathique et aimable. Si vous souriez tout en parlant, votre voix en sera plus agréable pour votre interlocuteur. Votre ton reflète votre personnalité. Préparez bien vos questions à l'avance afin de ne pas être pris de court.

LA LETTRE DE MOTIVATION

La lettre de motivation ne s'écrit pas à la main en Amérique du Nord. Toujours dactylographiée, jamais manuscrite, cette lettre est aussi importante que votre CV, ne la sous-estimez pas. Cette lettre d'accompagnement permet d'attirer l'attention de l'employeur, de diriger son intérêt vers certains points de votre parcours et a pour objectif de décrocher une entrevue avec un recruteur. Elle ne doit jamais dépasser une page et s'écrit à la première personne du singulier.

Dans cette lettre, vous devez développer brièvement vos points forts, exposer les raisons pour lesquelles vous présentez votre candidature, ce que vous avez à offrir et ce qui vous distingue des autres candidats. Vous devez convaincre l'employeur que votre candidature répond aux besoins de l'entreprise, qu'il doit vous choisir plutôt qu'un autre postulant. Pour cela, il faut absolument éviter de faire une seule et même présentation pour tous les envois, en ne changeant que le titre du poste convoité et le nom de la compagnie. Grâce à cette lettre, vous pouvez adapter votre présentation et mettre en valeur vos atouts selon les circonstances et reformuler chaque document selon l'emploi envisagé.

Cette lettre doit contenir les coordonnées de l'entreprise ainsi que le titre de l'emploi visé, la provenance de la piste (ex : à la suite d'un appel téléphonique, à la suite de la publication d'une annonce...). Ensuite, indiquez le résumé de vos expériences, formations, qualités. Vous devez également y solliciter l'employeur pour une éventuelle entrevue, en spécifiant que vous l'appellerez après cet envoi. Finalement, vous concluez avec une formule de politesse courtoise et succincte. Même si le document est imprimé à la machine, n'oubliez pas de toujours signer à la main cette lettre de présentation.

L'ENTRETIEN D'EMBAUCHE

Un entretien se prépare avec minutie. Comme nous l'avons vu, la première étape peut être une entrevue ou un entretien téléphonique rapide pour obtenir quelques informations. Vous devez faire une analyse de vos objectifs, mais aussi de ce que vous attendez du poste

L'ENTRETIEN : LES QUESTIONS À PRÉPARER

LORS DE L'ENTRETIEN D'EM-BAUCHE, l'employeur risque de vous poser des questions sur votre histoire personnelle, vos objectifs d'emploi à long terme, votre capacité à travailler sous pression, votre éducation et votre expérience de travail, vos attentes salariales, vos qualités.

Les questions qu'un employeur québécois risque de vous poser ne différeront pas fondamentalement de celles que vous poserait un Français. En vertu de la Charte canadienne des droits et libertés, sachez cependant qu'un employeur ne peut vous poser certaines questions d'ordre personnel.

L'employeur a le droit de savoir si vous avez le visa de travail, mais il ne peut pas vous poser de questions sur votre état civil, votre âge, ni vous demander si vous êtes enceinte ou si vous avez des enfants, ce sont là des questions jugées discriminatoires. Par ailleurs, il attend de vous des réponses beaucoup plus courtes et directes. Pas de digression...

- *Comment vous décririez-vous ?*
- *Quelles sont les qualités personnelles requises pour réussir dans votre domaine ?*
- *Pourquoi désirez-vous travailler pour notre entreprise ?*
- *Quel salaire attendez-vous ?*
- *Pourquoi devrions-nous vous embaucher plutôt qu'un autre candidat ?*
- *Qu'est-ce qui vous attire dans le poste que vous convoitez ?*
- *Comment travaillez-vous en équipe ? Et seul ?*
- *Quels sont vos faiblesses et vos forces ?*
- *Comment vos expériences et formations vous ont-elles préparé pour ce poste ?*

L'ENTRETIEN À LA QUÉBÉCOISE VU PAR UN FRANÇAIS

« DEUX CHOSES FURENT AGRÉABLEMENT SURPRENANTES dans la démarche de recherche d'emploi, se souvient Jocelyn Montjaux, ingénieur informaticien : le respect de la vie privée – ça paraît anormal au Québec de révéler son statut, son sexe et son âge dans le CV – et le regard porté sur les diplômes qui ne sont pas considérés comme le point le plus important. Ici, les employeurs recherchent d'abord l'expérience, puis le diplôme », déclare-t-il.

« Il faut toujours s'attendre à passer une partie de l'entretien en anglais. Moi j'ai toujours joué la franchise. Dans les entrevues au Québec, une part importante de la décision finale va porter sur la personnalité pour s'assurer qu'on est bien apte au travail d'équipe. J'ai presque toujours eu des questions sur mon jugement et mes qualités relationnelles. En entrevue, les employeurs présentent un problème concret et on doit suggérer une façon de le régler. »

Des différences avec la France, que Jocelyn a retrouvées plus tard, en constatant l'ambiance de travail plus décontractée. « Je peux discuter quand je veux avec le président de ma société. On tutoie même les fournisseurs et les clients. On prend du plaisir à travailler, on sent qu'il y a un vrai esprit de groupe. »

convoité et de ce que vous pouvez offrir. Renseignez-vous bien sur l'entreprise : il n'y a pas d'impression plus négative que celle laissée par un candidat qui ne connaît absolument rien sur l'entreprise où il sollicite un emploi.

Entraînez-vous... à être concis. Répétez avec un ami, simulez une entrevue afin de vous sentir à l'aise. Restez naturel lors de la rencontre, laissez la possibilité à l'employeur de vous découvrir car il s'intéresse à votre personnalité en même temps qu'à vos aptitudes et compétences. La grande différence entre un entretien à la française et un entretien à la québécoise réside certainement dans le temps alloué aux réponses : le candidat doit vraiment apporter des réponses complètes et courtes et aller directement à l'essentiel. Souvent, les Français sont perçus comme parlant pour ne rien dire. Il faut oublier les belles phrases périphériques et sauter rapidement dans le cœur du sujet. Surtout ne traînez pas vos réponses en longueur, pas plus de deux ou trois minutes chacune, selon les questions.

À la fin de l'entrevue, vous pouvez à votre tour poser des questions sur le poste à pourvoir et l'entreprise. N'hésitez pas à demander quand la décision d'embauche sera prise et si vous pouvez retéléphoner.

☞ Pour pratiquer son entretien d'embauche en ligne : debut.monster.ca/tools/virtual

▌ Un CV version Belle Province

Dans un CV au Québec, comme dans tout le Canada, n'indiquez jamais votre année de naissance, votre état civil, votre nationalité ou votre sexe. Toutes ces informations sont considérées comme strictement confidentielles. Vous n'avez pas non plus à joindre une photo.

Évitez à tout prix les anglicismes, même si les Québécois sont souvent bilingues, il faut présenter un CV en français lorsque le candidat est francophone. Faites des recherches afin de traduire certains termes anglais. N'hésitez pas à le faire relire par des amis ou connaissances du Québec. Les organismes d'aide pour la recherche d'emploi peuvent vous offrir cette aide. Un CV est une carte de visite et doit démontrer votre capacité de vous adapter à la culture locale.

UN EXEMPLE DE CV

Olivier Martin
1238 rue Jean-Talon Est
Montréal, Québec, H2W 2H6
Téléphone : 514-678-8970
Courriel : omartin@canada.ca

Langues parlées : français et anglais
Langue écrite : français

Objectif de carrière
Travailler comme infirmier dans les secours de premiers soins.
À plus long terme, travailler comme chef d'intervention.

Scolarité

1995-1998 : École d'infirmières de Rosendael, France : infirmier diplômé d'État

Autres formations

- BNMPS, brevet national de moniteur des premiers secours, France, 1999
- BNPS, brevet national des premiers secours, France, 1996

Expériences de travail

1999-2000 : brigade des Sapeurs Pompiers, Paris
Poste occupé : infirmier en réanimation
Fonctions : réanimation dans les ambulances, secourisme

2001-2003 : Médecins sans frontières, Philippines
Poste occupé : infirmier
Fonctions : premiers soins dans les camps de réfugiés

Qualités personnelles

Esprit d'équipe, perfectionniste
Références sur demande

Pour vous présenter, vous pouvez ajouter lors de l'introduction du CV une simple ligne pour expliquer brièvement et clairement vos objectifs de carrière à court et moyen termes. Puis vient la formation : vous devez toujours commencer par le diplôme le plus récent, en indiquant le nombre d'années d'études et le lieu d'obtention. Si possible, indiquez une équivalence pour le Québec. Ensuite, vous indiquez votre expérience, il faut aussi commencer par la plus récente, préciser le lieu, le titre de l'emploi, sa période exacte, détaillez vos principales tâches. Ne laissez pas de trous chronologiques, mieux vaut mettre cartes sur table. Si vous avez des compétences particulières ou techniques, vous pouvez l'ajouter avant la section sur votre formation.

Certains CV présentent d'abord l'expérience plutôt que la formation, ceci peut être un choix judicieux si votre formation est moins importante que votre expérience ou beaucoup moins à jour que votre diplôme.

Les obstacles à la recherche d'emploi

La première étape d'une installation réussie passe par le travail. Il n'est pas facile d'être confronté à des obstacles dans ses premières démarches. Mieux vaut donc être conscient des problèmes qui peuvent surgir pour mieux les surmonter sans sombrer dans le découragement. Pour ne pas perdre espoir rapidement, n'oubliez pas qu'une recherche d'emploi peut prendre jusqu'à six mois de travail intensif, parfois plus si vous devez en même temps apprivoiser votre nouvel environnement. Pour les difficultés liées à l'adaptation culturelle et sociale, reportez-vous au développement consacré aux obstacles à l'intégration, page 286.

LA PREMIÈRE EXPÉRIENCE CANADIENNE

La nécessité de l'acquisition de la première expérience locale met en lumière une autre grande différence entre les mentalités française et québécoise concernant l'expérience de travail. Les employeurs québécois s'intéressant davantage à ce que vous savez faire qu'à vos diplômes, les références sont essentielles. Vous devez donc faire vos preuves dans votre nouvel environnement de travail. « Les gens aiment bien vérifier les anciens employeurs, constate Yann Hairaud de l'AMPE. » Pour cela, vous devrez convaincre un employeur de vous donner une chance, en lui affirmant qu'il verra dans les faits de quoi vous êtes capable. Les Nord-Américains aiment les choses concrètes et préfèrent se rendre compte par eux-mêmes.

Cette fameuse expérience canadienne est fondamentale parce que c'est elle également qui va convaincre les employeurs que vous pouvez fonctionner dans la culture nord-américaine du travail. Cette phase est parfois difficile à traverser et nécessite une grande modestie de la part des immigrants. Elle peut affecter l'estime de soi et l'image que vous vous faites de vous-même, mais elle vous servira d'assise pour votre nouvelle vie au Québec.

Pour compléter cette rubrique, nous vous suggérons de lire dans la partie suivante, la rubrique intitulé « Départ à zéro » (page 292). Vous y trouverez d'autres témoignages sur le premier travail.

L'ACCÈS AUX ORDRES QUÉBÉCOIS

Né au Québec au début des années 1970, le système des ordres professionnels de la province comprend 45 organismes qui regroupent près de 300 000 personnes. Les ordres disposent d'une réelle autonomie pour déterminer les règles d'accession à leurs regroupements et peuvent établir des équivalences de diplôme depuis 1974.

Veillant à la compétence de leurs membres et à la protection du public, ils concèdent à leurs membres des titres réservés. Certaines professions se réservent des actes exclusifs comme les avocats ou les médecins. À l'inverse, pas besoin d'être psychologue pour donner une consultation psychologique, on peut juste avoir le titre de psychothérapeute. Tous les membres des ordres doivent respecter un code de déontologie strict.

COMMENT FAIRE RECONNAÎTRE SON TITRE AUPRÈS D'UN ORDRE

Dès que vous décidez d'exercer votre profession au Québec, il est impératif de savoir si celle-ci est régie par un ordre professionnel, avant même d'obtenir votre visa. Le cas échéant, vous devez vous renseigner dans les plus brefs délais auprès de cet ordre afin de prendre connaissance des conditions d'admission et des démarches à accomplir pour obtenir le permis d'exercer votre profession.

Les ordres exigent de nombreux justificatifs afin de reconnaître votre titre, vous aurez certainement besoin des documents suivants : diplômes ou certificats d'études et autres attestations de scolarité, les relevés de notes de cours, la description des cours et des stages suivis, les attestations d'emploi, d'expériences de travail, de stages de formation ou de perfectionnement, et le permis d'exercice d'une profession.

« Méfiez-vous, ce n'est pas la même façon de fonctionner qu'en France, avertit Yann Hairaud de l'Agence montréalaise pour l'emploi. Les ingénieurs français doivent faire des démarches administratives et un stage de douze mois, donc il faut compter un certain délai avant d'entrer sur le marché du travail. Il est possible de travailler sans avoir le titre d'ingénieur, mais souvent le salaire est plus bas. »

C'est le cas de Paul Bilger, ingénieur diplômé d'origine française, arrivé au Québec en décembre 1999, employé chez Nortel à Montréal. « Je n'ai jamais fait reconnaître mon titre au Québec. » Cela ne l'a pas empêché de trouver un emploi dans son domaine, sans avoir le titre reconnu par les autérités compétentes. Acutellement, Paul travaille dans une entreprise d'ingénierie de produits et gagne plus de 60 000 $ CAN par an.

DEUX ANNÉES DE DÉMARCHE POUR LE TITRE DE PSYCHOLOGUE

APRÈS PLUS DE DEUX ANS DE DÉMARCHES, Isabelle Crouzet est enfin reconnue comme psychologue au Québec. Arrivée avec son conjoint en mai 2001, elle s'était renseignée un an plus tôt auprès de l'Ordre des psychologues du Québec.

« Il a fallu que je recontacte chaque professeur avec lequel j'avais eu un cours lors de mon cursus en France à Reims, Nanterre et à La Sorbonne pour avoir les plans de cours. Les gens de l'Ordre m'avaient dit que s'ils ne savaient pas ce que j'avais étudié, ils ne pouvaient pas le reconnaître. Si les plans n'existaient pas, ce qui est souvent le cas, je devais les reconstituer et les faire approuver et contresigner par les professeurs », se souvient-elle.

C'est après le dépôt de son dossier au printemps 2001 qu'ont débuté les négociations avec l'Ordre. « Il a fallu que je négocie mes cours. Parfois, il faut repartir à l'université et compléter sa formation ou encore faire des stages. » Isabelle a choisi la deuxième possibilité pour obtenir son équivalence. En 2002, elle a fait un stage non rémunéré de trois mois au service correctionnel (une prison) du Canada à Sainte-Anne-des-Plaines au Québec.

L'ordre a aussi demandé à Isabelle de suivre deux jours de formation intensifs payants sur la déontologie et l'éthique. « Ce qui est normal dans la mesure où arrivant d'un autre pays, je n'étais pas au fait de la législation professionnelle québécoise spécifique à la psychologie. À la fin des deux jours de cours, nous avons eu un petit test de passage pas bien méchant. » Elle a aussi dû remettre un travail sur une étude de cas.

Pour Isabelle, il était important de faire reconnaître son titre, même si elle pense « qu'il est de toute façon facile de travailler dans ce domaine au Québec sans avoir le titre ».

Votre métier ne fait pas partie d'un ordre

Si votre profession ne fait pas partie d'un ordre professionnel, il est toujours préférable de se renseigner auprès de ses futurs confrères par le biais de leur association afin de connaître les conditions d'exercice de sa profession et les réalités du marché du travail au Québec (www.immigrer.com/ordres.html). Si votre profession n'est pas affichée dans les listes officielles, vous devez trouver son appellation québécoise. La liste de la classification nationale des professions évoquée page 150 pourra vous aider à comprendre la description des métiers de 512 profils inventoriés (www.qc.hrdc-drhc.gc.ca/emploi-avenir).

Les professions à exercice exclusif et à titre réservé

Il existe deux types de professions dans les ordres, les professions à exercice exclusif et les professions à titre réservé.

Les professions à exercice exclusif. Ce sont celles dont seuls les membres de ces ordres peuvent porter le titre et exercer les activités qui leur sont réservées selon la loi. Il s'agit des 25 professions suivantes : acupuncteur, agronome, architecte, arpenteur-géomètre, audioprothésiste, avocat, chimiste, chiropraticien, comptable agréé, dentiste, denturologiste (spécialiste des dentiers), géologue, huissier de justice, infirmière et infirmier, ingénieur, ingénieur forestier, médecin, médecin vétérinaire, notaire, opticien d'ordonnances, optométriste, pharmacien, podiatre (podologue), sage-femme et technologue (technicien) en radiologie.

Les professions à titre réservé. Ce sont celles dont les membres n'ont pas le droit exclusif d'exercer les activités professionnelles liées à ce métier. En revanche, l'utilisation du titre est limitée à eux seuls. Les professions à titre réservé sont : administrateur agréé, audiologiste, comptable en management accrédité, comptable général licencié, conseiller en orientation, conseiller en ressources humaines et en relations industrielles agréé, diététiste (diététicien), ergothérapeute, évaluateur agréé, hygiéniste dentaire, infirmier(ère) auxiliaire, inhalothérapeute, interprète agréé, orthophoniste, physiothérapeute, psychoéducateur, psychologue, technicien dentaire, technologiste médical, technologue professionnel, terminologue agréé, thérapeute conjugal et familial, traducteur agréé, travailleur social, urbaniste.

Si votre profession est à titre réservé, cela veut dire que vous n'avez pas besoin d'avoir la reconnaissance de l'ordre pour exercer les activités de cette profession au Québec, mais vous ne pouvez en porter le titre. Le fait de porter le titre vous assure d'être rémunéré à votre niveau de compétence.

En règle générale, les grandes entreprises exigent des professionnels des métiers réservés d'avoir la reconnaissance de leur ordre. Mais le marché québécois est surtout constitué de petites et moyennes entreprises, qui utilisent volontiers vos services même si vous n'avez pas le titre au Québec. Il vous restera à démontrer à l'employeur que vous avez les compétences requises, puisque vous avez ce titre dans votre pays d'origine, et à négocier votre salaire.

Il est possible de consulter les fiches d'information sur l'obtention du titre de ces professions sur le site d'Immigration Québec (www.immigration-quebec.gouv.qc.ca/francais/emploi/ordre.html).

Sachez aussi que le MRCI (ministère des Relations avec les citoyens et de l'Immigration) a mis en place le SIPR (service d'information sur les professions réglementées) pour répondre gratuitement à vos besoins. Vous trouverez les coordonnées des ordres professionnels page 188.

COMMENT ÉVALUER UN DIPLÔME OBTENU HORS DU QUÉBEC

IL N'EST PAS TOUJOURS FACILE D'ÉVALUER l'équivalent d'un diplôme étranger au Québec. Le MRCI (ministère des Relations avec les citoyens et de l'Immigration) vend une étude comparative générale entre le système d'éducation québécois et celui de votre pays d'origine. Ce document explique précisément à quoi correspondent vos études effectuées hors du Québec avec notamment les conditions d'admission et la durée de votre programme d'étude.

Ce document vous sera peut-être demandé lorsque vous prendrez contact avec un ordre professionnel au Québec, pour être admis dans un établissement scolaire ou lors de vos démarches d'emploi, puisqu'il vous permettra de mieux expliquer vos diplômes à votre futur employeur.

Il est, par ailleurs, obligatoire si vous postulez un emploi dans la fonction publique québécoise, si vous effectuez des demandes de prêts et de bourses, ou bien encore lors d'une demande de permis d'enseigner au Québec. Pour acquérir cette étude comparative, adressez-vous aux carrefours d'intégration du MRCI de votre région.

LES MÉTIERS RÉGIS ET RÉGLEMENTÉS

Il existe également des métiers régis et réglementés. Ces métiers se divisent en deux catégories, ceux qui s'exercent dans le secteur de la construction et les autres.

Dans le secteur de la construction. Il faut détenir un certificat de compétence délivré par la CSQ, Commission de la construction du Québec (www.ccq.org). Voici la liste des profils concernés par ces règlements : briqueteur-maçon, calorifugeur, carreleur, charpentier-menuisier (spécialité de parqueteur-sableur), chaudronnier, cimentier-applicateur, couvreur, électricien (spécialité d'installateur de système de sécurité), ferblantier, ferrailleur, frigoriste, grutier, mécanicien d'ascenseur, mécanicien de chantier, mécanicien de machines lourdes, mécanicien en protection-incendie, monteur d'acier de structure, monteur-mécanicien (vitrier), opérateur d'équipement lourd (spécialités d'opérateur d'épandeuse, de niveleuse, de rouleaux et de tracteurs), opérateur de pelle mécanique, peintre, plâtrier, poseur de revêtements souples, poseur de systèmes intérieurs, serrurier de bâtiment, tuyauteur (spécialités de plombier et de poseur d'appareils de chauffage).

Hors du secteur de la construction. Les autres métiers régis et réglementés en dehors du domaine de la construction ont aussi leurs exigences. Ces métiers se pratiquent dans des établissements comme des hôpitaux, commerces, entreprises manufacturières, édifices commerciaux, gouvernementaux et les ensembles résidentiels. Pour exercer ces métiers il faut détenir un certificat de qualification délivré par Emploi-Québec. Cet organisme gouvernemental québécois remplit différentes fonctions, dont celles de s'assurer de la compétence de la main-d'œuvre pour l'exercice des métiers réglementés. Pour obtenir le certificat, veuillez vous adresser à l'un des CLE (centres locaux d'emploi). Le MRCI offre un service de conseil pour aider les nouveaux arrivants à effectuer ces démarches.

Voici la liste des professions régies dans cette catégorie : électricien (spécialités de plombier, de poseur de gicleurs, de poseur d'appareils de chauffage, de frigoriste), mécanicien d'ascenseur, opérateur de machines électriques (catégories d'opérateur de grues, de pelles, de treuils, de ponts roulants, de derricks, d'appareils cinématographiques, de machines servant à dégeler la tuyauterie). Les métiers réglementés ici sont les suivants : préposé au gaz, mécanicien de machines fixes, soudeur sur appareils sous pression et inspecteur d'appareils sous pression.

█ LA CONNAISSANCE DE L'ANGLAIS

Est-ce vraiment nécessaire d'être bilingue pour travailler au Québec ? Nous ne vous cacherons pas que le fait d'avoir un bon niveau d'anglais multiplie les possibilités et facilite grandement l'avancement dans une carrière. « La langue de travail au Québec est le français, mais l'anglais est utilisé relativement souvent, constate Yann Hairaud de l'AMPE. La connaissance de l'anglais est un atout important, même si ce n'est pas incontournable. Cependant, pour évoluer sur le marché du travail, ceux qui maîtrisent les deux langues s'en tirent mieux. »

Le niveau exigé dépend des secteurs

Le chercheur d'emploi au Québec remarque rapidement que de nombreuses offres d'emploi s'adressent à des « personnes bilingues », même si le niveau exigé peut beaucoup varier selon le domaine d'activité, le poste et le lieu de résidence de l'employé. Hors de Montréal, même si la connaissance de l'anglais reste un atout, il n'est pas toujours aussi important que dans la métropole québécoise. Selon Yann Hairaud, certains secteurs demandent des employés bilingues comme les secteurs techniques, le commerce international et le service à la clientèle. « En fait, le besoin prend forme surtout à l'oral. L'objectif étant de communiquer en anglais et de se faire comprendre. »

« Dans les petites annonces, il y a beaucoup de postes qui exigent le bilinguisme, constate Jean Bourrette, chargé des relations publiques dans une société d'insertion sociale, Insertec. Dans les faits, cela signifie souvent savoir se faire comprendre en anglais, pouvoir dépanner. Mais il est clair qu'il faut avoir un niveau d'anglais moyen pour travailler au Québec. Je continue à prendre des cours, en ce moment, payés par mon entreprise. Le niveau de bilinguisme requis peut dépendre des secteurs d'activité, si l'employé travaille dans le marketing en centre-ville, il faudra qu'il connaisse l'anglais, mais si c'est pour une entreprise en région, il n'y a aucun problème. À Insertec, on ne m'a rien demandé. »

PEAUFINER SON ANGLAIS

Pourquoi ne pas prendre des cours d'anglais avant de faire le grand saut ? Au Québec, vous serez alors dans le bain et pourrez vous immerger dans la langue anglaise. Vous n'aurez qu'à allumer la télé, acheter les journaux anglophones de votre ville ou de votre région ou encore cohabiter avec un Anglo-Saxon.

Vous pourrez suivre des cours dans des universités ou des collèges privés, ce qui risque cependant d'être fort onéreux. Songez à une formule plus économique comme celles proposées par des organismes d'aide aux immigrants. Ainsi, l'OMI (Office des migrations internationales) de Montréal offre 18 heures de cours pour 150 $ CAN, le centre YMCA de Montréal propose 60 heures de classe pour 590 $, certaines commissions scolaires comme celle de Marguerite-Bourgeois de Montréal permettent de prendre des leçons à 3 $ l'heure.

☛ **Commission scolaire Marguerite-Bourgeois**, cours d'anglais langue seconde, Internet : www.csmb.qc.ca/Formationcontinue/programme/formation/anglais.asp
☛ **YMCA Montréal**, cours de langue, Internet : www.ymcamontreal.qc.ca/langues/menulangue_fr.htm

LES ORDRES PROFESSIONNELS

VOICI LES COORDONNÉES DES 45 ORDRES PROFESSIONNELS DU QUÉBEC. La plupart d'entre eux ont une ligne téléphonique 1-800 ou 1-888 (sans frais à partir du Québec ou du Canada). Les autres acceptent habituellement souvent les « appels à frais virés » (appels en PCV) à l'intérieur du Canada. Vous trouverez une vue d'ensemble sur ces ordres à l'Office des professions du Québec : www.opq.gouv.qc.ca.

- Acupuncteurs, 1001, bd de Maisonneuve Est, bur. 585, Montréal (Québec) H2L 4P9 ☎ 1-514-523-2882, 1-800-474-5914 ✉ info@ordredesacupuncteurs.qc.ca
- Administrateurs agréés, 680, rue Sherbrooke Ouest, bur. 640, Montréal (Québec) H3A 2M7 ☎ 1-514-499-0880, 1-800-465-0880 ➤ www.adma.qc.ca
- Agronomes, 1001, rue Sherbrooke Est, bur. 810, Montréal (Québec) H2L 1L3 ☎ 1-514-596-3833, 1-800-361-3833 ➤ www.oaq.qc.ca
- Architectes, 1825, bd René-Lévesque Ouest, Montréal (Québec), H3H 1R4 ☎ 1-514-937-6168, 1-800-599-6168 ➤ www.oaq.com
- Arpenteurs-géomètres, 2954, bd Laurier, bur. 350, Sainte-Foy (Québec) G1V 4T2 ☎ 1-418-656-0730 ➤ www.oagq.qc.ca
- Audioprothésistes, 11305, rue Notre-Dame Est, bur. 102, Montréal Est (Québec) H1B 2W4 ☎ 1-514-640-5117 ➤ www.ordreaudio.qc.ca
- Avocats, 445, bd Saint-Laurent, Montréal (Québec) H2Y 3T8 ☎ 1-514-954-3400, 1-800-361-8495 ➤ www.barreau.qc.ca
- Chimistes, 300, rue Léo-Pariseau, bur. 1010, place du Parc, Montréal (Québec) H2X 4B3 ☎ 1-514-844-3644 ➤ www.ocq.qc.ca
- Chiropraticiens, 7950, bd Métropolitain Est, Montréal (Québec) H1K 1A1 ☎ 1-514-355-8540 ➤ www.chiropratique.com/ocq
- Comptables agréés, 680, rue Sherbrooke Ouest, 18ᵉ étage, Montréal (Québec) H3A 2S3 ☎ 1-514-288-3256, 1-800-363-4688 ➤ www.ocaq.qc.ca

- Comptables en management accrédités, 715, rue du Square-Victoria, 3e étage, Montréal (Québec) H2Y 2H7 ☎ 1-514-849-1155, 1-800-263-5390 ⤙ www.cma-quebec.org
- Comptables généraux licenciés, 445, bd Saint-Laurent, bur. 450, Montréal (Québec) H2Y 2Y7 ☎ 1-514-861-1823, 1-800-463-0163 ⤙ www.cga-quebec.org
- Conseillers en ressources humaines et en relations industrielles agréés, 1200, av. McGill-College, bur. 1400, Montréal (Québec) H3B 4G7 ☎ 1-514-879-1636, 1-800-214-1609 ⤙ www.rhri.org
- Conseillers et conseillères d'orientation, psychoéducateurs et psychoéducatrices, 1600, bd Henri-Bourassa Ouest, bur. 520, Montréal (Québec) H3M 3E2 ☎ 1-514-737-4717, 1-800-363-2643 ⤙ www.occoppq.qc.ca
- Dentistes, 625, bd René-Lévesque Ouest, 15e étage, Montréal (Québec) H3B 1R2 ☎ 1-514-875-8511, 1-800-361-4887 ⤙ www.odq.qc.ca
- Denturologistes, 45, pl. Charles-le-Moyne, bur. 106, Longueuil (Québec) J4K 5G5 ☎ 1-450-646-7922, 1-800-567-2251 ⤙ www.odq.com
- Diététistes (diététiciens), 1425, bd René-Lévesque Ouest, bur. 703, Montréal (Québec) H3G 1T7 ☎ 1-514-393-3733, 1-888-393-8528 ⤙ www.opdq.org
- Ergothérapeutes, 2021, av. Union, bur. 920, Montréal (Québec) H3A 2S9 ☎ 1-514-844-5778, 1-800-265-5778 ⤙ www.oeq.org
- Évaluateurs agréés (dans l'immobilier), 2075, rue University, bur. 1200, Montréal (Québec) H3A 2L1 ☎ 1-514-281-9888, 1-800-982-5387 ⤙ www.oeaq.qc.ca
- Géologues, 1117, rue Sainte-Catherine Ouest, bur. 912, Montréal (Québec) H3B 1H9 ☎ 1-514-278-6220, 1-888-377-7708 ⤙ www.ogq.qc.ca
- Huissiers de justice, 1100, bd Crémazie Est, bur. 215, Montréal (Québec) H2P 2X2 ☎ 1-514-721-1100 ⤙ www.huissiersquebec.qc.ca

- Hygiénistes dentaires, 1290, rue Saint-Denis, bur. 300, Montréal (Québec) H2X 3J7 ☎ 1-514-284-7639, 1-800-361-2996 ➤ www.ohdq.com
- Infirmières et infirmiers, 4200, bd Dorchester Ouest, Westmount (Québec) H3Z 1V4 ☎ 1-514-935-2501, 1-800-363-6048 ✉ inf@oiiq.org ➤ www.oiiq.org
- Infirmier(ère)s et auxiliaires, 531, rue Sherbrooke Est, Montréal (Québec) H2L 1K2 ☎ 1-514-282-9511, 1-800-283-9511 ✉ oiiaq@oiiaq.org ➤ www.oiiaq.org
- Ingénieurs, 2020, rue University, 18e étage, Montréal (Québec) H3A 2A5 ☎ 1-514-845-6141, 1-800-461-6141 ➤ www.oiq.qc.ca
- Ingénieurs forestiers, 2750, rue Einstein, bur. 380, Sainte-Foy (Québec) G1P 4R1 ☎ 1-418-650-2411 ➤ www.oifq.com
- Inhalothérapeutes, 1440, rue Sainte-Catherine Ouest, bur. 320, Montréal (Québec) H3G 1R8 ☎ 1-514-931-2900, 1-800-561-0029 ➤ www.opiq.qc.ca
- Médecins, 2170, bd René-Lévesque Ouest, Montréal (Québec) H3H 2T8 ☎ 1-514-933-4441, 1-888-633-3246 ➤ www.cmq.org
- Médecins vétérinaires, 800, av. Sainte-Anne, bur. 200, Saint-Hyacinthe (Québec) J2S 5G7 ☎ 1-450-774-1427, 1-800-267-1427 ➤ www.omvq.qc.ca
- Notaires, 800, place Victoria, bur. 700, Tour de la Bourse, CP 162, Montréal (Québec) H4Z 1L8 ☎ 1-514-879-1793, 1-800-263-1793 ➤ www.cdnq.org
- Opticiens d'ordonnances, 3446, rue Saint-Denis, bur. 201, Montréal (Québec) H2X 3L3 ☎ 1-514-288-7542, 1-800-563-6345 ✉ ordre@opticien.qc.ca
- Optométristes, 1265, rue Berri, bur. 700, Montréal (Québec) H2L 4X4 ☎ 1-514-499-0524, 1-888-499-0524 ➤ www.ooq.org
- Orthophonistes et audiologistes, 235, bd René-Lévesque Est, bur. 601, Montréal (Québec) H2X 1N8 ☎ 1-514-282-9123 ➤ www.ooaq.qc.ca

- Pharmaciens, 266, rue Notre-Dame Ouest, bur. 301, Montréal (Québec) H2Y 1T6 ☎ 1-514-284-9588, 1-800-363-0324 ➤ www.opq.org
- Physiothérapie, 7101, rue Jean-Talon Est, bur. 1120, Anjou (Québec) H1M 3N7 ☎ 1-514-351-2770, 1-800-361-2001 ➤ www.oppq.qc.ca
- Podiatres (podologues), 375, rue de la Commune Ouest, Montréal (Québec) H2Y 2E2 ☎ 1-514-288-0019, 1-888-514-7433 ➤ www.ordredespodiatres.qc.ca
- Psychologues, 1100, av. Beaumont, bur. 510, Montréal (Québec) H3P 3H5 ☎ 1-514-738-1881, 1-800-363-2644 ➤ www.ordrepsy.qc.ca
- Sages-femmes, 430, rue Sainte-Hélène, bur. 405, Montréal (Québec) H2Y 2K7 ☎ 1-514-286-1313, 1-877-711-1313 ✉ ordre sagesfemmes@qc.aira.com ➤ www.ossq.org
- Technicien(ne)s dentaires, 500, rue Sherbrooke Ouest, bur. 900, Montréal (Québec) H3A 3C6 ☎ 1-514-282-3837 ➤ www.ottdq.com
- Technologistes médicaux, 1150, bd Saint-Joseph Est, bur. 300, Montréal (Québec) H2J 1L5 ☎ 1-514-527-9811, 1-800-567-7763 ➤ www.optmq.org
- Technologues en radiologie, 7400, bd Les Galeries d'Anjou, bur. 420, Anjou (Québec) H1M 3M2 ☎ 1-514-351-0052, 1-800-361-8759 ➤ www.otrq.qc.ca
- Technologues professionnels, 1265, rue Berri, bur. 720, Montréal (Québec) H2L 4X4 ☎ 1-514-845-3247, 1-800-561-3459 ➤ www.otpq.qc.ca
- Traducteurs, terminologues et interprètes agréés, 2021, av. Union, bur. 1108, Montréal (Québec) H3A 2S9 ☎ 1-514-845-4411, 1-800-265-4815 ➤ www.ottiaq.org
- Travailleurs sociaux, 5757, av. Decelles, bur. 335, Montréal (Québec) H3S 2C3 ☎ 1-514-731-3925, 1-888-731-9420 ➤ www.optsq.org
- Urbanistes, 85, rue Saint-Paul Ouest, 4e étage, bur. B-5, Montréal (Québec) H2Y 3V4 ☎ 1-514-849-1177 ➤ www.ouq.qc.ca

Créer son entreprise

Monter sa propre boîte ! Un rêve ? En Amérique du Nord, les compagnies se montent rapidement et dans la simplicité, le plus difficile reste de les maintenir. Nul besoin de financement à la base pour organiser sa propre structure. Le marché de l'emploi québécois et les gouvernements encouragent fortement la création d'entreprises. Mais cette liberté ne doit pas vous ôter toute prudence. Avant de vous lancer, nous vous incitons fortement à vivre une première expérience de travail pour vous plonger dans la culture locale. En effet, s'il y a chaque jour des entreprises qui se montent, il y en a également beaucoup qui ne franchissent pas le cap des cinq ans. Ainsi, lorsque vous avez une idée, faites une étude pour analyser la faisabilité de votre projet et cibler votre marché. Heureusement, vous pouvez profiter sur place de nombreux services aux entrepreneurs, sachez en profiter, de nombreux conseils et informations gratuits attendent ceux qui, travailleurs autonomes ou entrepreneurs, ont envie de relever des défis. Si vous comptez demander un financement, vous devrez préparer un plan d'affaire.

LE TRAVAILLEUR AUTONOME

Vous n'avez pas à immigrer en tant qu'investisseur ou entrepreneur pour monter votre structure au Québec. Vous n'avez qu'à passer par la procédure normale de l'immigration et une fois installé vous pouvez démarrer votre entreprise ou travailler en tant que travailleur autonome (en France, travailleur indépendant). Ils sont plus d'un demi-million au Québec à travailler en toute liberté, dont un grand nombre dans les technologies de l'information.

TRAVAILLEUR INDÉPENDANT : TROIS STATUTS POSSIBLES

Le travailleur indépendant peut choisir d'exercer ou non sous son propre nom. Si le travailleur autonome préfère ne pas œuvrer sous son propre nom, il doit se faire immatriculer, une démarche simple qui sert à fournir au public l'identité de l'exploitant. Il faut alors choisir entre l'enregistrement (personne physique) et l'incorporation (entreprise). Dans une entreprise incorporée, tout état financier est indépendant des biens personnels du travailleur autonome, ce qui n'est pas le cas quand celui-ci est enregistré. Ainsi, en cas de faillite, le travailleur incorporé ne met pas en cause ses propres avoirs.

Exercer sous son propre nom. Ce choix élimine toute démarche. L'entrepreneur individuel travaillant sous son propre nom n'a qu'à se déclarer à la fin de l'année fiscale comme travailleur autonome auprès des autorités pour bénéficier de toutes les déductions d'impôts auxquelles les salariés n'ont pas droit. Aussi, pas besoin de s'inscrire aux taxes TVQ, TPS à moins de gagner plus de 30 000 $ CAN par an.

L'incorporation. Il faut se rendre au bureau du greffier de la Cour supérieure du district judiciaire où l'entreprise va exercer ses activités. À Montréal, ce bureau se trouve dans l'édifice du palais de justice, rue Saint-Antoine et à Québec sur le boulevard Jean-Lesage. En deuxième lieu, il doit s'immatriculer auprès de l'Inspecteur général des institutions financières, dont il aura reçu le formulaire lors de sa visite au bureau du greffier. Ces démarches coûtent 250 $ environ pour les frais d'incorporation selon une charte canadienne, auxquelles il faut ajouter les frais d'immatriculation d'environ 200 $.

L'enregistrement. Les démarches sont assez simples comme l'a constaté Laurent Kaelin, qui se lance comme ingénieur aéronautique indépendant. « Vous allez à Revenu Québec, vous demandez un formulaire d'immatriculation. Ils vous expliquent les différentes structures et vous faites votre choix, affirme Laurent. Je suis revenu les voir plus tard et j'ai payé une quarantaine de dollars canadiens pour être enregistré. Vous avez ainsi un numéro, et vous faites la même chose pour la TVQ et la TPS, les taxes locales. »

LA FISCALITÉ DU TRAVAILLEUR AUTONOME

Le travailleur autonome n'est pas soumis à la même fiscalité que le salarié. En général, il rembourse au gouvernement la différence entre ce qu'il a perçu en taxes sur ses honoraires et ce qu'il débourse en taxes sur les dépenses déductibles. Selon le ministère du Revenu du Québec, d'un point de vue fiscal, le travailleur autonome « se définit comme une personne qui, en vertu d'une entente verbale ou écrite, s'engage envers une autre personne, le client, à réaliser un travail matériel ou à lui fournir un service moyennant un prix que le client s'engage à lui payer. Le travailleur autonome peut aussi posséder un commerce ou être vendeur à commission ». Il n'y a aucun lien hiérarchique entre le travailleur autonome et son client. En général, le travailleur autonome assume ses propres dépenses, encourt lui-même les risques financiers liés à son travail et fournit son propre matériel.

L'avantage du travailleur autonome par rapport au salarié, c'est qu'il est moins imposé puisqu'il détermine lui-même son salaire. Afin d'éviter l'imposition, le travailleur s'attribue le plus petit salaire possible. L'argent non utilisé en salaire sera investi dans l'entreprise individuelle. Tout travailleur autonome dont les revenus annuels dépassent 30 000 $ CAN doit percevoir et verser périodiquement au gouvernement les taxes fédérale et provinciale sur les produits et services TPS et TVQ (l'équivalent de la TVA française). Pour plus d'information sur ces taxes, contactez Revenu Québec. Il est aussi possible de télécharger un document PDF sur ces procédures (www.revenu.gouv.qc.ca/fr/publications/in/in-203.asp). Vous trouverez aussi sur ce site gouvernemental tous les formulaires d'inscription à ces taxes. Le travailleur autonome doit verser tous les trois mois des acomptes provisionnels sur l'impôt à payer à l'Agence des douanes et du revenu du Canada et au ministère du Revenu du Québec. Pour vous y retrouver, il est fortement conseillé de prendre un comptable pour gérer toutes ces « paperasses » et faire le suivi auprès des impôts.

LA PROTECTION SOCIALE DES TRAVAILLEURS AUTONOMES

Le travailleur autonome ne bénéficie pas des mêmes avantages sociaux que le salarié, tels les normes minimales de travail, les congés payés, l'assurance-emploi, les indemnités en cas d'accident de travail, ni d'un régime d'assurance collective. Comme le rapporte Info Entrepreneurs, « il doit supporter des frais supplémentaires pour obtenir une protection équivalente, comme l'assurance-salaire, l'assurance-accident, le régime de rentes du Québec. Il n'existe pas de cotisations spécifiques au RAMQ (Régime d'assurance-maladie du Québec). C'est au moment de la production du rapport d'impôt qu'un pourcentage est expédié à la RAMQ par le ministère du Revenu du Québec. Le travailleur autonome peut déduire les dépenses effectuées pour son entreprise, dans la mesure où elles ont été engagées dans le but de gagner un revenu (achat d'ordinateur, de matériel de bureau, de transport, etc.).

L'IMMIGRATION DES « GENS D'AFFAIRES »

Il existe trois types de « gens d'affaires » immigrants au Québec : les travailleurs autonomes, les entrepreneurs et les investisseurs. Ces immigrants doivent s'engager à réaliser un investissement financier notable pour l'économie québécoise. Ils doivent passer par les mêmes étapes que les autres candidats à la résidence permanente au Canada, incluant l'obtention du CSQ (certificat de sélection du Québec). Les gens d'affaires doivent remplir certaines conditions supplémentaires relatives au capital investi et à l'expérience dans la gestion. Si vous n'avez pas fait le plein des points nécessaires en remplissant le questionnaire de sélection (voir page 40), en particulier si vous vous faites recaler à cause de l'âge (après 45 ans, on ne marque plus de points), vous pouvez vous rattraper... à condition d'avoir amassé un petit pécule – obtenu légalement, insiste-t-on – et de déclarer souhaiter l'investir au Québec. Vous allez alors immigrer dans la catégorie des gens d'affaires.

Les travailleurs autonomes. Ils doivent s'installer au Québec pour créer leur propre emploi, détenir un capital de départ d'au moins 100 000 $ CAN, obtenu licitement, et avoir au moins deux ans d'expérience à titre de travailleur dans la profession à exercer au Québec.

Les entrepreneurs. Ils doivent, eux, disposer d'au moins 300 000 $ CAN, obtenus légalement, avoir trois ans d'expérience en gestion dans une entreprise et présenter un plan d'affaires. Pendant au moins un an au cours des trois premières années, l'immigrant entrepreneur devra créer un emploi à temps plein pour quelqu'un en dehors de sa famille et devra avoir en sa possession au moins 33 % de ses propres capitaux tout en assurant la gestion des activités de son entreprise.

Les investisseurs. Ils doivent disposer d'au moins 800 000 $ CAN, obtenus légalement, avoir exercé pendant trois ans en gestion au sein d'une entreprise rentable. D'autre part, ils doivent s'engager à investir au moins 400 000 $ CAN en cinq ans, en signant une convention avec un intermédiaire financier. Cette somme sera alors placée auprès d'Investissement-Québec ou de l'une de ses filiales pour financer un programme d'aide aux petites et moyennes entreprises québécoises.

LES SOCIÉTÉS, LES INC.

Il existe trois statuts juridiques de sociétés : les sociétés par actions, en nom collectif et en commandite. Elles doivent toutes trois être immatriculées.

TROIS STATUTS POSSIBLES

La société par actions. Appelée aussi compagnie incorporée, elle est considérée comme une personne morale, distincte de ceux qui en possèdent les actions et qui la gèrent. En cas de faillite, le patrimoine de la personne morale et de ses fondateurs n'est pas impliqué. La responsabilité de l'entreprise est limitée aux sommes que les actionnaires y ont investies. Seules les sommes que les actionnaires ont investi dans l'entreprise seront perdues. Une société peut être constituée sous le régime d'une loi, provinciale ou fédérale.

La société en nom collectif. Elle est régie par une convention d'associés qui définit l'apport de chacun. Elle est constituée par un contrat entre au moins deux personnes (physiques ou morales). Tous les associés participent en tant qu'administrateurs à la gestion de l'entreprise, à moins qu'ils n'aient désigné l'un d'entre eux pour occuper cette fonction. Ils sont solidaires de certaines dettes et obligations de l'entreprise, indépendamment de la part respective de chacun dans la société.

La société en commandite. Elle est composée des commandités et des commanditaires qui peuvent être des personnes morales ou physiques. Les commandités fournissent surtout leur travail, leur expérience et leur compétence. Ce sont les seules personnes autorisées à administrer et à représenter la société auprès des clients. En tant qu'administrateurs, ils ont une responsabilité illimitée à l'égard des dettes et des obligations de la société envers les créanciers. Les commanditaires, quant à eux, apportent le capital dans la société en commandite, ils fournissent argent ou biens et ne sont responsables des dettes de la société que jusqu'à concurrence de leur mise de fonds.

LA FISCALITÉ DES ENTREPRISES

Le taux d'imposition des grandes sociétés manufacturières est de 31,16 % et de 35, 6 % pour le secteur non manufacturier. Cet impôt est perçu par des versements mensuels d'acomptes provisionnels basés sur les recettes de l'année précédente. La déclaration de chiffre

INCORPORATION : OÙ SE RENSEIGNER ?

INCORPORATION PROVINCIALE

- **À Montréal.** Inspecteur général des institutions financières, direction des entreprises, 800, place Victoria, tour de la Place-Victoria, CP 355, Montréal, Québec, H4Z 1H9 ☎ 1-514-873-6431 ➤ www.igif.gouv.qc.ca

- **À Québec.** Inspecteur général des institutions financières, direction des entreprises, 800, place d'Youville, Québec G1K 7C3 ☎ 1-418-643-3625 ➤ www.igif.gouv.qc.ca

- **Autres villes au Québec** ➤ 1 888 291-4443 (numéro sans frais).

INCORPORATION FÉDÉRALE

- Industrie Canada, direction générale des corporations, 5, place Ville-Marie, bur. 700, Montréal, H3B 2G2 ☎ 1-514-496-1797 ou 1-888 237-3037 ou 1-866-333-5556.

d'affaires à Revenu Canada doit être faite dans les six mois suivant la clôture de l'exercice.

DES MESURES POUR ENCOURAGER LA CRÉATION D'ENTREPRISE

De nombreux crédits d'impôts sont accordés à diverses compagnies installées sur le sol québécois. Comme le rapporte *La Fiscalité au Québec 2002-2003* de PricewaterhouseCoopers et Investissement Québec, un grand nombre de compagnies bénéficient de crédits et de déductions dans différents domaines dont : la nouvelle économie et les technologies de l'information, la biotechnologie, l'optique, les ressources naturelles, les industries culturelles, le design, le vêtement, la construction navale.

Les nouvelles sociétés dont le capital n'excède pas 15 millions de dollars peuvent bénéficier d'une exemption d'impôt sur le revenu pendant les cinq premières années de leur exercice. Il existe également des exonérations fiscales pour les entreprises qui ont un projet novateur dans le domaine de la nouvelle économie, dans un centre de développement ou des technologies de l'information ou des biotechnologies comme à Laval, etc.

LA TAXE SUR LE CAPITAL

Toutes les sociétés établies de façon stable au Québec se voient imposer une taxe sur le capital. Pour les sociétés autres que les banques, les sociétés de prêts et de fiducie, cette taxe est de 0,64 % du capital versé (l'actif net plus les dettes à long terme et les avances faites à la société). Cette taxe est déductible dans le calcul du revenu imposable de la société.

LA TPS ET LA TVQ

La TPS (taxe sur les produits et services) est une sorte de taxe sur la valeur ajoutée comme celle qu'on retrouve en Europe, en Nouvelle-Zélande et en Australie. Elle se calcule à raison de 7 % du prix de vente d'une fourniture donnée. Le montant brut de la taxe perçue par une entreprise sur ses ventes au cours d'une période donnée, déduction faite des taxes déjà payées sur ses achats au cours de la même période, est remis au gouvernement.

Lorsque le crédit est supérieur à la taxe perçue sur les ventes, l'entreprise devient admissible à un remboursement. En général, tous les produits et les services que les entreprises vendent, fournissent ou importent au Canada sont assujettis à la TPS, sauf s'ils sont spécifiquement détaxés ou exonérés.

LES ORGANISMES D'AIDE ET LES SITES INTERNET

POUR LE TRAVAILLEUR AUTONOME
- *L'Autonome*, le magazine du travailleur autonome et de la microentreprise ≻ www.magazinelautonome.com
- Les travailleurs autonomes du Québec : liste de la Toile du Québec ≻ www.toile.qc.ca/travailleurs_autonomes

SUR L'AIDE AUX ENTREPRENEURS
- Atelier en ligne sur la petite entreprise ≻ www.rcsec.org/alpe
- Banque de développement du Canada, 5, place Ville-Marie, suite 12525 Montréal, QC H3B 5E7 ☎ 1-888-463-6232 ≻ www.bdc.ca
- Associations des centres locaux de développement (ACLDQ) ≻ www.acldq.qc.ca
- Centres de services aux entreprises du Canada (CSEC) ≻ www.rcsec.org
- Démarrer votre entreprise, Communication-Québec ≻ www.demarrer-entreprise.info.gouv.qc.ca/fr
- La Toile de l'entrepreneurship ≻ www.entrepreneurship.qc.ca
- InfoEntrepreneurs, 5, place Ville-Marie, niveau Plaza, bur. 12 500, Montréal, H3B 4Y2 ☎ 1-514-496-4636, 1-800-322- INFO (4636) ≻ www.infoentrepreneurs.org

AUTRES ORGANISMES D'AIDE
- Centre d'entreprises et d'innovation de Montréal (CEIM) ≻ www.ceim.org
- Chambre de commerce du Montréal métropolitain (CCMM) ≻ www.ccmm.qc.ca
- Maison des hautes technologies ≻ www.mht.qc.ca
- Québecaffaires ≻ www.quebecaffaires.com
- Plan d'affaires interactif ≻ www.rcsec.org/pai/home_fr.cfm
- Le portail des PME du Québec ≻ www.quebecpme.ca
- Réseau des femmes d'affaires du Québec ≻ www.rfaq.ca
- Réseau financier de Montréal (RFM) ≻ www.rfm.qc.ca

.../...

.../...

- **Service d'aide aux jeunes entrepreneurs** ➤ www.sajemontreal-centre.com
- **Système d'aide au démarrage d'une entreprise (SADE)** ➤ www.rcsec.org/sade
- **Société d'investissement jeunesse (SIJ)** ➤ www.sij.qc.ca

SUR L'INVESTISSEMENT
- **Immigrants investisseurs** ➤ www.immigrer.com/invest.html
- **Investir au Québec** ➤ www.infostat.gouv.qc.ca/iq
- **Investissement Québec** ➤ www.invest-quebec.com

La **TVQ (taxe de vente du Québec)** est appliquée sur toutes les opérations faites au Québec, sauf celles spécifiquement détaxées ou exonérées. Le principe de son application est le même que pour la TPS. Le taux de la TVQ est de 7,5 % et s'applique au prix de vente incluant la TPS. Le prix d'un produit ou d'un service assujetti à la TPS et à la TVQ est donc globalement taxé à 15 %.

LES TAXES MUNICIPALES ET SCOLAIRES

Les municipalités ont le pouvoir d'imposition sur leurs résidents ainsi que tous ceux qui font affaire sur leur territoire. Pour en connaître plus sur les taxes aux résidents, vous pouvez vous reporter à la partie suivante dans le chapitre consacré aux finances (page 252). La taxe pour les gens d'affaires est habituellement imposée sur la valeur locative de la place d'affaires. Dans certaines municipalités, elle peut prendre la forme de permis ou de licences obligatoires. Ces taxes varient beaucoup d'une municipalité à l'autre. Les commissions scolaires peuvent aussi imposer une taxe calculée en fonction de l'évaluation foncière. Cette dernière est relativement peu élevée au Québec.

PARTIE 3

S'installer au Québec

L e visa obtenu, le plus long travail reste à faire :
s'installer, rechercher un travail, bien sûr, mais
aussi s'adapter à tous les aspects de la vie quotidienne parmi les Québécois.

Vous trouverez ici toutes les astuces pour vous
accompagner dans vos premières démarches au
Québec, de l'ouverture d'un compte bancaire à la
location d'une voiture, en passant par l'inscription
des enfants à l'école et l'obtention des cartes santé et
d'identité. Nous avons également développé à la fin
de cette partie, des rubriques destinées à faciliter
votre intégration sociale en évoquant les obstacles
les plus fréquents à une bonne adaptation.

Sommaire

Les démarches à l'arrivée

Les démarches administratives pour obtenir la carte d'assurance maladie, la carte NAS (numéro d'assurance sociale) et le permis de conduire se font facilement avec le visa de résident permanent. Comme le plus difficile reste d'attendre leur réception – comptez trois semaines à un mois –, il est conseillé d'enclencher, dès votre arrivée, les procédures concernant l'obtention de vos papiers. Assurez-vous d'avoir une adresse postale sur le territoire québécois, même provisoire, afin de les recevoir. Cette adresse peut être celle d'un ami ou d'une connaissance. Quand vous signerez votre bail, veillez aussi, si vous êtes en couple, à bien inscrire vos deux noms afin que chacun puisse présenter ce document lors des premières démarches.

LE PASSAGE AUX DOUANES : BIENVENUE AU QUÉBEC !

En général, les immigrants du Québec atterrissent à Montréal, à l'aéroport Dorval ou Mirabel. La première étape est le contrôle douanier où l'on doit présenter son passeport, son visa d'immigrant et le CAQ.

SOIGNEZ LA LISTE DE VOS EFFETS PERSONNELS

Vous devez remettre une liste détaillée, manuscrite ou non, de vos effets personnels aux douaniers. Il est recommandé d'en mettre plutôt trop que pas assez sur cette liste. Il est préférable de dresser un inventaire en classant par catégories les objets : l'électronique, l'électroménager, la vaisselle, les meubles, les CD, les CD-Rom, les cassettes vidéo, les DVD... Pour chaque article, il faut indiquer la marque, le titre pour les cassettes, la quantité, la valeur approximative et le numéro de série s'il y a lieu. En revanche, les vêtements peuvent être identifiés comme « lot de vêtements ». Comme vous avez un an pour ramener au Canada vos effets personnels, il ne faut pas oublier d'inclure dans cette énumération tous les objets qui arriveront dans les prochains mois. Tout ce que vous apporterez à des fins personnelles pendant un an sera exempté de taxes.

Si vous venez avec votre cave à vin, un animal ou un véhicule, veuillez vous référer à nos explications dans la première partie, page 74. Si vous comptez importer des fruits, plantes, viandes, armes à feu, fourrures ou autres, renseignez-vous auprès de l'Agence canadienne de protection des aliments (www.inspection.gc.ca), car ces articles ne sont pas acceptés au Canada.

RENDEZ-VOUS DANS LES BUREAUX D'IMMIGRATION

Après votre passage en douane, vous recevrez au bureau d'Immigration Canada la brochure *Bienvenue au Canada* qui explique en détail les différentes formalités administratives pour obtenir, par exemple, la carte NAS (numéro d'assurance sociale), l'équivalent de la carte d'identité canadienne. Cette dernière vous sera nécessaire lors de l'embauche, elle est aussi utile pour vous identifier auprès des différentes administrations. Puis, il faut se présenter au bureau d'Immigration Québec, situé dans le hall des arrivées internationales, là où vous récupérez vos bagages. Vous trouverez facilement les bureaux du ministère des Relations avec les citoyens et de l'Immigration, grâce au panneau qui identifie clairement leurs comptoirs. C'est là que

SI VOUS VENEZ AU QUÉBEC en tant qu'étudiant, pour faire un stage ou participer à un programme d'échange, n'oubliez pas d'avoir en votre possession, en plus de votre passeport, votre visa CAQ (certificat d'acceptation du Québec) ou les papiers certifiant votre programme. Le douanier aura besoin de ces documents pour valider votre entrée au pays.

Si vous êtes touriste, vous n'aurez qu'à passer le contrôle de la douane canadienne avec votre passeport. Le douanier vous demandera peut-être la raison de votre venue au Québec et de nommer les personnes à qui vous comptez rendre visite lors de votre séjour. Attention, assurez-vous d'avoir un billet retour dans votre poche, sinon vous risquez d'éveiller les soupçons.

vous recevrez de nombreuses informations concernant votre installation. Vous pouvez également y fixer un rendez-vous pour la session d'information du MRCI. Si vous arrivez en dehors des heures de bureau ou par bateau, contactez le Carrefour d'intégration ou la direction régionale du ministère le plus près de votre lieu d'arrivée pour prendre ce rendez-vous. Attention : en tant qu'immigrant au Québec, vous avez un an à partir de la date de la visite médicale pour venir valider votre visa auprès des douanes canadiennes sur le territoire canadien. Après l'expiration de ce délai, votre visa n'est plus valide et si vous croyez ne pas pouvoir vous installer à temps, contactez sans faute les autorités canadiennes avant l'échéance de la date.

DE L'AÉROPORT AU CENTRE-VILLE DE MONTRÉAL

Pour vous rendre au centre-ville de Montréal, à moins d'avoir loué une voiture qui vous attendra à l'aéroport, vous avez le choix entre le taxi et l'autobus qui fait la navette plusieurs fois par jour. Le coût d'un taxi entre l'aéroport Dorval et le centre-ville de Montréal est de 28 $ CAN (taxes incluses). Vous laisserez en plus un pourboire au chauffeur pour ce trajet de moins de trente minutes. Pour l'aéroport Mirabel, à une heure de Montréal, le prix en taxi s'élève à 69 $ CAN (pourboire non inclus).

Si vous voyagez seul ou en couple, nous vous suggérons d'utiliser les services plus abordables de la navette Aérobus reliant les aéroports de Montréal à la métropole. Pour un aller simple adulte, le coût du billet est de 11 $ CAN par personne entre l'aéroport de Dorval et Montréal. Le parcours de Mirabel à Montréal, quant à lui, coûte 20 $ CAN par adulte.

Vous trouverez une foule d'informations concernant notamment les tarifs et les horaires des navettes, les locations de voitures et les taxis sur le site des aéroports de Montréal : www.admtl.com.

LES SÉANCES D'INFORMATION DU MRCI

Il est fortement conseillé d'assister aux séances d'informations qu'offre gratuitement le MRCI, sur cinq demi-journées. Même si vous pensez déjà tout savoir, que vous avez tout lu et que vous avez des relations sur place pour vous aider et vous accueillir, ces séances vous renseigneront davantage sur tous les aspects de la vie au Québec avec des ateliers sur la recherche d'emploi, de logement, les études, etc. Il est également possible de participer à un atelier condensé de quatre heures traitant de votre installation. Prenez rendez-vous dès votre arrivée, car le délai d'attente est souvent long pour participer à une session. Ces informations faciliteront grandement vos démarches administratives.

Des sessions sont aussi orga-
nisées pour ceux qui veulent
mieux connaître les différentes régions du Québec,
alors que d'autres s'adressent aux travailleurs autonomes (les travailleurs indépendants). Vous avez aussi
droit à une rencontre individuelle de 45 minutes avec
un agent d'accueil.

**Nouveaux arrivants :
où s'informer**

Voici les coordonnées d'un carrefour
très fréquenté par les nouveaux arrivants. On vous oriente vers le carrefour
qui dessert votre quartier ou région :

● **Carrefour d'intégration du Sud,
800, bd de Maisonneuve Est, rez-
de-chaussée, Montréal (Québec)
H2L 4L8** ☎ **1-514-864-9191**
➤ **www.immq.gouv.qc.ca**

LA CARTE DE SANTÉ ASSURANCE MALADIE

Pour pouvoir bénéficier du système de santé québécois, il suffit de
posséder la carte d'assurance maladie du Québec (communément
appelée la carte Soleil), qui permet d'accéder gratuitement aux visites,
aux examens, aux consultations, aux traitements psychiatriques, aux
actes diagnostiques et thérapeutiques, ainsi qu'à la chirurgie, la radiologie et l'anesthésie.

Les soins dentaires sont gratuits pour les enfants de moins de 10 ans.
Tout comme les services optométriques le sont pour les jeunes de
moins de 18 ans.

Les médicaments ne sont cependant pas couverts par le système de
santé québécois. Mais, depuis quelques années, il est possible d'adhérer à un régime d'assurance médicament soit collectif relié habituellement à votre employeur soit de prendre une assurance privée ou
encore d'adhérer à la RAMQ (Régie d'assurance maladie du Québec)
moyennant une cotisation annuelle de plusieurs centaines de dollars.

Démarches facilitées pour les Français

Les résidents permanents, les étudiants et les détenteurs d'un visa temporaire qui viennent de France peuvent profiter du système dès leur arrivée au Québec, grâce à une entente signée, en matière de protection sociale, entre la France et le Québec. Les immigrants d'origine française doivent se présenter dès leur arrivée à la RAMQ avec un justificatif d'assurance maladie de leur pays d'origine, telle que la carte Vitale française.

> **Carte Soleil : attention aux allers-retours**
>
> Si vous séjournez hors du Québec plus de six mois, vous risquez de perdre votre carte, car tout résident doit séjourner au moins 183 jours par an au Québec pour bénéficier de la gratuité des soins de santé. Si ce n'est pas votre cas, vous devrez, dès votre retour, contacter la RAMQ pour renouveler votre carte Soleil.

Tous les membres de la famille, même les enfants, doivent posséder leur propre carte Soleil.

Les ressortissants des pays non signataires d'une entente doivent prendre une assurance privée couvrant les trois premiers mois.

Vous n'avez pas encore de domicile fixe

Lors de votre passage à la RAMQ, le fonctionnaire va vous réclamer une preuve de résidence avant de vous délivrer la carte. Si vous résidez temporairement à l'hôtel, chez des amis ou dans une location de courte durée et tombez sur un interlocuteur zélé, votre situation risque de poser problème. Mais sachez qu'avant d'avoir un bail officiel, il est possible de faire une déclaration sur l'honneur pour confirmer votre résidence au Québec. Cette démarche est relativement simple, il suffit que la personne qui vous héberge déclare que vous

OÙ DEMANDER SA CARTE ?

- **Régie de l'assurance maladie du Québec** ➤ www.ramq.gouv.qc.ca

- **À Québec : 1125, chemin Saint-Louis, Sillery** ☎ **1-418-646-4636.**

- **À Montréal : 425, bd De Maisonneuve-Ouest, 3e étage, bureau 303** ☎ **1-514-864-3411.**

- **Ailleurs au Québec** ☎ **1-800-561-9749 (numéro sans frais).**

habitez chez elle. Sur une feuille de papier, elle peut indiquer en vous nommant, que vous demeurez bien à son adresse. Le fonctionnaire exigera peut-être que cette déclaration soit signée devant un commissaire à l'assermentation. Une contrainte : votre loueur ou ami devra vous accompagner devant un commissaire. Vous n'avez pas besoin de faire appel à un notaire ou à un avocat, vous trouverez cette aide dans une banque comme dans une succursale Desjardins.

Tant que vous n'avez pas la carte d'assurance maladie québécoise, vous devrez payer vos consultations chez le médecin.

OÙ SE FAIRE SOIGNER AU QUÉBEC ?

Si vous n'avez pas encore de médecin de famille, sachez qu'il est possible de recevoir des soins dans les hôpitaux, les cliniques et les CLSC (centres locaux de services communautaires), un réseau spécifique existant sur tout le territoire pour rendre les soins plus accessibles. En plus des consultations et des services de santé courants, les CLSC offrent de nombreux autres services gratuits (orientation, prévention, dépistage...). Pour trouver un médecin de famille, téléphonez dans les cliniques et les cabinets de médecins.

OÙ OBTENIR SON PERMIS QUÉBÉCOIS ?

- **Société de l'assurance automobile du Québec** ➤ www.saaq. gouv.qc.ca

- **À Montréal** ☎ 1-514-873-7620. À Montréal (échange sur rendez-vous seulement) : 855, bd Henri-Bourassa Ouest, bureau 100 ; 965, bd Maisonneuve-Est, rez-de-chaussée.

- **À Québec** ☎ 1-418-643-7620.

- **Ailleurs au Québec** ☎ 1-800 361-7620 (numéro sans frais).

En cas d'urgence. Au Canada, les médecins ne viennent pas à domicile à moins de dispenser des soins spécialisés. Si vous ne pouvez pas vous déplacer, utilisez la ligne de consultation téléphonique gratuite fonctionnant 24 heures sur 24, 7 jours sur 7 de la ligne Info-santé du CLSC de votre quartier. Ce téléphone ne remplace pas le 911, qui est un numéro centralisé pour tous les types d'appels d'urgence (police, pompiers et ambulances). Pour trouver le numéro de téléphone du CLSC le plus proche de votre domicile, contactez dans la région de Montréal, Communication Québec au 1-514-873-2111 ou encore regardez les Pages jaunes. Pour plus de renseignements sur les services de santé, téléchargez le dépliant de votre région sur le site du ministère de la Santé (www.msss.gouv.qc.ca/f/documentation/gui desservices/guidesservices.htm).

LE PERMIS DE CONDUIRE

Au Canada, chaque province délivre son propre permis de conduire, les règles ne sont pas les mêmes d'un océan à l'autre. Le Québec a signé un accord de réciprocité avec certains pays telle la France afin de faciliter l'accès au permis de conduire québécois. Les détenteurs du permis français de type B doivent se présenter au bureau de la SAAQ (Société de l'assurance automobile du Québec) munis de leur permis et du visa canadien afin d'obtenir le document local. Sur place, il faut apporter une photo et régler les frais du permis, mais aucun examen n'est nécessaire. Afin d'éviter les délais d'attente pour obtenir le document, il est conseillé de téléphoner à la SAAQ dès votre arrivée afin de prendre un rendez-vous. Si vous êtes pressé et si vous connaissez votre date d'arrivée au Québec, vous pouvez prendre ce rendez-vous avant votre arrivée.

Le permis de conduire français est valide pendant quatre-vingt-dix jours dès votre arrivée sur le territoire québécois. Les étudiants, coopérants ou stagiaires étrangers peuvent conduire un véhicule au Québec avec le permis français pendant toute la durée de leur séjour. Les autres catégories de permis (camion, moto...) ne sont pas échangeables contre le permis québécois : pour tous ces autres types de permis, renseignez-vous à la SAAQ. Un conseil, si vous n'avez pas passé votre permis de conduire, attendez d'être au Québec pour le passer, il vous coûtera bien moins cher.

L'ASSURANCE AUTOMOBILE

Si vous comptez conduire votre véhicule au Québec, en plus de vous assurer, il est recommandé de devenir membre de la section québécoise de la CAA, l'association canadienne des automobilistes (www.caaquebec.com). Vous profitez ainsi en cas de problème du service d'assistance routière sur tout le territoire canadien et, sur demande, dans toute l'Amérique du Nord. Cette assistance offre une large gamme de services dépassant de loin le simple remorquage. Très pratique, surtout dans un pays aux conditions climatiques extrêmes.

OÙ OBTENIR SA CARTE NAS ?

IL N'Y A PAS DE CARTE NATIONALE D'IDENTITÉ au Canada, donc le NAS est la seule carte que possèdent tous les Canadiens, puisque les cartes d'assurance maladie et le permis de conduire sont différentes d'une province à l'autre. Selon la loi, vous n'êtes pas tenu d'avoir constamment sur vous une carte d'identité.

● **Le site sur le numéro d'assurance sociale du Canada ➤ www.hrdc-drhc.gc.ca/sin-nas ☎ 1-800-808-6352 (numéro gratuit au Québec).**

À Montréal

● **Immatriculation aux assurances sociales (pour les immigrants seulement), 276, rue Saint-Jacques, Montréal, Québec, H7Y 1N3, 4ᵉ étage (à côté de Immigration Québec), de 8 h 15 à 16 h 00, sauf le mercredi, ouverture à 9 h 30.**

● **Centre de ressources humaines Canada, Centre-Ville/Sud-Ouest de Montréal, 1001, bd de Maisonneuve Est, Montréal, Québec, H2L 5A1, 2ᵉ étage ☎ 1-514-522-4444, métro Berri Uqam (sortie Place Dupuis), de 8 h 15 à 16 h 00, sauf le jeudi, ouverture à 9 h 30.**

À Québec

● **Centre de ressources humaines Canada, 330 de la Gare-du-Palais, Québec, Québec, G1K 9E4, bureau satellite ☎ 1-418-681-2599, de 8 h 15 à 16 h 00, sauf le mercredi, ouverture à 9 h 30.**

LA CARTE D'ASSURANCE SOCIALE NAS

Toute personne travaillant ou ayant l'intention de travailler au Canada doit avoir la carte d'assurance sociale et un numéro d'assurance sociale, le NAS. Indispensable pour recevoir votre salaire, payer vos impôts, contribuer à votre régime de pension, souvent exigé pour ouvrir un compte bancaire, etc., le NAS est votre lien direct avec le milieu du travail au Canada.

COMMENT OBTENIR SA CARTE NAS

Afin d'obtenir cette carte, il faut remplir dès votre arrivée le formulaire de Développement des ressources humaines Canada. À l'aéroport et aux douanes, les autorités vous remettent normalement une brochure vous expliquant comment obtenir cette précieuse carte. Sinon vous pouvez en faire la demande au centre de ressources humaines le plus proche de votre lieu de résidence au Québec. Pour le trouver, vous pouvez passer par le site Internet (www.hrdc-drhc.gc.ca) ou encore consulter les Pages jaunes de l'annuaire téléphonique de votre ville. Vous recevez votre carte généralement moins d'un mois après votre demande.

LA CARTE DE RÉSIDENT PERMANENT

Après les événements du 11 septembre 2001, le gouvernement canadien a décidé de renforcer la sécurité en introduisant une nouvelle carte d'identité pour les immigrants qui atteste de leur statut de résident permanent. La carte de résident permanent est une carte plastifiée format portefeuille qui remplace l'ancien visa c'est-à-dire la fiche IMM 1000. Elle coûte 50 $ CAN. Les résidents permanents devront la présenter lorsqu'ils rentreront au Canada à compter du 31 décembre 2003.

Lorsque vous vous installerez au Québec, les agents prendront votre photo dès votre passage en douane, et moins d'un mois plus tard, vous recevrez la carte à votre domicile. Si vous devez vous déplacer

LES CONSULATS DE FRANCE AU QUÉBEC

Consulat général de France à Montréal, 1, place Ville-Marie, bur. 2601, Montréal, Québec, H3B 4S3 ☎ **1-514-878-4385, fax : 1-514-878-3981** ➤ www.consulfrance-montreal.org

Consulat général de France à Québec, 25, rue Saint-Louis, Québec, Québec, G1R 3Y8 ☎ **1-418-694-2294, fax : 1-418-694-2297** ➤ www.consulfrance-quebec.org

hors du Canada avant de l'avoir reçue, il vous faut trouver quelqu'un qui vous la fasse parvenir en courrier recommandé pour que vous puissiez revenir au pays sans problème.

Cette carte sera nécessaire jusqu'à l'obtention de la nationalité canadienne pour tous les retours au Canada. Vous pourrez obtenir la nationalité canadienne sur demande trois ans après votre arrivée au Canada, les démarches prennent environ six mois. Si vous devez vous absenter du Canada pour de longues périodes, sachez que depuis le 28 juin 2002, les résidents canadiens doivent demeurer au Canada pendant 730 jours sur cinq ans pour garder leur statut de résident permanent.

☛ Le site de la carte de résident permanent : www.cic.gc.ca/francais/carte-rp

L'IMMATRICULATION AU CONSULAT FRANÇAIS

Quoique facultative, l'immatriculation au consulat français de votre région peut vous être utile pour renouveler votre carte d'identité française, bénéficier d'une bourse d'études si votre enfant est inscrit dans un établissement scolaire français au Québec, s'inscrire sur la liste électorale et pour bien d'autres choses. Vous devez remplir une fiche de renseignements personnels avec votre nouvelle adresse au Québec. En échange, vous recevez une carte consulaire valable cinq ans. Pour vous immatriculer, vous devez fournir vos acte de naissance, carte d'identité française, passeport français, visa canadien, une preuve de résidence au Canada (bail, factures d'électricité...) et deux photos d'identité.

Se loger au Québec

Il y a quelques années, trouver un logement à Montréal était un véritable jeu d'enfant : il y avait plus de logements vides que de locataires potentiels. De nos jours, la tendance s'est inversée. En 2002, la SCHL (Société canadienne d'hypothèques et de logement) notait que le taux d'inoccupation était de 0,7 % à Montréal. Selon cet organisme, référence en matière de logement, la recherche d'un logement s'est compliquée à cause de la croissance de l'emploi et de la migration vers Montréal. Cette crise n'est pas aussi aiguë dans les autres grandes villes du Québec comme Trois-Rivières et Sherbrooke.

DES LOGEMENTS MOINS CHERS AU QUÉBEC

Le logement est considérablement moins cher au Québec que dans le reste du pays. La SCHL estimait, en octobre 2002, le loyer moyen mensuel d'un appartement de deux chambres à 1 047 $ CAN à Toronto, 954 $ CAN à Vancouver et 930 $ CAN à Ottawa.

C'est au Québec que l'on trouve les coûts les plus faibles du Canada, en particulier à Trois-Rivières (431 $) et Chicoutimi-Jonquière (440 $). Le loyer pour ce type d'appartement est, dans les autres villes québécoises, de 599 $ à Gatineau (à côté de sa voisine, Ottawa), 552 $ à Montréal, 550 $ à Québec, 456 $ à Sherbrooke et 431 $ à Trois-Rivières.

Les mesures des appartements ne sont pas comptées en mètres carrés comme en France, mais plutôt en nombre de pièces. Ainsi, on parlera d'un 4 1/2 pour un appartement qui a une cuisine, un salon et deux chambres. La demi-pièce représente la salle de bain et les toilettes, généralement dans une seule pièce en Amérique du Nord. À moins de vivre dans un grand immeuble, les appartements sont habituellement loués non chauffés et non éclairés. Il est possible de téléphoner à Hydro-Québec afin de connaître la consommation mensuelle d'un appartement convoité, ainsi vous n'aurez pas de surprise pendant les longs mois froids d'hiver. Il faut souvent débourser environ 100 $ CAN par mois pendant l'année pour éclairer et chauffer un appartement moyen.

LES RELATIONS ENTRE LOCATAIRES ET PROPRIÉTAIRES

Au Québec, le propriétaire n'a pas le droit de vous demander une caution ou des loyers d'avance lors de la location d'un appartement. Nul besoin d'avoir un travail et de sortir des fiches de paie ou d'avoir la caution des parents pour louer un appartement. Le propriétaire doit simplement vérifier votre solvabilité. Pour cela, il peut téléphoner à un organisme national de crédit muni de votre numéro d'assurance sociale pour demander si vous avez des problèmes de crédit : l'interlocuteur répond par oui ou par non, mais ne donne aucun détail sur vos revenus.

Le problème des nouveaux arrivants est le manque d'historique de crédit et de travail, puisqu'ils viennent en chercher : il faut alors convaincre le propriétaire, lui montrer qu'on a de l'argent en banque pour son installation. Le propriétaire québécois s'entoure de moins de précautions que le propriétaire français, parce qu'au Québec, si vous

EN CAS DE LITIGE

La Charte canadienne des droits et libertés interdit la discrimination fondée sur la couleur, les croyances religieuses, le sexe, l'âge ou les déficiences. Le propriétaire doit accepter le premier candidat solvable venu.

Vous avez un problème ou une question, la Régie du logement est là pour vous aider et vous informer gratuitement. Mise sur pied en 1980, la Régie, en plus de diffuser de l'information, est un tribunal qui a compétence en matière de bail résidentiel. Elle peut donc trancher des litiges en cas de problèmes entre un locataire et un propriétaire.

Régie du logement
- À Montréal : village olympique, pyramide Ouest (D), 5199, rue Sherbrooke Est, rez-de-chaussée, bur. 2095 et 2161 ☎ 1-514-873-2245.
- À Québec : place Québec, 900, bd René-Lévesque Est, bur. RC 120 ☎ 1-418-643-2245 ou 1-800-683-2245, de 8 h 30 à 16 h 30 ➤ www.rdl.gouv.qc.ca

ne payez pas votre loyer, vous êtes tout simplement mis dehors : aucune loi ne viendra, comme en France, vous garantir de rester au chaud pendant les mois d'hiver.

LES BAUX LOCATIFS AU QUÉBEC

Les baux sont annuels et la majorité d'entre eux débute le 1er juillet, jour de la fête du Canada, mais surtout du déménagement au Québec (impossible de circuler ce jour-là dans Montréal, ou ailleurs au Québec, sans tomber sur les camions de déménagement !). De nombreux baux débutent également en septembre. Cela dit, il est aussi possible de trouver un appartement en dehors de ces périodes, vous aurez même peut-être moins de concurrence. Le paiement du loyer se fait au premier du mois par chèque ou en espèces.

Si vous désirez quitter votre logement en cours de bail, vous pouvez le sous-louer et garder ainsi la possibilité d'y revenir. Cette procédure est tout à fait légale au Canada. Vous pouvez aussi faire une cession de bail, c'est-à-dire résilier votre bail et le passer à un autre locataire. En général, le locataire du logement s'arrange pour trouver rapidement un futur locataire qui reprendra son bail. Il en avertit le propriétaire et si celui-ci n'est pas satisfait du nouveau locataire, il doit aviser le locataire actuel de son refus. Certains propriétaires préfèrent choisir eux-mêmes les nouveaux locataires. Pour toutes ces formalités, adressez-vous à la Régie du logement.

TROUVER SON PREMIER LOGEMENT AU QUÉBEC

Il est fortement conseillé de prendre une location de courte durée lors de votre arrivée, pour vous laisser le temps de choisir un quartier ou une région selon vos goûts, vos priorités et votre futur lieu de travail. Les nouveaux arrivants débarquent souvent dans un hôtel bon marché, puis trouvent un appartement meublé pour quelques jours ou semaines. De nombreuses locations de courte durée sont disponibles à la journée, à la semaine ou au mois pour une personne seule ou un couple. Le cas des familles est plus complexe, certaines ne peuvent se permettre deux déménagements en peu de temps. À moins de tout réserver à distance par téléphone et Internet, il reste toujours l'option d'envoyer un membre de la famille ou le couple en éclaireur quelque temps avant l'arrivée définitive pour choisir un lieu près des écoles des enfants, des parcs et du travail.

LA COLOCATION : UNE IMMERSION RAPIDE ET ÉCONOMIQUE

LA COLOCATION est un moyen très répandu depuis longtemps dans les pays anglo-saxons, autant chez les étudiants que chez les jeunes en général. Elle permet aux étudiants de sortir du nid familial, mais elle est aussi souvent utilisée par les adultes et les professionnels. Économique, ce style de vie peut être idéal pour s'intégrer dans un nouveau milieu. Surveillez les annonces dans les journaux avec les mentions « à partager » ou « **cherche co-loc** ».

Si vous comptez perfectionner votre anglais, la colocation avec un anglophone n'est pas une mauvaise idée. Les journaux étudiants et les « babillards » des universitaires (tableaux communautaires) sont des endroits idéaux pour trouver les offres de colocation.

C'est également une solution pour entrer en contact avec des Québécois de souche et s'intégrer plus rapidement dans la société d'accueil.

Les universités québécoises offrent sur leur campus ou hors campus plusieurs petits appartements qui peuvent parfaitement convenir aux étudiants. L'été, ces logements sont souvent vides et peuvent être un bon endroit pour se loger quelques semaines. En plus des adresses pour des hébergements, consultez le site officiel de Tourisme Québec (www.bonjourquebec.com).

CHOISIR UN QUARTIER À MONTRÉAL

« J'aime l'architecture insolente et chaotique de Montréal, puissante et délirante, clame Christophe Delestre qui était monteur à France 2 avant de rejoindre en 1999 son amie mexicaine à Montréal. À

Montréal, il y a un pôle culturel et économique assez développé, mais le rythme est assez provincial, affirme-t-il. Un compromis sympa entre la ville très, très speed et la campagne. J'ai une qualité de vie ! » Selon lui, tout paraît plus simple et accessible. « Une pub se tourne dans ma rue et trois jours plus tard, je la vois à la télé. »

Deuxième ville francophone... après Paris

Montréal, deuxième ville francophone au monde après Paris (avec près de deux millions d'habitants) est une ville aimée par ses habitants. Cosmopolite, humaine et accessible, elle s'anime en été et se repose en hiver. Saviez-vous que c'est une île ? Eh oui, comme Manhattan, Montréal est bordé par les rives nord et sud d'une eau, mais pas n'importe laquelle : il s'agit d'un des plus grands fleuves d'Amérique du Nord, le Saint-Laurent. Depuis le 1er janvier

> ### Centre-ville ou extérieur ?
>
> Si vous n'avez pas de véhicule, n'oubliez pas de choisir un logement facilement accessible par les transports en commun. Une fois l'hiver venu, il vaut mieux ne pas avoir à marcher un kilomètre pour rejoindre un arrêt d'autobus ou une bouche de métro.

2002, la nouvelle ville de Montréal est née. Une ville qui réunit administrativement toutes les anciennes villes sur son île d'est en ouest et du nord au sud, telles les villes de Westmount, Dorval ou nombre d'autres qui étaient autrefois des villes à part entière.

Tous les quartiers et banlieues de Montréal sont calmes

Montréal est divisé d'ouest en est par la rue Saint-Laurent. Généralement, la partie ouest de la ville est habitée par une population principalement anglophone et l'est par des francophones mais ce constat a tendance à se modifier. En dehors des quartiers centraux, peuplés et fort populaires, de nombreux arrivants choisiront de s'installer dans l'ouest de l'île communément appelé le West Island pour la tranquillité et la verdure des lieux dans des quartiers comme Dorval, Pointe-Claire. Des Montréalais s'installent aussi en banlieue nord ou sud de l'île, comme à Laval ou à Longueil, en passant par le quartier de Saint-Lambert ou Saint-Bruno.

Il est à noter que toutes les banlieues au Québec sont vertes, paisibles et très sûres. Elles offrent un cadre de vie calme et accueillant pour les jeunes familles qui veulent s'y installer.

MONTRÉAL, QUARTIER PAR QUARTIER

Voici une présentation sommaire des quartiers au centre de l'île de Montréal (voir page suivante). Vous pourrez, par ailleurs, découvrir les quartiers plus excentrés, ainsi que les banlieues entourant l'île. Au cœur de Montréal, comme dans les quartiers que nous vous présentons ci-après, vous pouvez très bien vivre sans voiture en utilisant le réseau de transport en commun.

Le centre-ville. Pris entre les gratte-ciel et l'animation des rues, le centre-ville est le plus peuplé des quartiers de Montréal. Comme on peut l'imaginer, les loyers sont plus chers qu'ailleurs dans ce quartier cosmopolite. Il est possible d'habiter dans un des nombreux immeubles haut perchés qui offrent des vues sur toute la ville.

Côte-des-Neiges. À l'ouest d'Outremont se trouve Côte-des-Neiges, un quartier habité par de nombreux immigrants récents et par des étudiants de l'université de Montréal. Cosmopolite, il offre des loyers plus abordables qu'ailleurs. Le quartier est desservi par de nombreux hôpitaux, services et restaurants.

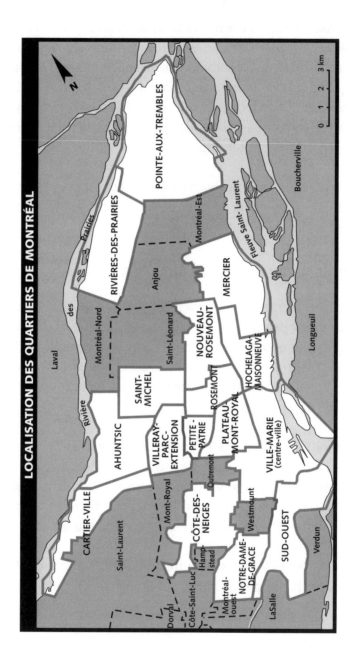

LOCALISATION DES QUARTIERS DE MONTRÉAL

POINTE-AUX-TREMBLES

RIVIÈRES-DES-PRAIRIES

Montréal-Est

Anjou

MERCIER

Saint-Léonard

NOUVEAU-ROSEMONT

Montréal-Nord

HOCHELAGA-MAISONNEUVE

SAINT-MICHEL

ROSEMONT

AHUNTSIC

VILLERAY-PARC-EXTENSION

PETITE-PATRIE

PLATEAU-MONT-ROYAL

VILLE-MARIE
(centre-ville)

Outremont

CARTIER-VILLE

Saint-Laurent

Mont-Royal

CÔTE-DES-NEIGES

Westmount

SUD-OUEST

Hampstead

NOTRE-DAME-DE-GRACE

Verdun

Côte-Saint-Luc

Montréal-ouest

LaSalle

Dorval

Laval

des

Rivière

Prairies

Fleuve Saint-Laurent

Boucherville

Longueuil

0   1   2   3 km

Ghetto McGill. Pris entre le centre-ville et le Plateau, le Ghetto McGill, comme on le surnomme, est le quartier des étudiants de l'université McGill. Anglophone, avec de nombreux étudiants américains et canadiens-anglais, le ghetto McGill est à deux pas du boulevard Saint-Laurent et de la vie nocturne de Montréal. De nombreux étudiants se partagent les belles maisons victoriennes qui longent les avenues de ce quartier.

Latin. Le quartier Latin est celui des étudiants de l'université du Québec à Montréal et du CEPEG du Vieux-Montréal autour de la rue Saint-Denis et de la rue de Maisonneuve au sud de Sherbrooke. Les cafés, restaurants et bars surplombent le quartier animé jour et nuit.

Notre-Dame-de-Grâce. Ce quartier chic de l'ouest de Montréal est communément appelé NDG (avec la prononciation à l'anglaise). Les nombreuses résidences anglaises y sont entourées d'arbres centenaires. La population du quartier est un mélange réussi entre francophones et anglophones. Le prix des maisons a récemment doublé, mais il reste que l'endroit est paisible. Quelques appartements sont disponibles dans les duplex, c'est-à-dire des maisons qui comptent deux appartements.

Mile-End. Entre Outremont et le Plateau, le quartier cosmopolite du Mile-end avec ses communautés grecque et juive se caractérise par un mode de vie très décontracté. La rue Saint-Viateur offre une douceur de vivre surtout pendant la belle saison. Ce quartier sans prétention présente un cadre de vie très agréable avec ses petits cafés et restaurants fort sympathiques.

Outremont. Quartier chic francophone de Montréal, Outremont abrite de nombreuses résidences individuelles luxueuses entre la verdure et la quiétude des lieux. Cette ancienne ville de l'île de Montréal

CERTAINS QUARTIERS DE MONTRÉAL sont moins touchés par la crise du logement. Par exemple, le quartier Hochelaga-Maisonneuve a un taux d'inoccupation de 1,6 %, Verdun et l'île des Sœurs, au sud-ouest de la ville, de 1,5 %, et en centre-ville, entre les rues Duluth et Amherst, et à la limite de Westmount de 1,2 %. Les quartiers les moins chers sont le sud-ouest de l'île, ainsi que Pointe-aux-Trembles, Rivière-des-Prairies, Montréal-Est et Pont-Viau à Laval en banlieue nord de Montréal.

est à la croisée des chemins, entre le Mont-Royal, le centre-ville et le nord de la ville. Le quartier est un lieu de prédilection pour les immigrants français, puisqu'il s'y trouve de nombreuses écoles secondaires privées, l'équivalent des lycées, dont les collèges Stanislas et Marie-de-France qui proposent le cursus de l'Éducation nationale française. Une importante communauté de juifs hassidiques habite le quartier depuis des années. Les rues Bernard et Laurier abondent en bons petits restaurants et cafés fréquentés par les bourgeois et les gens du milieu artistique.

Plateau Mont-Royal. Le quartier le plus branché de Montréal. « Le Plateau » est souvent adoré par les Français qui tombent littéralement sous le charme de son ambiance décontractée, de ses petits cafés, terrasses et restaurants sympathiques aux couleurs vives. Le quartier décrit par l'écrivain Michel Tremblay attire aujourd'hui de nombreux jeunes gens. De nombreuses boulangeries artisanales, boutiques aux concepts avant-gardistes, artistes, étudiants et bohèmes ont choisi d'y prendre demeure. Les rues Saint-Denis et Mont-Royal traversent le quartier. Charmant surtout pendant la saison estivale, le quartier compte cependant peu de logements libres et les prix ont augmenté considérablement ces dernières années. Pour y trouver votre nid, vous devrez donc compter sur la chance, sur les contacts que vous pourrez créer ou choisir la colocation fort répandue dans ce quartier.

Rosemont. Tout juste au nord du Plateau, ce quartier populaire de Montréal est en train de subir une véritable petite révolution. Peu à peu, ce Nouveau Plateau voit s'installer des petits cafés et restos branchés mais sans prétention qui savent ravir leur clientèle. Moins chers et plus abordables que sur le Plateau, les appartements et les maisons individuelles abondent dans ce quartier à l'architecture modeste.

Saint-Henri. Autre quartier populaire de Montréal qui se transforme petit à petit. Le taux d'inoccupation et le prix abordable des loyers en font un quartier séduisant. La réouverture du canal Lachine et l'accès au marché public Atwater le rend d'autant plus attirant pour les Montréalais. De nombreux projets de construction se développent dans ce quartier du sud-ouest.

Village. Le quartier gay de Montréal est l'un des plus importants au monde. Autour de la rue Sainte-Catherine et délimité par les rues Amherst et Papineau, le Village propose de nombreux restaurants, cafés, bars et boutiques à la mode. Un des cœurs de la vie nocturne montréalaise. Dans les rues parallèles, de nombreux appartements sont occupés par des gens faisant partie ou non de la communauté.

Villeray. Au nord de Rosemont, ce quartier tranquille offre des appartements spacieux plus abordables que vers le centre-ville. Éloigné de l'animation nocturne, Villeray profite de la proximité du marché Jean-Talon et du quartier italien de la « Petite Italie » en offrant des produits frais et cosmopolites à tous les fins gourmets. Il n'existe que trois marchés de ce genre à Montréal.

Verdun. Verdun compte plus de logements disponibles à moindre prix que bien d'autres quartiers de Montréal : c'est ici en effet qu'on trouve un des taux d'inoccupation les plus élevés de la ville. Ce traditionnel quartier populaire a connu quelques développements dernièrement, offrant de nombreux appartements de luxe et autres condominiums (appartement en général rénové dont l'occupant est propriétaire) avec vue sur le Saint-Laurent. Non loin, l'île des Sœurs propose de belles résidences et de luxueux immeubles où l'environnement est vert et paisible.

Vieux Montréal. Le Vieux Montréal, lieu d'affaires dynamique le jour et quartier résidentiel plutôt cossu le soir, accueille aussi la Cité du multimédia et de nombreuses entreprises de haute technologie. La proximité du port, de la piste cyclable, les vues imprenables sur le fleuve et la ville, la beauté des lieux, son architecture ancienne et la qualité de ses grands restaurants en font un endroit de prédilection pour les globetrotters urbains et les amoureux du passé. Mais le prix d'un condo avec vue sur le fleuve n'est pas accessible à toutes les bourses. Il faut savoir qu'il s'agit de l'un des quartiers les plus chers de Montréal.

CHOISIR UN QUARTIER À QUÉBEC

Après quelque temps à Montréal, Fabien et Amélie se sont finalement installés à Québec. « Québec est comme une ville de province française un peu bourgeoise, affirme Fabien, originaire de Lyon. Lors de nos premières vacances au Québec, la ville nous avait plu davantage que Montréal. Mais cette dernière semblait plus certaine pour l'emploi. En fait, on aurait pu venir directement à Québec sans passer par Montréal.» En plus, comme le souligne Fabien, le chômage dans la capitale québécoise est au plus bas depuis un an. « La ville s'est diversifiée au niveau de l'économie dans plusieurs secteurs de pointe et est sortie du fonctionnariat et du tourisme. »

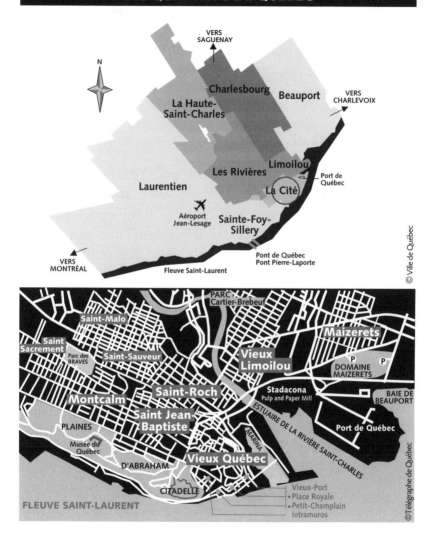

© Ville de Québec

©Télégraphe de Québec

En 2008, Québec fêtera ses 400 ans. La ville historique demeure le cœur administratif de la province québécoise. Le Vieux Québec a de quoi séduire de nombreux Européens, d'ailleurs il attire chaque année des touristes du monde entier. Plus petite et moins cosmopolite que

Montréal, elle offre un cadre de vie plus paisible, homogène et en toute sécurité avec un accès facile à la nature. Dans la lignée des fusions municipales dans la province, à Québec aussi est née une nouvelle ville « administrative » le 1er janvier 2002. Cette ville, résultat de la fusion de treize municipalités, couvre, si l'on excepte les plans d'eau, un territoire de 543 km².

LES QUARTIERS DE QUÉBEC

En ce qui concerne le logement, Québec n'est pas nécessairement moins cher que Montréal. Entre la Basse-Ville et la Haute-Ville vous avez le choix, et vous pouvez aussi profiter des banlieues qui offrent de nombreuses belles habitations. Il faut savoir que les quartiers actuels de Sainte-Foy, Sillery, Charlesbourg et Beauport sont d'anciennes villes de banlieue. Si vous choisissez de vous établir hors de la Basse-Ville ou de la Haute-Ville, il faudra acquérir une voiture pour vous déplacer.

Le Vieux Québec. Dans un cadre historique, le Vieux Québec, traversé par la rue Saint-Jean et la rue Saint-Louis, regroupe l'animation culturelle de la capitale. Avec son château Frontenac, la vue splendide sur le fleuve et ses divers monuments et édifices historiques, le Vieux Québec ne manque pas d'attraits pour les amoureux de l'histoire et de l'architecture. De nombreux travailleurs convergent vers ces lieux pour y œuvrer dans l'hôtellerie, la restauration et les magasins, ainsi que dans la fonction publique. Vous l'avez compris, les appartements sont recherchés et plus chers qu'ailleurs dans la ville, à moins d'opter pour un appartement non rénové.

La Haute-Ville. En dehors du Vieux Québec intra-muros, d'autres quartiers de la Haute-Ville dont Montcalm, Saint-Jean-Baptiste et Saint-Sacrement, sont situés à deux minutes du Vieux Québec et proposent un cadre de vie très intéressant. De l'autre côté des portes et des fortifications, en traversant l'autoroute Dufferin, le quartier Saint-Jean-Baptiste couvre un lieu pittoresque avec sa Grande Allée, ses nombreux restaurants et bars et la présence de l'Assemblée nationale du Québec. Hors de l'allée centrale, la location d'appartements est plutôt abordable. L'ambiance est plus bohème et beaucoup d'étudiants y habitent en colocation. Le quartier Montcalm où se situe le musée du Québec compte également la belle avenue Cartier avec ses restaurants et cafés sympathiques. Le quartier Saint-Sacrement entre le quartier Montcalm et Sillery (plus à l'ouest) est un lieu résidentiel bordé par de grands arbres. Ces deux derniers quartiers sont plus BCBG et les loyers des appartements sont plus chers, surtout dans Montcalm près des Plaines d'Abraham.

Basse-Ville : Limoilou, Saint-Roch. En descendant du Vieux Québec, vous vous trouvez dans le Petit-Champlain, un quartier touristique de la Basse-Ville qui a été récemment rénové, avec la Place Royale, le musée de la Civilisation, la rue Saint-Paul et ses antiquaires. Au-delà de ce quartier, se trouve celui de Saint-Roch qui a subi de nombreuses transformations ces dernières années. À deux pas du Vieux Québec, ce quartier populaire est fréquenté par une population d'artistes, d'universitaires et d'entrepreneurs de haute technologie qui profitent de la proximité des nombreux restaurants, cafés, bistros et lieux de divertissement. Près du centre-ville, lui aussi, le quartier populaire de Limoilou est animé par la population estudiantine du secteur. Familles et jeunes se côtoient tout en profitant du parc Cartier-Brébeuf. De nombreuses compagnies sont aussi installées dans ce quartier qui est l'un des plus abordables de la ville de Québec.

Sillery et Sainte-Foy. À l'ouest du Vieux Québec se situent les quartiers de Sillery et de Sainte-Foy. Les résidents y trouvent un cadre de vie paisible avec de belles maisons individuelles. On y trouve une forte concentration d'écoles privées et on peut profiter du bois de Coulonge. L'arrondissement longe le fleuve Saint-Laurent sur 10 kilomètres, avec de nombreux accès publics par des parcs. Les résidents sont desservis par les centres commerciaux de la place Laurier, Sainte-Foy et la place de la Cité. Le quartier de Sainte-Foy accueille l'université Laval. Quelques maisons sont à louer dans ces quartiers, mais elles ne figurent pas parmi les moins chères de la ville.

Charlesbourg, Beauport. Les anciennes villes de Charlesbourg et de Beauport offrent une grande quiétude, elles sont situées au nord-est du Vieux Québec. La sécurité et le calme des lieux assurent un mode de vie idéal pour les familles. Un vrai arrondissement résidentiel qui a aussi un parc industrialo-commercial avec des dizaines d'entreprises comme à Charlesbourg. Le quartier de Beauport offre des kilomètres de vue sur le Saint-Laurent. La baie de Beauport et le parc de la Chute-Montmorency et celui de la Rivière-Beauport offrent un cadre de vie proche de la nature.

COMMENT CHERCHER UN LOGEMENT AU QUÉBEC

Une particularité québécoise : il n'y a pas d'agences immobilières pour trouver des locations. Alors, il faut user d'autres stratagèmes pour trouver son nid. Ainsi, Jean Bourrette, arrivé en avril 2000 à Montréal avec sa femme et ses deux filles, a préféré réserver par Internet un logement tout meublé à Verdun pour les trois premiers mois.

« Après notre arrivée, nous cherchions un logement en ville avant d'acheter une maison sur le bord de l'eau comme nous le souhaitions, se souvient-il. Nous sommes tombés à Ahunstic sur un propriétaire portugais qui nous a loué pendant un an un 5 et demi en face d'un

ARPENTER LES RUES POUR TROUVER SON LOGEMENT

LORSQUE SANDRINE Arrault et son copain sont arrivés au Québec en avril 2002, ils avaient réservé une chambre pendant quinze jours au collège français, une institution scolaire qui loue des chambres pendant la belle saison. « Les logements à louer ne sont pas toujours annoncés dans les journaux, constate-t-elle. Et lorsqu'ils le sont, ils sont souvent déjà loués lorsqu'on téléphone. »

Après leur séjour à l'institution scolaire, ils louent pour deux mois un appartement meublé rue Saint-Denis au cœur de Montréal. « Pendant cette période, nous cherchions intensivement un appartement, nous avons beaucoup marché, se souvient-elle. On est allé à l'Union française rue Viger et on a vu l'annonce d'un logement à Ahunstic. Nous y sommes allés, mais en faisant le tour du pâté de maisons, nous avons vu une pancarte d'un logement à louer. C'est là que nous sommes finalement tombés sur notre grand 3 et demi chauffé pour 425 $ CAN par mois. »

Mais si c'était à refaire, Sandrine s'organiserait autrement. « Je conseille de louer une voiture quelques jours avec un téléphone portable et de rouler systématiquement dans les rues. En plus, c'est un excellent moyen de découvrir les différents quartiers et d'évaluer les services offerts. Dès que vous voyez une annonce, vous vous arrêtez et vous appelez tout de suite. Il n'est pas compliqué de sillonner les rues puisqu'elles sont toujours parallèles en Amérique du Nord. »

parc. Il nous a fait tout de suite confiance, car il se souvenait de ce que c'était d'arriver dans un nouvel environnement », explique-t-il. Après cette parenthèse à Montréal, Jean et sa famille ont trouvé leur maison à Oka sur le bord du lac des Deux Montagnes, près de Montréal.

Suivez les pistes journaux, Internet... et sillonnez les rues

Les journaux restent une bonne référence pour trouver un appartement. Le mot d'ordre est la rapidité, il faut téléphoner dès que vous apercevez une annonce qui vous intéresse, surtout si vous cherchez pour le 1er juillet. Surveillez la sortie des journaux du mercredi et du samedi et scrutez les petites annonces. En plus des journaux comme *La Presse* et *Le Journal de Montréal* à Montréal ou *Le Soleil* à Québec, vous pouvez consulter dans les deux villes le journal gratuit *Voir* dès sa parution le jeudi matin 9 heures. Il est possible d'avoir accès aux annonces sur le site Internet de *Voir* ; vous pouvez aussi les recevoir par e-mail en vous inscrivant. Pour avoir la primeur des offres d'appartements de ce journal sur le logement, il est possible de passer par son service payant.

Les sites Internet des journaux ou les portails spécialisés sont désormais également un lieu idéal pour trouver un appartement. Nous vous suggérons quelques liens ci-après.

Ratisser les rues s'avère très porteur également : vous y découvrirez des trésors. Choisissez un quartier et sillonnez-le, surveillez les affiches « À Louer ». Parlez aux passants, on ne sait jamais, ils pourraient avoir un ami qui cherche à louer un appartement. Armez-vous d'un téléphone cellulaire, louez une voiture, votre chasse sera encore mieux organisée. Certains organismes d'aide aux immigrants peuvent vous orienter pour votre recherche de logement, certains ont même des banques de données de propriétaires comme à l'Union française. Vous pouvez aussi vous reporter dans la partie 2, au chapitre intitulé « Trouver du travail sur place » qui comprend un développement sur « Les Centres d'aide et les organismes pour les nouveaux arrivants » (voir page 110).

LOGEMENT : SE RENSEIGNER SUR INTERNET

LIENS SUR LE LOGEMENT

- **ACAM** ➤ www.acam.qc.ca ; annonces classées de l'immobilier à Montréal
- **Alliance-web** ➤ annonces.alliance-web.net/index.cfm (site des principaux journaux québécois francophones).
- **Appartàlouer.com** ➤ appartalouer.com
- **Appart-zone.com** ➤ www.appart-zone.com
- *The Gazette* ➤ www.canada.com/montreal (quotidien anglophone de Montréal).
- **Classées Extra** ➤ www.classeesextra.ca
- **Logements Montréal** ➤ www.pagemontreal.qc.ca/logements
- **Les Pac** ➤ www.lesPAC.com
- **La Régie du logement du Québec** ➤ www.rdl.gouv.qc.ca
- **Union française**, 429, rue Viger Est, Montréal, Québec, H2L 2N9 ☎ 1-514-845-5195.
- **Urgi** ➤ www.urgi.com (location Québec).
- *Voir* ➤ www.voir.ca/petitesannonces

POUR UNE LOCATION DE COURTE DURÉE
À Montréal

Hébergements pas chers (moins de 50 $ CAN).

- **Auberge alternative** : 358, rue Saint-Pierre ☎ 1-514-282-8069 ➤ www.auberge-alternative.qc.ca
- **Auberge de jeunesse de Montréal**, 1030, rue Mackay ☎ 1-514-843-3317 ➤ www.ajmontreal.qc.ca
- **Hôtel de Paris**, 901, rue Sherbrooke Est ☎ 1-514-522-6861, 1-800-567-7217 ➤ www.hotel-montreal.com
- **Chambres Vacances Canada**, 4 saisons, 5155 de Gaspé ☎ 1-514-270-4459.
- **Collège Français**, 185, av. Fairmount Ouest ☎ 1-514-495-2581 (de mai à août).

- Hôtel Saint-Denis, 1254, rue Saint-Denis ☎ 1-514-849-4526, 1-800-363-3364 ➤ www.hotel-st-denis.com
- Hôtel Pierre, 169, rue Sherbrooke Est ☎ 1-514-288-8519.
- Hôtel de la Couronne, 1029, rue Saint-Denis ☎ 1-514-845-0901
- Manoir Ambrose, 3422, rue Stanley ☎ 1-514-288-6922 ➤ www.manoirambrose.com
- Les Résidences Maria-Goretti, 3333, Côte-Sainte-Catherine ☎ 1-514-731-1161 (pour femmes seulement).
- Les résidences des étudiants de l'université McGill, 3935, rue Université ☎ 1-514-398-6367 ➤ www.mcgill.ca/residences/summer (site en anglais) [de mai à août].
- Les résidences des étudiants de l'université de Montréal, 2350, bd Édouard-Montpetit ☎ 1-514-343 6531 ➤ www.resid.umontreal.ca (de mai à août).
- Les Résidences Universitaires de l'UQAM, 303, René-Lévesque Est, Montréal, Québec H2X 3Y3 ☎ 1-514-987-6669 ➤ residences-uqam.qc.ca (de mai à août).
- YMCA Centre-ville, 1450, rue Stanley ☎ 1-514-849-839 ➤ www.ymcamontreal.qc.ca
- YWCA, 1355 rue René-Lévesque Ouest ☎ 1-514-866-9941 ➤ ydesfemmesmtl.org (pour femmes).

Autres hébergements abordables (entre 50 $ CAN et 100 $ CAN)
- L'Abri du voyageur, 9, rue Sainte-Catherine Ouest ☎ 1-514-849-2922 ➤ www.abri-voyageur.ca
- Armor Manoir Sherbrooke, 157, rue Sherbrooke Est ☎ 1-514-285-0895, 1-800-203-5485 ➤ www.armormanoir.com
- Auberge jardin d'Antoine, 2024, rue Saint-Denis ☎ 1-514-843-4506 ➤ www.hotel-jardin-antoine.qc.ca
- B&B Relais Montréal Hospitalité, 3977, av. Laval ☎ 1-514-287-9635 ➤ www.martha-pearson.com

- Gîte du parc Lafontaine, 1250, rue Sherbrooke Est ☎ 1-514-522-3910 ➤ www.hostelmontreal.com
- Hôtel Casa Bella, 264, rue Sherbrooke Ouest ☎ 1-514-849-2777 ➤ www.hotelcasabella.com
- Hôtel du nouveau forum, 1320, rue Saint-Antoine Ouest ☎ 1-514-989-0300 ➤ www.nouveau-forum.com
- Hôtel Le Plateau, 438, av. Mont-Royal Est ☎ 1-514-982-1734.
- Hôtel Travelodge, 50, bd René-Lévesque Ouest ☎ 1-514-874-9090 ➤ www.travelodge.com

Autres organismes offrant des locations à moyen et long termes : il est possible d'y trouver des appartements meublés pour une semaine, un mois ou à long terme.

- Adam relocalisation ☎ 1-450-965-8942 ➤ www.relocmontreal.com
- Francine Leblanc, 1175, Bernard Ouest, bur. 301, Outremont, Montréal ➤ www.francineleblanc.com
- Hébergement Montréal, 1658, Saint-André ☎ 1-514-524-8344 ➤ www.hebergement-montreal.qc.ca
- Logis Montréal, 1201, Sainte-Catherine Est ☎ 1-514-844-8416 ➤ www.logis-montreal.com

À Québec
Hébergements pas chers (moins de 50 $ CAN)

- Auberge de jeunesse de la paix, 31, rue Couillard ☎ 1-418-694-0735.
- Auberge Michel-Doyon, 1215, chemin Sainte-Foy ☎ 1-418-527-4408, 1-888-43-DOYON ➤ www.moteldoyon.com
- Centre international de séjour de Québec, auberge de jeunesse, 19, rue Sainte-Ursule ☎ 1-418-694-0755 ➤ www.cisq.org
- Le Manoir des Remparts, 3 1/2, rue des Remparts ☎ 1-418-692-2056, YMCA de Québec, 855, rue Holland ☎ 1-418-683-2155 ➤ www.ywcaquebec.qc.ca (pour femmes).
- Les résidences de l'université Laval, Sainte-Foy ☎ 1-418-656-2921 ➤ www.ulaval.ca/sres (de mai à août).

Autres hébergements abordables

- **Auberge Douceurs belges, 4335, rue Michelet, Québec, Québec G1P 1N6** ☎ **1-418- 871-1126** ➤ **www.douceursbelges.ca**
- **Auberge La Camarine, 10947, bd Sainte-Anne, Beaupré, Québec G0A 1E0** ☎ **1-418- 827-5703** ➤ **www.camarine.com**
- **Auberge L'Autre jardin, 365, bd Charest Est** ☎ **1-418-523-1790, 1-877-747-0447** ➤ **www.lautrejardin.com**
- **Auberge du Trésor, 20, rue Sainte-Anne** ☎ **1-418-694-1876** ➤ **www.augerbedutresor.com**
- **B&B Des Grisons, 1, rue Des Grisons** ☎ **1-418-694-1461** ➤ **www.bbcanada.com/2608.html**

ACHETER UN LOGEMENT OU UNE MAISON

Depuis le début des années 2000, le marché montréalais de l'immobilier est un marché de vendeur. Longtemps, Montréal a été une des seules grandes villes canadiennes où il était encore facile de trouver une maison. Le prix des maisons a augmenté, mais reste encore un des plus bas. Selon la SCHL (Société canadienne d'hypothèques et de logement), Montréal offre toujours les prix les plus bas d'Amérique du Nord, parmi les villes d'un million d'habitants et plus. Le prix moyen des maisons à Montréal a augmenté de 6 % en 2003 pour atteindre 149 250 $ CAN. Au Canada, Vancouver se retrouve en tête pour les maisons les plus chères avec un coût moyen de 305 500 $ CAN, suivi par Toronto à 284 500 $ CAN et Ottawa à 211 500 $ CAN.

Si vous avez envie d'acquérir une propriété, vous pouvez faire appel aux différentes agences immobilières, où leurs agents se feront un plaisir de vous orienter dans vos démarches et de vous assister lors de l'achat d'une propriété. Voici quelques grands noms d'agences : Remax, La Capitale, Century 21, Sutton, Royal Lepage.

DEVENIR PROPRIÉTAIRE : DES LIENS POUR SE RENSEIGNER

- La Société canadienne d'hypothèques et de logement ➤ www.cmhc-schl.gc.ca/fr
- MLS ➤ www.mls.ca
- Direct du proprio ➤ www.directduproprio.com
- Visite 3 D ➤ www.visite3d.com

Pour prendre une hypothèque, il vous faudra obtenir un crédit auprès d'une institution financière. Vous devrez présenter une déclaration fiscale afin de faire une demande de prêt. Le taux hypothécaire peut être négocié sur différentes échéances : un an, deux ans, trois ans et plus. En général, lorsque vous présentez une offre d'achat à un vendeur, celle-ci est conditionnelle à l'obtention du financement de l'hypothèque par l'institution financière. Et vous devrez payer la taxe de mutation dite « taxe de bienvenue » calculée sur la valeur de la résidence.

Installation : les démarches à accomplir

Vous avez trouvé un appartement. Il vous reste à accomplir quelques démarches pour vous installer dans les meilleures conditions. Première formalité : prendre une assurance habitation, puis vous allez sans doute vouloir vous abonner rapidement aux différents services, pour avoir l'électricité, le gaz, le téléphone, Internet, etc. Nous vous présentons dans ce chapitre toutes les aides et les astuces pour faciliter ces étapes.

PRENDRE UNE ASSURANCE HABITATION

L'assurance résidentielle n'est pas obligatoire au Québec mais elle est fortement recommandée afin de protéger vos biens en cas de vol, feu ou vandalisme. Dans la jungle des compagnies d'assurances, il est primordial de bien comparer les différents contrats avant de signer avec une compagnie. Vous pouvez les contacter et leur demander de vous faire parvenir les modalités de leurs contrats d'assurance. Afin de trouver la meilleure assurance possible en fonction de vos besoins, il est nécessaire de bien évaluer vos biens. Portez une attention particulière aux clauses d'exclusion et de valeur à neuf, c'est-à-dire si vous choisissez d'assurer vos biens et d'être remboursé à leur valeur à neuf en cas de réclamation. Ne signez qu'après avoir bien lu et compris le contrat. N'hésitez pas à prendre conseil auprès de votre entourage, surtout auprès de ceux qui ont eu recours à un assureur.

LE BRANCHEMENT À L'ÉLECTRICITÉ ET AU GAZ

Créée en 1944, Hydro-Québec, la compagnie d'électricité nationalisée dans les années 1960, gère cette énergie grâce aux nombreux barrages hydroélectriques répartis sur le territoire. Ainsi, les Québécois profitent d'un des tarifs de consommation électrique les plus bas au monde. Il est possible de connaître le coût approximatif de votre futur logement en contactant Hydro-Québec. Pour y ouvrir un compte, il suffit de leur téléphoner.

☞ Hydro-Québec : www.hydroquebec.com ; Montréal : tél. 1-514-385-7252. Partout ailleurs au Québec : 1-888-385-7252.

La compagnie pour l'énergie au gaz est Gaz métropolitain, pour ouvrir un compteur :

SE MEUBLER PAS CHER

EN DEHORS DE MAGASINS comme Ikéa offrant des meubles neufs à prix abordables, il est aussi possible de se procurer des meubles d'occasion. Tout le réseau du recyclage (meubles, vêtements et autres) est assez développé au Québec. Il est aussi très facile de se procurer des appareils électroménagers d'occasion, comme dans la rue Papineau de Montréal.

Une adresse à retenir, car de nombreux appartements sont loués sans ces appareils.

Voici quelques adresses classiques :
● L'Armée du Salut
  ➤ www.armeedusalut.ca
● Le Village des valeurs
  ➤ www.villagedesvaleurs.com

● Le guide du réemploi de l'île de Montréal
  ➤ www.reemploi.org (toutes les adresses).

Au printemps et aux environs du 1er juillet, surveillez les « ventes de garages » annoncées sur les panneaux d'électricité ou téléphoniques dans différents quartiers.

Lors du grand ménage du printemps ou dans la perspective d'un déménagement, les résidents organisent eux-mêmes, en toute quiétude, ces bazars improvisés dans les arrière-cours de leurs immeubles. On y trouve de tout à des prix fort intéressants : lits pliants pour bébé, fauteuils, bicyclettes, jouets, vêtements, armoires, cannes à pêche...

☛ À Montréal : 1717, rue du Havre, Montréal, Québec, H2K 2X3, tél. 1-514-598-3222.

☛ À Québec : 2300, rue Jean-Perrin, Québec, Québec, G2C 1K8, tél. 1-418-842-9960.

☛ Le reste du Québec : 1-800 361-4568 (numéro sans frais), site Internet : www.gazmet.com

Le branchement au téléphone

Plusieurs compagnies (Bell Canada la compagnie nationale, Sprint Canada, etc.) offrent les services de téléphonie locale depuis la déréglementation dans ce domaine. Elles offrent un tarif fixe mensuel pour un nombre illimité d'appels locaux, quel que soit le temps d'utilisation. Et les mêmes conditions s'appliquent si vous passez par la ligne de téléphone pour accéder à Internet. À Montréal, sont considérés comme appels locaux les numéros qui débutent par 514 et 450, ce qui inclut l'île de Montréal et les banlieues nord et sud.

Vous avez plusieurs possibilités pour les appels internationaux. De nombreux arrivants prennent un abonnement chez une compagnie de téléphone interurbain qui offre d'intéressantes réductions pour la ligne résidentielle et utilisent aussi en plus pour les longues conversations les cartes d'appel vendues chez les dépanneurs et tout magasins de quartier. Nous vous suggérons les cartes téléphoniques Globo.

Les téléphones cellulaires

Les téléphones portables sont communément appelés « cellulaires » au Québec. La norme GSM ne fonctionne pas en Amérique du Nord, ainsi ne pensez même pas apporter votre portable d'Europe. Les téléphones achetés en Europe, même les bimodes ne fonctionnent pas sur le territoire québécois. Quatre grandes compagnies (Fido, Bell-mobilité, Telus et Rogers) se divisent le marché de la téléphonie et proposent des téléphones avec des forfaits, allant des abonnements à la carte au service illimité en passant par une couverture analogique ou numérique. En général, le service de base pour 200 minutes par mois coûte autour de 25 $ CAN.

TÉLÉPHONE, INTERNET : OÙ SE RENSEIGNER ?

- **Att Canada** ➤ www.attcanada.ca/fr
- **Fido** ➤ www.fido.ca
- **Bell Canada** ➤ www.bell.ca (téléphone fixe, cellulaire, Internet [Vidéotron], satellite)
- **ColbaNet** ➤ www.colba.net
- **Génération Net** ➤ www.generation.net
- **Globetrotter** ➤ www.globetrotter.net
- **Look** ➤ www.look.ca (satellite télé et Internet)
- **Inter.net** ➤ www.ca.inter.net
- **Rogers** ➤ www.rogers.com/francais
- **Telus** ➤ www.telusmobilite.com
- **Starchoice** ➤ www.starchoice.com
- **Sprint Canada** ➤ www.sprint.ca (téléphonie et Internet)
- **Vidéotron** ➤ www.videotron.ca (câble télé et Internet)

Il est aussi possible d'acheter des téléphones cellulaires qui fonctionnent à la carte. Ainsi vous achetez d'avance votre consommation, ceci permet de gérer son budget et de faire des économies. Sachez qu'en Amérique du Nord, l'utilisateur du téléphone paie pour les communications dans les deux sens, lorsqu'il reçoit aussi bien que lorsqu'il émet. En revanche, celui qui compose d'un téléphone fixe un numéro de cellulaire ne paiera aucun frais supplémentaire.

LE BRANCHEMENT AU CÂBLE TÉLÉVISION ET INTERNET

De nombreux Québécois sont branchés au câble télé. Chez Vidéotron qui est un des principaux fournisseurs de service, il est possible de capter

LES CYBERCAFÉS AU QUÉBEC

À Montréal
- CyberGround NetCafé, 3672, bd Saint-Laurent ☎ 1-514-842-1726
  ➤ www.cyberground.com
- Cafe Cybermac, 1425, rue Mackay ☎ 1-514-287-9100.
- Café Jeunesse, 330, rue Émery ☎ 1-514-762-4449 (accès gratuit).
- Café Planète, 163, av. Mont-Royal Ouest ☎ 1-514-844-2233.
- Internet connection, 1835, av. Mont-Royal Est ☎ 1-514-525-5999.
- L'Original international, 4473, rue Saint-Denis ☎ 1-514-842-2790.
- Le Point Vert, 4040, rue Saint-Laurent ☎ 1-514-982-9195.

À Québec
- Bar L'étrange, 275, Saint-Jean, Québec, Québec, G1R 1N8
  ☎ 1-418-522-6504 ➤ www.etrange.qc.ca
- Dream Cité, 2323, rue Galvani, Sainte-Foy, Québec, G1N 4G3
  ☎ 1-418-686-0606 ➤ www.dreamcite.com
- Tribune Café, 950, Saint-Jean, Québec,Québec, G1R 1R5
  ☎ 1-418-694-0051

TV5 et d'autres chaînes européennes comme EuroNews, Paris Première, Planète. Vous pouvez aussi capter la télévision par satellite chez Look, Starchoice et Bell Express Vu.

Pour le branchement à Internet, de nombreuses compagnies offrent la connexion par modem téléphonique tels Globetrotter et Génération Net. Pour plus d'une vingtaine de dollars par mois, vous pouvez avoir un accès illimité au réseau. Pour l'accès au haut débit (l'équivalent de l'ADSL), vous avez plusieurs choix dont Sympatico et Vidéotron, qui sont les deux principaux concurrents. Vous pouvez aussi vous abonner à Internet par le câble avec des compagnies comme Look. Il est possible de recevoir Internet sans fil au Québec comme dans d'autres grandes villes américaines, il faut ouvrir un compte chez Ekkowireless, plusieurs points d'accès sont disponibles au Québec (quebec.sansfil.org).

OÙ TROUVER UN CYBERCAFÉ

Si vous ne comptez pas prendre tout de suite l'accès à Internet, sachez qu'il est possible de naviguer gratuitement dans plusieurs endroits. La navigation sur la Toile est gratuite dans le réseau des bibliothèques municipales pour les résidents (quelques dollars pour les non-résidents), dans certains bureaux de poste (limitée à 10 minutes) et les centres communautaires (pac.ic.gc.ca/francais/4000newqcurban.asp). Enfin, les cybercafés sont payants (entre 1 et 5 $ CAN de l'heure), certains sont ouverts 24 heures sur 24, sept jours par semaine.

Se déplacer au Canada

L'Amérique du Nord demeure le royaume de la voiture. Le prix peu élevé des véhicules (à l'achat comme en location) et de l'essence explique qu'elle reste le principal moyen de déplacement pour les courtes distances. Vous êtes au royaume de la grosse « américaine ». Si vous en êtes amateur, réjouissez-vous ! Mais pour voyager à travers tout le territoire canadien ou pour vous déplacer en centre-ville, il existe d'autres solutions.

SE DÉPLACER D'UNE PROVINCE À L'AUTRE

Même si le Canada est né en 1867 du besoin de relier par train les différentes régions du pays, le réseau d'aujourd'hui n'est pas aussi développé ou utilisé qu'en Europe. Aucun train à grande vitesse, TGV ou autres, ne parcours le territoire canadien. Via Rail, la principale compagnie de chemin de fer au Canada propose néanmoins plusieurs trajets. Si les billets sont souvent assez chers, vous trouverez cependant à leur bord un excellent service et une tranquillité assurée.

Vu l'immensité du territoire, les Canadiens choisissent plutôt l'avion pour les grandes distances et utilisent au Québec principalement les deux aéroports de la province de Dorval et Mirabel à Montréal et Jean-Lesage à Québec. Il existe aussi un réseau bien développé de compagnies d'autobus qui relie entre elles à des prix raisonnables les grandes et petites villes du pays. Le réseau autobus est beaucoup plus

DEUX SERVICES TÉLÉPHONIQUES PRÉCIEUX

LA SOCIÉTÉ DE TRANSPORT DE MONTRÉAL a mis en place Telbus et son centre de renseignements, une ligne d'aide au trajet. Telbus est un service téléphonique automatisé qui vous permet de connaître l'horaire exact de l'autobus qui passe à un arrêt. Chaque arrêt d'autobus a un numéro de téléphone distinct, il suffit de le composer pour connaître le prochain passage de l'autobus, ce qui constitue un service très pratique, surtout en hiver.

L'AUTRE SERVICE est celui du centre de renseignement A-U-T-O-B-U-S (288-6287) qui vous permet de trouver le meilleur trajet entre deux points A et B. Ce numéro téléphonique est très pratique pour les nouveaux arrivants afin de s'orienter dans la ville et ne pas perdre de temps. N'hésitez pas à l'utiliser.

utilisé que celui des trains. Les principales compagnies d'autobus sont Orléans, Gray Line et Voyageur.

LES TRANSPORTS EN COMMUN AU QUÉBEC

Pour quelques dizaines de dollars par mois vous pouvez obtenir une carte de transport en commun dans plusieurs villes québécoises. La grande région de Montréal compte trois réseaux de transport en commun, celui de l'île de Montréal (société de transport de Montréal), du nord et du sud (Société de transport de la rive sud de Montréal et Société de transport de Laval). Le réseau de trains de banlieue (Agence métropolitaine de transport) de la région de Montréal est une solution de rechange de plus en plus utilisée pour conduire en

TROIS CONSEILS POUR ROULER TRANQUILLE

1. POUR ROULER ÉCONOMIQUE OU ÉCOLOGIQUE. Il existe des solutions alternatives et moins onéreuses pour circuler. L'organisme Communauto permet à ses membres de partager l'accès à une voiture. Et Allo-stop offre un bon service « sécuritaire » (sûr) de covoiturage entre la plupart des villes québécoises importantes.

2. ASSUREZ-VOUS. Pensez aussi à prendre une assurance automobile dès l'immatriculation de votre véhicule (voir page 241 les coordonnées de différentes compagnies d'assurances).

3. JAMAIS SANS SA PELLE. Si vous avez à faire de longs trajets pendant l'hiver, assurez-vous d'avoir toujours une pelle pour déneiger et une couverture chaude au cas où. Si une tempête se prépare, il est nécessaire de bien s'informer sur l'état des routes et sur les prévisions météorologiques.

toute sécurité les habitants des municipalités limitrophes vers le cœur de la ville. Montréal a son métro depuis 1967, l'année de l'exposition universelle dans la ville. Les horaires précis des autobus et trains sont disponibles dans les gares, à la station de métro Berri-Uqam ou encore sur les sites Internet de ces sociétés.

LOUER OU ACHETER UNE VOITURE

Dans une ville comme Montréal ou dans la Haute-Ville et la Basse-Ville à Québec, il n'est pas nécessaire d'avoir une voiture, surtout lorsque vous êtes au cœur de la ville, non loin d'un métro. Mais si vous comptez vous procurer un véhicule, vous avez le choix entre plusieurs marques américaines et japonaises, et aussi quelques concessionnaires

LES SITES SUR LE TRANSPORT

- **Aéroport de Québec** ➤ www.aeroportdequebec.com
- **Aéroports de Montréal** ➤ www.admtl.com
- **Agence métropolitaine de transport** ➤ www.amt.qc.ca
- **Autobus Orléans** ➤ www.orleansexpress.com
- **Autobus Gray line** ➤ www.grayline.ca
- **Autobus Voyageur** ➤ www.voyageur.com
- **Avis** ➤ www.avis.com
- **Budget** ➤ www.budget.ca/
- **Covoiturage Allo-Stop** ➤ www.allostop.ca
- **Communauto** ➤ www.communauto.com
- **Conditions des routes au Québec** ➤ hwww.mtq.gouv.qc.ca/etat_routes
- **Discount** ➤ www.discountcar.qc.ca
- **Hertz** ➤ www.hertz.com
- **Société de transport de Montréal** ➤ www.stcum.qc.ca
- **Société de transport de la rive sud de Montréal** ➤ www.strsm.qc.ca
- **Société de transport de Laval** ➤ www.stl.laval.qc.ca
- **Réseau de transport de la capitale** ➤ www.stcuq.qc.ca
- **Thrifty** ➤ cf.thrifty.com
- **Traversiers du Québec** ➤ www.traversiers.gouv.qc.ca
- **Via Rail** ➤ www.viarail.ca
- **Via Route : www.viaroute.com**

européens (principalement à Montréal). De nombreux garages vendent des voitures d'occasion, il est évidemment conseillé d'acheter avec prudence ce type de véhicule. Les voitures neuves peuvent s'acheter ou se louer à des taux d'intérêt très bas, autour de 0,9 % pour les marques américaines.

La LOCATION, UNE SOLUTION PRATIQUE

La location à long terme est une option très répandue en Amérique du Nord. Elle permet au client d'avoir constamment une voiture neuve et d'en changer tous les deux ans. Vous versez une somme initiale et, en fonction de celle-ci, des mensualités qui se rapprochent beaucoup du coût d'achat. Habituellement, le contrat de base comprend environ 20 000 à 25 000 kilomètres par an. Il est possible de « briser » votre contrat si vous voulez changer de voiture, mais à condition de trouver une personne intéressée par votre véhicule. Informez-vous sur cette possibilité car elle vous permet d'avoir une voiture fiable : un facteur important dans un pays si marqué par son climat.

La location à court terme de voiture est beaucoup plus abordable qu'en Europe. Vous pouvez réserver, *via* Internet ou par téléphone, une voiture qui vous attendra lors de votre arrivée à l'aéroport. Voici quelques noms de compagnies de location de voiture : Avis, Budget, Discount, Hertz, Thrifty, Via Route.

NE VOUS GAREZ PAS N'IMPORTE OÙ

Si vous habitez un quartier très peuplé, vous songerez peut-être à vous procurer une vignette de stationnement : adressez-vous à votre ville pour ces autocollants qui pour environ 35 $ CAN par an vous permettent de bénéficier de quelques places réservées. Les inspecteurs ne plaisantent pas si vous avez garé votre voiture au mauvais endroit, dépassé la limite de temps payé au parcmètre ou si vous avez laissé votre véhicule dans un espace réservé aux handicapés. En Amérique du Nord, c'est la tolérance zéro sur ces sujets.

Vos finances au Québec

Pour apporter de l'argent de votre pays d'origine au Québec, s'il s'agit de petites coupures pour la vie de tous les jours au début, il est conseillé de passer à un bureau de change avant votre départ et de retirer quelques billets en dollars canadiens. Ensuite, pour de plus gros montants, apportez des chèques de voyage comme les chèques American Express que vous pourrez facilement échanger dans un bureau du centre-ville de Montréal et ainsi avoir rapidement de l'argent liquide. Pour les plus grosses sommes, vous pouvez songer à un transfert de banque à banque dès que vous aurez ouvert un compte au Québec. Il faut alors compter quelques semaines avant de pouvoir toucher son argent. En cas de gros problème urgent, vous pouvez toujours passer par des guichets internationaux de transfert d'argent comme Western Union, dont plusieurs agences sont installées au Québec, principalement à Montréal.

OUVRIR UN COMPTE BANCAIRE

Lors de l'ouverture de votre compte, il faut présenter votre certificat de sélection ou d'acceptation du Québec (CSQ, CAQ ou tout autre document certifiant le cadre officiel de votre installation) et une copie de votre bail. Le NAS (numéro d'assurance sociale) n'est pas obligatoire pour ouvrir un compte, mais de nombreuses banques le demandent. Sachez que certaines banques sont réticentes à ouvrir un compte bancaire à un immigrant, à cause des problèmes de blanchiment d'argent.

Les guichetiers vous poseront quelques questions afin d'éclaircir la situation. Le réseau des Caisses populaires Desjardins est assez ouvert aux besoins des nouveaux arrivants et facilite l'ouverture d'un compte : il n'exige pas de NAS et ne demande que deux justificatifs. Il faut au préalable prendre un rendez-vous pour l'ouverture d'un compte. C'est Desjardins qui a le plus de succursales au Québec, mais il n'en existe aucune à l'extérieur de la province. Il est pratiquement impossible d'ouvrir un compte bancaire à partir de l'étranger à moins d'être fortuné. Il faut donc être sur place pour faire ces démarches.

LA CARTE INTERAC

Il est important de bien choisir sa banque car les tarifs des transactions, chèques et autres services peuvent varier grandement d'un établissement à l'autre. Afin de limiter les frais de transactions et d'opérations diverses sur votre compte *via* votre carte de débit (Interac) ou les chèques, il est possible de prendre des forfaits mensuels.

Lors de l'ouverture de votre compte, vous pouvez avoir accès à une carte Interac directement reliée à votre compte bancaire (les retraits s'effectuent en temps réel), accompagnée d'un code confidentiel, appelé NIP (numéro d'identification personnel). Avec cette carte, il est impossible d'avoir un crédit, vous ne pouvez dépenser que ce que vous avez déjà sur votre compte en banque.

Cette carte n'induit pas de frais d'utilisation mensuelle, mais les transactions sont payantes si vous effectuez des opérations ailleurs qu'au guichet automatique (c'est-à-dire le distributeur de billets en France) des succursales de votre banque. Le réseau Interac (www.interac.org) est solidement implanté partout en Amérique du Nord : lorsque vous ferez vos courses, vous pourrez facilement payer par carte de crédit ou avec la carte Interac.

CARTE INTERAC : DES CONSEILS POUR BIEN L'UTILISER

ÉVITEZ LES GUICHETS AUTOMA-TIQUES « ATM » qui sont surtout installés dans les petites épiceries (dépanneurs) et restaurants, il s'agit d'une compagnie privée dont les tarifs de transactions sont exorbitants.

LORS D'UN PAIEMENT PAR CARTE de débit chez le commerçant, vous pouvez en profiter pour retirer de l'argent, directement à la caisse, ceci sans même passer à la banque ou par un guichet.

LES CARNETS DE CHÈQUE

Si vous voulez ouvrir un compte-chèques, il est important de le préciser lors de l'ouverture d'un compte. Les carnets de chèque sont payants, et chaque chèque l'est aussi. En fait le paiement par chèque n'est pas très répandu au Québec, ni d'ailleurs au Canada : peu de commerçants acceptent ce type de paiement. Les Québécois utilisent principalement le chéquier pour payer le loyer, le téléphone et l'électricité. Une fois installé, vous pourrez même facilement payer ces factures *via* Internet, une pratique de plus en plus répandue en Amérique du Nord. Il faut savoir que les services de consultation et de paiement de compte par Internet sont gratuits. Les transactions se font en temps réel.

OBTENIR SA PREMIÈRE CARTE DE CRÉDIT

La première carte de crédit n'est pas facile à obtenir, parce que le nouvel arrivant n'a pas d'historique de crédit au Canada. Renseignez-vous auprès de l'entreprise où vous êtes embauché au Québec, certaines

LES PRINCIPALES BANQUES DU CANADA

- Banque canadienne impériale de commerce (CIBC) ➤ www.cibc.com
- Banque de Montréal ➤ www.bmo.ca
- Banque Hong Kong du Canada ➤ www.hsbc.ca
- Banque laurentienne ➤ www.banquelaurentienne.com
- Banque nationale du Canada ➤ www.bnc.ca
- Banque royale ➤ www.banqueroyale.com
- Banque Scotia ➤ www.scotiabank.ca
- Banque Toronto-Dominion ➤ www.tdcanadatrust.com
- MBanx ➤ www.mbanx.com (Canada et États-Unis, la première banque uniquement virtuelle et sécurisée)
- Mouvement des caisses Desjardins ➤ www.desjardins.com

ont des programmes de cartes de crédit pour leurs employés. Votre banque pourra également vous en proposer, mais à condition d'évaluer votre crédit. Les principales cartes sont les suivantes : Visa, Mastercard et American Express.

L'utilisation des cartes de crédit est très répandue au Québec. Contrairement à l'usage en Europe comme en France, les cartes nord-américaines ne sont pas affiliées à votre compte bancaire mais à un compte de crédit qui émane d'un autre organisme. En fait, le détenteur d'une carte Visa ou Mastercard reçoit chaque mois un relevé de son compte et la date d'échéance du paiement. Vous n'avez aucune obligation de payer la totalité, mais un montant minimum doit être réglé chaque mois. La somme due s'accompagne de taux d'intérêt mensuels assez élevés tant que la somme n'est pas entièrement remboursée. Ces taux d'intérêt varient autour de 15 %. Il est important de choisir sa carte de crédit car les taux d'intérêt, les

COMME OBTENIR PLUS RAPIDEMENT SA CARTE DE CRÉDIT

AFIN DE CONTOURNER le problème de l'historique de crédit au Canada, un bon truc est d'adhérer, avant de partir de la France, à la carte American Express. Une fois installé, vous demandez un transfert de votre carte au Canada. Les autres cartes, Visa ou Mastercard, que vous détenez dans votre pays d'origine ne sont pas transférables d'un pays à l'autre.

modalités de paiement, les plafonds d'autorisation et les frais annuels peuvent varier énormément d'une carte à une autre et d'une institution à une autre.

Un vaste choix est proposé par les institutions financières, mais il faut savoir que de nombreuses cartes de crédit ne comportent aucun frais annuel d'utilisation. Dès que vous aurez une première carte et un début d'historique de crédit, vous verrez que vous recevrez de nombreuses autres offres de carte de crédit. Pour comparer les différents coûts des cartes de crédit, rendez-vous sur le site infoconsommation.ca, et choisissez la rubrique « Argent ».

UNE VIE À CRÉDIT...

De nombreux magasins offrent des cartes de crédit afin de fidéliser leur clientèle. Ainsi, vous pourriez rapidement vous retrouver avec une importante quantité de cartes de crédit dans votre portefeuille, allant du magasin La Baie à Canadian Tire en passant par Zellers et Future Shop. Attention, ces cartes sont toujours de réelles cartes de crédit et non des cartes de débit comme en France. Comme pour les cartes de crédit traditionnelles, vous avez un mois pour payer la facture sans intérêt. L'obtention de ces cartes est soumise aux mêmes règles que les autres cartes de crédit, le magasin devra faire une enquête avant de vous donner une carte. Habituellement, dès que vous avez une carte de crédit, vous avez accès à toutes les cartes des banques et des grandes surfaces.

Vous comprendrez rapidement que le monde de la consommation en Amérique du Nord est basé sur le crédit. Ces cartes en plastique donnent en effet rapidement accès à des milliers de dollars. Vous pouvez toujours remettre à plus tard le paiement de vos cartes, mais soyez conscient que les intérêts s'accumulent de mois en mois si vous ne payez pas. Certains consommateurs en viennent parfois à payer plusieurs fois un article tant ils tardent à régler leurs comptes. Bienvenue au monde du crédit !

REMPLIR SES DÉCLARATIONS D'IMPÔTS

Les contribuables québécois sont soumis à une double imposition, fédérale et provinciale, donc il faut remplir annuellement deux déclarations d'impôts. Dès que vous devenez résident du Québec, vous êtes assujetti aux impôts.

Pour les salariés, l'employeur déduit les impôts à la source. En février, vous recevez un T4 qui indique votre revenu de l'année écoulée et récapitule les montants retenus sur votre paie. La déduction à la source facilite votre budget, car vous devenez plus conscient du revenu dont vous disposez. Vous devrez avoir rempli et remis votre déclaration d'impôt avant le 30 avril de chaque année.

Le taux d'imposition est basé sur le revenu d'une façon progressive, ainsi sa part augmente selon vos revenus.

Où trouver les formulaires ?

Pour obtenir les formulaires, il faut s'adresser à la fois à Revenu Canada, demander la « La trousse générale d'impôts et de prestations » et à Revenu Québec. Vous pouvez obtenir ces formulaires *via* Internet ou encore en téléphonant aux numéros indiqués ci-après.

Vous pouvez également remplir en ligne votre déclaration d'impôt *via* le site Internet du gouvernement. En 2002, 27 % des Québécois ont rempli leur déclaration d'impôt fédéral par voie électronique. Si vous optez pour la déclaration d'impôts par le biais du net, vous pouvez toucher un remboursement d'impôts quatre fois plus rapidement que si vous passez par la méthode traditionnelle. Il n'est pas rare en effet de recevoir un remboursement représentant le surplus d'impôts payés. C'est généralement parce que votre employeur a retenu un montant trop important à la source.

Un logiciel pour remplir sa déclaration

La première année, il faudra calculer vos impôts à partir du moment où vous vous êtes installé au Québec, sans oublier les revenus obtenus de l'étranger.

Pour remplir votre déclaration, vous pouvez utiliser les services d'un comptable, d'une société spécialisée telle que H&R Block ou avoir recours à un logiciel d'impôt certifié comme Impôt Rapide (www.intuit.com/canada/impotrapide) et Impôtweb (www.impotweb.ca).

Pour plus d'informations sur ces logiciels, rendez-vous sur le site d'Impôtnet (www.impotnet.gc.ca). Les logiciels reviennent bien moins chers que les spécialistes en chair et en os. Le logiciel Impôt

IMPÔTS : OÙ SE RENSEIGNER ?

REVENU QUÉBEC ➤ www.revenu.gouv.qc.ca ☎ 1-866-440-2500 (numéro sans frais au Québec).

À Montréal

● Complexe Desjardins, CP 3000, succursale Desjardins, Montréal (Québec), H5B 1A4 ☎ 1-514-873-2600, 8 h 30 à 16 h 30 sauf mercredi dès 10 heures.

À Québec

● Bureau local, 200, rue Dorchester, Québec (Québec), G1K 5Z1 ☎ 1-418-659-6299, 8 h 30 à 16 h 30, sauf mercredi dès 10 heures.

● Revenu Canada ➤ www.ccra-adrc.gc.ca ☎ 1-800-959-3376 (numéro sans frais au Québec), pour les formulaires et publications ☎ 1-800-959-7383 (numéro sans frais au Québec), pour les renseignements sur l'impôt des particuliers.

SI VOUS VOULEZ VOUS RENDRE SUR PLACE

À Montréal

● 305, boulevard René-Lévesque Ouest, Montréal, Québec, H2Z 1A6 ☎ 1-514-283-6715. Renseignements sur les remboursements d'impôt et crédit pour la taxe sur les produits et services.

À Québec

● 165 de la Pointe-aux-Lièvres Sud, Québec, Québec G1K 7L3, fax 1-418-649-6478.

● Adresse où envoyer votre déclaration fiscale canadienne (si vous ne passez pas par Internet) : Centre fiscal de Shawinigan-Sud, 4695, 12ᵉ avenue Shawinigan Sud, Québec, G9N 7S6.

Rapide coûte 19,95 $ CAN pour une déclaration unique et 24,95 $ pour une déclaration conjointe. Impôtweb pour sa part revient à 12,95 $ pour une déclaration simple et 19,95 $ pour une déclaration familiale.

Assurez-vous avant de choisir un logiciel qu'il est bien certifié à 100 % par les gouvernements. Attendez de recevoir tous vos relevés avant d'envoyer votre déclaration finale et gardez tous vos reçus en cas de vérifications du fisc. Sauvegardez toujours votre déclaration *via* les logiciels en .tax et non en .doc comme avec le logiciel de traitement de texte Word.

ÉVALUEZ VOTRE TAUX D'IMPOSITION

Voici un tableau de l'association Objectif Québec (www.objectifquebec.org) pour évaluer le taux d'imposition selon le revenu.

VOTRE TAUX D'IMPOSITION

LE TABLEAU vous permet d'évaluer le montant de vos impôts à payer et la répartition entre l'impôt fédéral et provincial.

Salaire annuel brut ($)	Salaire mensuel ($)	Impôt mensuel brut ($)	Impôt provincial ($)	Taux fédéral (%)	Net imposition ($)
20 000	1 666,67	2 225,76	2 351,40	22,88	1 285,23
25 000	2 083,33	3 324,72	2 969,40	25,17	1 558,82
30 000	2 500,00	4 464,48	3 616,80	26,93	1 826,56
35 000	2 913,67	5 659,56	4 396,80	28,73	2 078,63
40 000	3 333,33	6 908,20	5 259,60	30,41	2 319,35
45 000	3 750,00	7 868,20	6 159,00	31,17	2 581,06
50 000	4 166,67	8 828,20	7 047,60	31,75	2 843,68
55 000	4 583,33	9 951,16	7 964,40	32,57	3 090,37
60 000	5 000,00	11 160,76	8 881,80	33,40	3 329,78
65 000	5 416,67	12 312,76	9 844,20	34,08	3 570,25
70 000	5 833,33	13 464,76	10 927,80	34,84	3 800,62
75 000	6 250,00	14 847,16	12 147,00	35,99	4 000,48
80 000	6 666,67	15 999,16	13 130,60	36,53	4 230,85

LES TAXES FÉDÉRALE, PROVINCIALE ET AUTRES

Presque tous les produits et services vendus ou fournis au Québec, comme dans le reste du Canada, sont assujettis à la taxe fédérale sur les produits et services (communément appelée TPS) dont le taux est de 7 %. Certains produits et services sont exemptés de cette taxe : les produits alimentaires de base comme le lait et le pain, les produits pharmaceutiques, les matériels et services de soin, les loyers résidentiels. Sur le modèle de la TPS fédérale, le gouvernement du Québec a instauré en 1992 la taxe de vente au Québec (TVQ) de 7,5 %.

Cette taxe à la consommation est calculée selon le prix de détail de la plupart des biens et de certains services. Il existe également des exceptions comme les produits alimentaires et les vêtements pour enfants. Il faut donc calculer au total une taxe de 15 % sur la plupart des produits et services au Québec. Les prix affichés chez les commerçants n'incluent jamais les taxes mais elles sont ajoutées sur la facture.

N'oubliez pas de laisser un pourboire (appelé communément « tips ») pour des services comme dans les bars, les restaurants ou les taxis, où il n'est pas compris. Il faut compter environ 15 % de la somme avant taxes, donc habituellement le même montant que les taxes.

LES IMPÔTS FONCIERS ET SCOLAIRES

Les résidents du Québec doivent également payer des impôts fonciers et scolaires. La première taxe est déterminée par votre municipalité, basée sur le prix du marché de votre propriété ou bien immobilier. La nouvelle ville de Montréal qui a vu le jour le 1er janvier 2002 avait,

NON-RÉSIDENTS : TAXES REMBOURSABLES

SI VOUS N'ÊTES PAS RÉSIDENT au Canada, vous pouvez réclamer le remboursement des taxes sur certains produits (www.ccra-adrc.gc.ca/tax/nonresidents/visitors/menu-f.html).

Lorsque vous quitterez le Canada, vous devrez alors présenter les produits que vous avez achetés et faire valider leurs reçus originaux par un douanier canadien.

entre autres, pour but d'harmoniser toutes les taxes municipales des anciennes municipalités de l'île. Il en va de même pour les autres agglomérations qui ont dû se regrouper ailleurs au Québec. La deuxième taxe, la taxe scolaire, est déterminée selon la commission scolaire de votre lieu de résidence.

LA RETRAITE AU QUÉBEC

Au Québec, le salarié cotise une part salariale d'environ 5 % à son régime de retraite. La retraite de base du gouvernement fédéral à 65 ans est très minime. Si vous travaillez pour une grande entreprise, il est possible d'avoir un plan de pension intéressant.

La plupart des Québécois cotisent à des REER (Revenu d'épargne enregistré de retraite), déductibles du revenu imposable et disponibles dans la plupart des banques et institutions québécoises.

Pour en savoir plus sur les retraites, rendez-vous sur le site de la Régie des rentes du Québec (www.rrq.gouv.qc.ca). En cas de décès, le conjoint survivant peut toucher la moitié de la rente du conjoint décédé. C'est aussi le cas pour les couples de même sexe.

ENTENTE FRANCO-QUÉBÉCOISE : OÙ SE RENSEIGNER ?

POUR EN SAVOIR PLUS SUR CETTE ENTENTE, vous pouvez contacter les organismes suivants :

- Bureau des ententes de sécurité sociale, 1055, bd René-Lévesque-Est, 13ᵉ étage, Montréal, H2L 4S5 ☎ 1-514-866-7332 ou 1-800-565-7878 (ailleurs au Québec).
- Centre d'information et de coordination de l'action sociale (CICAS), section des résidents hors de France, 230, rue du Faubourg-Saint-Honoré, 75008 Paris ☎ 01.49.53.09.83.
- CRE-IRCAFEX, délégation internationale, 4, rue du Colonel-Driant, 75040 Paris cedex 01 ☎ 01.44.89.44.44.

L'ACCORD ENTRE LA FRANCE ET LE QUÉBEC

Le Québec a signé avec de nombreux pays des ententes de sécurité sociale, celle avec la France est en vigueur depuis 1981. Grâce à celle-ci, les résidents du Québec peuvent percevoir les pensions qui leur reviennent, s'ils ont cotisé au moins un trimestre en France. Le conjoint est aussi éligible à cette retraite. Dans le cas contraire, si vous décidez de revenir en France après quelques années passées au Québec, vous pourrez également toucher les pensions du Québec auxquelles vous avez droit.

S'installer avec des enfants

S'installer avec des enfants se révèle plus complexe que d'immigrer en célibataire : le stress est plus grand pour un tel bouleversement. Il est conseillé d'envoyer un membre du clan en éclaireur afin de préparer l'arrivée de toute la famille. Cela permet de visiter en toute tranquillité les différents quartiers, de comparer les avantages offerts par chacun et de repérer les écoles. L'adaptation des enfants ? Cette question pose généralement plus de soucis aux parents qu'aux enfants, qui s'intègrent plus rapidement au groupe.

LE SYSTÈME ÉDUCATIF AU QUÉBEC

François, ingénieur logiciel, vit à Montréal depuis plus de dix ans et a ses deux filles à l'école québécoise. « Elle met tout le monde au diapason. L'école au Québec accueille l'enfant avec ses qualités propres, sa personnalité, son éveil, son envie de participer. » Pour sa part, Jean Bourrette est arrivé de Montpellier avec sa femme et ses deux filles de 9 et 13 ans en avril 2000. « Au début, pour finir l'année scolaire, elles sont allées à l'école Stanislas qui suit le cursus français, affirme-t-il. Mais l'objectif était de les mettre ensuite dans le secteur public afin de favoriser leur intégration. Aujourd'hui, elles sont à Oka et Saint-Placide et ça marche comme sur des roulettes. Le travail scolaire est plus réalisé en équipe et moins individuel. L'aînée s'implique aussi au comité d'Amnesty International de son école. Au bout de deux ans, elles sont devenues de réelles petites québécoises ! »

De la maternelle au secondaire

Au Québec, l'enfant entre en maternelle à l'âge de 5 ans. Puis, à 6 ans, il entame sa première année de l'école primaire. Celle-ci accueille les enfants entre 6 ans et 12 ans, jusqu'à la sixième année scolaire. Les années d'école sont comptées de un à six à partir de la première année. Prisca a aussi inscrit ses deux enfants à l'école québécoise dès son arrivée en 2002. Son fils, Aurélien, vient d'entrer en première année au primaire « Il fait énormément de choses, a de nombreuses activités, constate-t-elle. Le système est très bon pour le développement de l'enfant. Ils ont beaucoup de devoirs, c'est impressionnant. Il est super content d'être à l'école, il a des activités parascolaires comme les échecs et faire du patin à glace. Ça se passe bien ! »

Ensuite, à 12 ans, l'enfant passe du primaire au secondaire, où il fait cinq années d'études. Au Québec, l'école est obligatoire jusqu'à l'âge de 16 ans.

Le supérieur

L'enseignement supérieur comprend les études aux CEGEP et à l'université. Après le secondaire, fait spécifique au Québec, les adolescents passent au CEGEP (Collège d'étude général et professionnel) où, pendant deux ans, ils se spécialisent dans un domaine des sciences sociales ou scientifiques et où ils obtiennent un DEC, un diplôme d'études collégiales. Cet enseignement peut durer trois ans si l'étudiant choisit un programme technique qui aboutit directement sur le marché du travail.

Après le CEGEP, l'étudiant peut entrer à l'université pour compléter un premier cycle de 90 crédits, qu'on appelle en Amérique du Nord le diplôme de baccalauréat (à ne pas confondre avec le bac français). Ces

LES ÉTUDES EN FRANCE ET AU QUÉBEC

CE TABLEAU RÉCAPITULE les deux systèmes d'études en France et au Québec. Le système français qui a prévalu jusqu'ici est en cours de réforme. Dans le cadre de l'harmonisation des diplômes européens, trois grades ont été créés pour faciliter la reconnaissance des diplômes à l'intérieur de l'espace européen. Après le baccalauréat, les études supérieures se découpent désormais en trois niveaux : la licence, en trois ans, le master (professionnel ou recherche), en deux ans, et le doctorat en trois ans.

Les études en France	Les études au Québec
Doctorat	Doctorat
Master recherche ou master professionnel (système avant la réforme : maîtrise en un an, puis DEA ou DESS en un an)	Maîtrise
	Première année de maîtrise
Licence universitaire	Baccalauréat
DEUG	Majeur ou deuxième année universitaire
Terminale : baccalauréat	Deuxième année de CEGEP : DEC
Première	Première année de CEGEP
Seconde	Secondaire 5 (diplôme fin secondaire)
Troisième (brevet des collèges)	Secondaire 4
Quatrième	Secondaire 3
Cinquième	Secondaire 2
Sixième	Secondaire 1
CM2	Sixième année primaire
CMI	Cinquième année primaire
CE2	Quatrième année primaire
CE1	Troisième année primaire
CP	Deuxième année primaire
Maternelle	Première année primaire

études de premier cycle durent trois années, ou exceptionnellement quatre ans comme les études en médecine ou d'ingénieur.

LES COMMISSIONS SCOLAIRES

Les écoles primaires et secondaires entièrement financées par le gouvernement québécois sont des écoles publiques chapeautées par les commissions scolaires. Dans ce système, vous ne pouvez envoyer votre enfant que dans votre région (qui regroupe plusieurs villes).

Afin d'inscrire les enfants à l'école publique gratuite, téléphonez à la Commission scolaire de votre région. La plus importante commission scolaire du Québec est celle de Montréal qui a porté pendant plus de 150 ans, jusqu'en 1998, le nom de « Commission des écoles catholiques de Montréal ». Depuis, les commissions scolaires du Québec sont divisées selon la langue et non plus selon la confession.

Si vous avez les moyens financiers, vous pouvez aussi profiter du réseau d'écoles privées du Québec qui offre des cursus fort intéressants. Les écoles qui proposent celui de l'éducation nationale française comme Marie-de-France et le Collège Stanislas dans le quartier Outremount de Montréal sont des écoles privées. Comptez autour de 2 000 $ CAN pour l'option de base par an et par enfant en primaire. Ajoutez tous les extra, achats de vêtements, etc. et la facture peut s'élever à près de 8 000 $ CAN pour deux enfants.

Selon les dispositions de la Loi 101 de la province passée en 1977, tous les jeunes résidents dont le père ou la mère n'a pas reçu un enseignement primaire en anglais au Québec, doivent fréquenter le secteur d'enseignement de langue française. Cette loi a été instaurée afin d'intégrer les immigrants de tous les pays à la majorité francophone du Québec.

La garde des petits

Si vous avez des enfants à faire garder, vous avez le choix, au Québec, entre des garderies ou des nourrices. Attention, le terme « crèche » au Québec est plus utilisé en lien avec les fêtes de Noël ou comme synonyme d'orphelinat...

Les CPE (centres de la petite enfance), subventionnés par le gouvernement québécois, accueillent des enfants âgés de trois mois à l'entrée en maternelle pour 5 $ par jour et par enfant. Mais, comme en France, obtenir une place dans une garderie est difficile : de nombreux parents doivent attendre un an et demi ou plus avant de pouvoir profiter de ces services. Ainsi le meilleur conseil à donner est d'inscrire dès que possible, avant même votre installation définitive, vos enfants sur les listes d'attente des garderies. Vous pouvez inscrire vos enfants à plusieurs endroits à la fois en laissant le numéro de téléphone d'une connaissance à Montréal.

Vous pouvez obtenir *Le Répertoire des services de garde* en consultant le site Internet du ministère québécois de la Famille et de l'Enfant (www.mfe.gouv.qc.ca). Le site Petit monde (www.petitmonde.qc.ca) est une bonne source d'informations et d'aide pour le monde de l'enfance.

LES CONGÉS PARENTAUX AU QUÉBEC

GRÂCE AUX DISPOSITIONS DE LA LOI au Québec, les parents d'un nouveau-né peuvent obtenir un congé parental d'un an. Selon la loi sur les normes du travail au Québec, le père ou la mère d'un nouveau-né ont droit à un congé parental sans salaire d'une durée maximale de 52 semaines continues. Ce congé ne peut commencer avant le jour de la naissance et doit se terminer au plus tard 70 semaines après. En effet, il existe un congé de maternité de 18 semaines pour les mères salariées du Québec qui s'ajoute au congé parental. Ce qui permet à la future maman de prendre un congé avant la date d'accouchement et de profiter, si c'est elle qui prend le congé parental, de son année de congé par la suite. Le congé de maternité commence au début de la seizième semaine avant l'accouchement.

Il existe aussi des « prestations de maternité » pour les femmes enceintes qui doivent s'arrêter de travailler. Ces prestations sont versées uniquement à la mère naturelle du bébé. La future mère peut recevoir cette aide financière à partir de la huitième semaine avant la date prévue d'accouchement et ce pendant 15 semaines maximum. Pour y avoir droit, la femme enceinte doit interrompre son travail ou ses prestations ordinaires d'assurance-emploi pour cause de maternité et avoir accumulé au moins 600 heures d'emploi assurable l'année précédant sa demande.

En plus des prestations de maternité, les parents peuvent toucher des « prestations parentales » au moment choisi par eux pendant la première année qui suit la naissance de l'enfant. Ces prestations couvrent au plus 35 semaines et sont versées soit à la mère soit au père ou sont partagées entre les deux. Pour y avoir droit, un des parents doit interrompre son travail ou ses prestations ordinaires d'assurance-emploi pour s'occuper de l'enfant. Ce parent doit avoir accumulé 600 heures d'emploi assurable l'année précédant la demande et fournir une preuve de la naissance de l'enfant ou un certificat d'adoption.

La garde en milieu familial. Les tarifs varient d'un endroit à un autre, les enfants y sont admis de la naissance jusqu'à l'âge de 12 ans. La troisième option est offerte par les services privés où les tarifs peuvent encore plus variés allant de 12 $ CAN par jour à 28 $ CAN. Il est important de bien se renseigner au préalable sur les modalités de la garde, les activités, etc.

LES ALLOCATIONS FISCALES POUR LES ENFANTS

Comme le Canada a deux paliers de gouvernement, les Québécois touchent deux types d'allocations pour les enfants. Il s'agit de la PFCE (Prestation fiscale canadienne pour les enfants) et de l'allocation familiale du Québec.

La PFCE (prestation fiscale canadienne pour les enfants) dépend du gouvernement du Canada et est déterminée par le revenu familial, le nombre d'enfants et leur âge, leur situation familiale et la déduction pour frais de garde. Le montant de la prestation (non imposable) est versé mensuellement aux familles admissibles. L'admissibilité à cette prestation est réévaluée tous les ans selon la déclaration de revenus de l'année précédente.

L'allocation familiale du Québec couvre les besoins essentiels des enfants des familles à faible revenu. Pour y avoir droit, il faut déjà être inscrit à la prestation fiscale canadienne pour enfants. Le montant de l'allocation familiale du Québec varie selon la prestation canadienne, et aussi selon la situation conjugale, le nombre d'enfants de moins de 18 ans et le revenu global de toute la famille. Vous pouvez télécharger en ligne les formulaires de ces demandes de prestations (www.ccra-adrc.gc.ca/benefits/menu-f.html et www.formulaire.gouv.qc.ca).

Comment s'intégrer

N'oubliez jamais que votre adaptation au Québec peut commencer dès votre décision de partir. Ouvrez les yeux et les oreilles : dès que vous parlerez de votre projet autour de vous, vous allez certainement bénéficier de nouvelles perspectives. Vous découvrirez en effet que des personnes, dans votre entourage, connaissent des Québécois ou des gens récemment installés outre-Atlantique. Vous pourrez alors mettre en place un réseau précieux d'informateurs et de relais qui vous permettra de préparer au mieux votre séjour ou votre immigration. Car une bonne intégration ne se mesure pas seulement à la rapidité pour trouver du travail, mais à la qualité des liens sociaux et affectifs que vous développerez dans votre nouvel environnement.

Un état d'esprit

« Quand on arrive, il faut se mettre dans une position d'observateur. Observer certains codes sociaux et comportements, ce qui se fait, ce qui ne se fait pas, constate Fabien Lambelet qui travaille dans un organisme d'aide aux immigrants de la ville de Québec. Il faut bien sûr éviter de faire ce qui ne se fait pas, même si vous le faisiez en France. La société québécoise ne changera pas, c'est l'immigrant qui s'adapte, constate-t-il. Il faut ne pas partir avec plein de préjugés en considérant d'emblée par exemple que vous allez être traité de "maudit Français" par les Québécois. » Selon Fabien Lambelet, le nouvel arrivant doit être prêt à relever des défis. « Il faut bien se préparer. Beaucoup pensent

« MAUDIT FRANÇAIS «

LA CONDESCENDANCE, le dénigrement et l'ironie sont très mal vus en général par les Nord-Américains et en particulier par les Québécois, surtout dans leurs rapports avec les Français.

En effet, de nombreux Français, parfois de passage ou installés dans la Belle Province, ont laissé au fil des années une marque quelquefois indélébile (surtout dans les années 1960) et une impression qui se résume au concept du « maudit Français ». C'est-à-dire celui qui aime critiquer et remettre en question à haute voix tout ce qu'il a sous les yeux.

Les Québécois sont très allergiques à ce type de comportement et cette attitude les fera fuir très vite.

Êtes-vous un maudit Français ?
Évaluez vos chances d'être accepté par les Québécois.

Test 100 % GRATUIT
(Réservé à ceux qui ont de l'humour)

Recevez le résultat de votre test sur votre e-mail en allant sur le site :
www.immigrer.com/maudit.html

● **Question 1**
Au Québec, les Québécois ont-ils un accent ?
Évidemment. ❏
Nous avons tous un accent. ❏
Non, c'est moi puisque je suis en minorité. ❏

● **Question 2**
Qu'est-ce qui est le plus important pour vous ?
Être sympathique et aimé. ❏
Être cultivé et admiré. ❏
Être riche et occupé. ❏

● Question 3
Comment réagissez-vous en cas de conflit avec un collègue de travail ?

Vous abordez le sujet directement avec votre collègue. ❏

Vous allez en parler à votre supérieur. ❏

Vous en parlez à tous vos collègues de travail. ❏

● Question 4
Aujourd'hui, vous n'avez pas le moral, comment allez-vous agir au boulot ?

« Je suis comme je suis, si j'ai pas envie de sourire, je vais pas faire l'hypocrite. » ❏

« Je tente de dissimuler mon moral, je souris comme si de rien n'était. » ❏

« J'en parle à mon entourage. » ❏

● Question 5
Que faites-vous si un Québécois fait une erreur de français devant vous ?

Vous le reprenez et lui expliquez la règle. ❏

Vous faites comme si vous n'aviez pas entendu et continuez la conversation. ❏

Vous le faites répéter. ❏

● Question 6
Dans quelle circonstance imitez-vous l'accent québécois ?

Avec vos amis Français et immigrants. ❏

Au travail, avec des connaissances, à n'importe quel moment. ❏

Seul chez vous devant votre miroir. ❏

● Question 7
Dans quelle circonstance vous plaignez-vous ?

Quand les choses ne vont vraiment plus. ❏

Un peu tout le temps, pour faire sortir la pression. ❏

Pour entrer en contact avec les autres. ❏

● Question 8
Si quelqu'un vous fait répéter plusieurs fois la même chose ?

Vous le répétez en levant les yeux au ciel. ❏

Vous le répétez sans broncher. ❏

« Non, mais tu fais exprès ! » ❏

● **Question 9**
Comment agissez-vous en tant que patron au travail ?
Tout doit passer par votre approbation, vous accompagnez
chaque étape de vos employés. ☐
Vous demandez des comptes-rendus à vos employés
de temps en temps. ☐
Vos employés n'ont affaire à vous qu'en cas de problème
ou de réorientation. ☐

● **Question 10**
Le Québec c'est...
Une terre française en Amérique. ☐
Un coin d'Amérique en français. ☐
Une région francophone du Canada. ☐
Un DOM-TOM ☐

● **Question 11**
Lorsque vous parlez avec quelqu'un...
Vous aimez bien les phrases longues pour exprimer
pleinement votre pensée. ☐
Vous préférez les échanges spontanés. ☐

● **Question 12**
La bouffe au Québec ?
Vraiment pas bonne. ☐
Différente. ☐
Faut essayer. ☐

● **Question 13**
*Dans un bar, votre voisin, un non-fumeur, vous demande
d'envoyer votre fumée ailleurs, que faites-vous ?*
Vous lui faites remarquer que vous vous en fichez. ☐
Vous éteignez votre cigarette en pestant. ☐
Vous vous excusez en l'éteignant. ☐
Vous vous moquez de lui devant vos amis. ☐

● **Question 14**
Quels sont les prix que vous regardez le plus ?
Celui du téléphone. ☐
Celui d'une bonne bouteille de vin. ☐
Celui du fromage. ☐

Question 15
Avec des Québécois, vous aimez parler de la France
Jamais.   ☐
Parfois.   ☐
Souvent.   ☐
Tout le temps.   ☐

Question 16
Au Québec, vous allez trouver du travail parce que :
Vous êtes compétent en général.   ☐
Vous êtes Français.   ☐
Vous êtes Français et compétent.   ☐
Vous êtes compétent dans votre domaine.   ☐

Question 17
Le téléphone est une invention :
Allemande.   ☐
Russe.   ☐
Française.   ☐
Canadienne.   ☐
Des États-Unis.   ☐

Question 18
Un boulanger qui ne sait pas faire de baguette est :
Un escroc.   ☐
Un paresseux.   ☐
Un boulanger.   ☐
Un maniaco-dépressif.   ☐
Un incompétent.   ☐

Question 19
Comment appréhendez-vous l'avenir ?
Avec prudence.   ☐
Y'en n'a pas, selon vous.   ☐
Dès aujourd'hui, pourquoi attendre.   ☐
Pas si vite !   ☐

Question 20
Que pensez-vous de la hiérarchie ?
C'est une valeur du passé.   ☐
C'est nécessaire pour établir des distances.   ☐
C'est moche, mais il en faut.   ☐
Pourquoi pas..   ☐
C'est fait pour la contourner.   ☐

qu'après avoir été sélectionné par l'immigration, un emploi leur est dû, ce n'est pas le cas. Le visa est la partie facile de l'immigration ! »

OUVERTURE, HUMILITÉ

« Une démarche d'immigration c'est un projet de vie et un défi, affirme Yann Hairaud de l'Agence montréalaise pour l'emploi. On arrive dans un nouvel environnement et on doit s'efforcer de s'adapter », dit-il aux intéressés. Immigrant d'origine française lui aussi, Yann Hairaud s'est installé à Montréal il y a plus de dix ans. « Les Français ont tendance à se lancer tête baissée sans prendre garde aux différents états d'esprit et démarches. » Selon lui, il faut arriver dans de bonnes dispositions afin d'augmenter ses chances de réussite. « Il faut savoir que l'échec est possible. Cela peut venir du travail, mais cela dépend aussi de la capacité à s'adapter. Lorsqu'une personne remet tout en question systématiquement, tout sauf elle-même, c'est un facteur évident d'échec. »

François, ingénieur logiciel, vit au Québec depuis 1991 avec sa conjointe québécoise et ses deux filles. « Il ne faut pas avoir trop d'idées préconçues et une certaine dose d'humilité, après tout on n'est pas dans notre pays ! Il faut rester soi-même, mais avoir les oreilles plus grandes que la bouche. » Même son de cloche chez Jean Bourrette, chargé de relations publiques à Montréal, arrivé au Québec en 2000. « Un nouvel arrivant doit venir avec un esprit humble et non conquérant. Il ne faut pas tenter d'imposer le système français aux Québécois, mais plutôt s'adapter au Québec. »

COMPRENDRE LES RELATIONS FRANCO-QUÉBÉCOISES

Sandrine, arrivée en 2002, s'est bien préparée à son installation au Québec. « Il faut s'informer et se documenter, même si parfois c'est répétitif, affirme-t-elle. Il ne faut pas rester sur une impression positive ou négative. Il faut lire afin d'en apprendre beaucoup et d'avoir le plus de points de vue différents. Il est préférable de rester ouvert. »

Christophe Delestre, monteur pour la télé à Montréal, a été surpris par les rapports d'« amour-haine » des Québécois avec les Français. « Ce rapport passionnel entre les Québécois et les Français me gêne. Je suis français et on me le rappelle tous les jours. Je ne m'attendais pas à être aussi français au Québec. C'est normal pourtant, le rapport entre le Québec et la France est lié à l'histoire. » Mais selon François, il suffit de désamorcer cette situation. « Si on n'arrive pas avec un esprit arrogant, les *a priori* des Québécois n'existent pratiquement pas. » Pour Christelle Brun, installée depuis 1998 à Montréal, il faut suivre certaines règles pour s'intégrer. « Il ne faut pas être pédant en affirmant que la France est toujours meilleure, car c'est justement l'image qu'ont beaucoup de Québécois des Français. Il faut reconnaître ce constat et être ouvert aux choses différentes. »

▌L'AMITIÉ À LA QUÉBÉCOISE

« C'est long, comme partout !, affirme Peggy, 29 ans, qui a eu la chance de faire une année d'étude à Montréal avant son immigration. Des amis québécois masculins, j'en ai peu, constate-t-elle. Tout le monde veut se faire des amis à tout prix en arrivant. Mais si les gens sentent que vous êtes demandeur et parfois désespéré, vous faites peur ! avertit-elle. Ça ne marche pas. Il faut prendre son temps. »

NE CONFONDEZ PAS GENTILLESSE ET AMITIÉ

Le nouvel arrivant qui débarque autour de la trentaine se retrouve dans un monde où chacun a déjà constitué son cercle d'amis depuis longtemps. Il est demandeur et doit en être conscient afin de ne pas trop espérer de la gentillesse naturelle de la plupart des Québécois. Ne confondez pas attention avec amitié ! Se lier d'amitié prend du temps, il faut aller à la rencontre des autres, parfois créer des opportunités pour tisser des liens.

« Il ne faut pas se faire avoir par le copinage et le tutoiement au travail, pense Jean Bourrette, arrivé en 2000 à Montréal. Même avec votre patron, le tutoiement est utilisé mais cela ne veut pas dire pour autant qu'il s'agit d'amis, ce sont des collègues, un point c'est tout. » Pour Myriam Coppry, psychothérapeute à Montréal, « au travail, il faut être ouvert pour se lier avec des Québécois. Il faut les écouter, ils y sont très sensibles ».

Pour Éric Celton, preneur de son installé à Montréal depuis 1998, le travail reste un lieu pour se faire des amis. « Mais il faut être conscient qu'en Amérique du Nord, il y a une scission entre le pôle familial et le pôle travail. » Il constate que les Québécois ne se reçoivent pas aussi souvent à la maison autour de la table comme c'est le cas en France. « C'est souvent au restaurant et le restaurant, ça coûte des sous ! » note-t-il.

LIMITEZ LES RÉFÉRENCES À VOTRE PAYS D'ORIGINE

Vous constaterez que les Québécois sont curieux de votre pays d'origine et de votre installation, mais le défi est de sortir de cette première approche. Une fois le sujet abordé, ils se lassent rapidement d'une discussion qui s'éternise sur ce sujet. « Les comparaisons incessantes entre la France et le Québec fatiguent les Québécois. Quand on va au-delà de cette étape, on s'intègre !, clame Paul Bilger qui travaille en ingénierie chez Nortel. Si vous voulez vous lier avec vos nouveaux concitoyens, parlez-leur plutôt de leur quotidien et évitez de faire constamment référence à votre pays d'origine. Les débuts de phrase tels que "Nous, en France" ou "En France" sont à éviter, à moins que le contexte ne s'y prête. »

PARTICIPEZ À LA VIE CULTURELLE ET ASSOCIATIVE

En dehors du travail, il est toujours possible de lier des amitiés lors d'activités culturelles, sociales et autres. « Trouver des amis québécois, se fait en participant à des activités collectives, dit François qui vit depuis plus de dix ans avec son amie québécoise. Il faut aller dans un club sportif, prendre un cours pour rencontrer des gens. Ça peut prendre un an ou deux ans pour avoir des vrais amis. » Ainsi ne ratez pas une occasion de sortir et de célébrer entre collègues, connais-sances et autres. Courez les 5 à 7 (rien à voir avec les 5 à 7 à la fran-çaise...), ces temps de rencontres entre collègues après le travail, pour aller prendre une bière, les « partys » de bureau à Noël, les invitations au chalet la fin de semaine, les BBQ pendant la belle saison, etc. Puis, il y a aussi les activités bénévoles ou sportives pour faire des rencontres sans parler des nombreux lieux de rencontres et dans certains quar-tiers, le voisinage.

LE BÉNÉVOLAT : INSTITUTION VALORISÉE ET RECONNUE

Plus de 7 millions de Canadiens sont impliqués dans le bénévolat. Au Québec, 22 % de la population se dévouent dans des actions béné-voles. En 1997, les bénévoles québécois ont donné en moyenne 150 heures chacun, pour un total de 197 millions d'heures. Ces activi-tés peuvent être de tout ordre : organisation et supervision d'événe-ments culturels, sociaux ou économiques, poste au sein d'un conseil d'administration, d'une entreprise ou d'un organisme à but non lucratif, porte-à-porte pour récolter des fonds, prestation de soins et aides diverses auprès de populations démunies ou autres.

SE RENDRE UTILE EN TISSANT DE NOUVEAUX LIENS

Véritable tradition et institution en Amérique du Nord, le bénévolat est très répandu et valorisé. Il est de plus tout indiqué pour rencontrer de nouvelles personnes, acquérir un peu d'expérience dans un domaine méconnu ou encore ouvrir d'autres portes du marché du travail. De nombreux organismes et événements comptent sur les bénévoles pour réaliser de grands projets et mener à bien des campagnes de sensibilisation ou pour venir en aide à des plus démunis. Avez-vous un champ d'intérêt ou une cause qui vous tient à cœur ? Ces activités peuvent prendre toutes sortes de forme : participer à une radio communautaire, organiser un événement culturel, participer à une levée de fonds, devenir membre du comité exécutif de la garderie ou de l'école des enfants, donner de son temps pour des enfants handicapés, devenir membre d'un organisme environnemental, etc.

UNE EXPÉRIENCE RECONNUE

En plus d'y rencontrer des gens avec qui vous avez des points communs, ces activités vous permettent de développer des champs d'expérience et vous fournissent un apprentissage reconnu. S'il peut se le permettre, le nouvel arrivant trouvera dans le bénévolat un moyen idéal d'élargir le cercle de ses relations tout en découvrant la façon de faire locale, la culture du travail et son nouvel environnement. L'action bénévole est propice au développement de l'initiative, du leadership, du dynamisme et de la débrouillardise, des qualités tant recherchées par les employeurs québécois. Sachez que toutes ces activités bénévoles peuvent être inscrites dans votre *curriculum vitae*.

BÉNÉVOLAT : OÙ SE RENSEIGNER ?

- Centre d'action bénévole de Montréal, 235, rue Saint-Jacques
  ☎ 1-514-842-3351 ➤ cabm.cam.org
- Fédération des centres d'action bénévole du Québec, FCABQ
  ➤ www.fcabq.org
- Portail de l'action bénévole au Québec ➤ www.actionbenevole.qc.ca

LES SPORTS ET LOISIRS

L'Amérique du Nord vit sur un mode sportif. Vous remarquerez que les gens aiment arborer des vêtements confortables et sportifs même s'ils ne participent pas aux jeux Olympiques. Ainsi les magasins de sport se multiplient sur les grandes artères des villes québécoises. Sports Expert, La Cordée, L'Aventurier, Kanuk deviendront des enseignes familières au gré des saisons.

Même si tous les Québécois ne sont pas de grands sportifs, beaucoup adorent s'adonner aux sports pendant leurs années d'études et continuent pendant leur vie active. Le fait d'y participer à votre tour augmente vos chances de vous lier avec eux. Le sport préféré des Québécois, c'est évidemment le hockey, véritable football de glace local. Normal, le plus grand joueur de tous les temps, Maurice Richard, est Québécois ! Avec lui, véritable héros national au Québec, l'équipe des Canadiens de Montréal a conquis de nombreuses coupes Stanley au lendemain de la Seconde Guerre mondiale. Ainsi, dès leur tout jeune âge, de nombreux enfants usent leurs patins le samedi et le dimanche sur les patinoires et dans les arénas de quartier. Pendant les grands froids, raquette, luge et motoneige sont toutes indiquées pour jouir de la neige. Les sports d'hiver sont certainement la meilleure façon de profiter de la saison.

Mais en dehors de ce sport adapté au pays, on peut pratiquer au Québec tous les sports possibles, de la motoneige au roller, en passant par le baseball et le vélo, jusqu'au football et au squash. Peggy, elle, pratique toutes sortes d'activités. « Je fais du yoga à l'école. Du tai-chi au YWCA, ainsi que du karaté, confie-t-elle. En Amérique du Nord, c'est normal d'aller en salle de sport et même d'avoir des muscles. »

3000 KILOMÈTRES DE PISTES ET DE ROUTE

Les cyclistes pourront profiter des nombreuses pistes cyclables dans les villes, de vrais sentiers aménagés (respectés par les automobilistes) et adaptés pour la vie sur deux roues (et aussi pour les patins alignés). Il est possible à Montréal de faire le tour de l'île sur ces pistes. En dehors des villes, de nombreux sentiers sont également disponibles un peu partout au Québec, que ce soit dans les Cantons de l'Est ou en Mauricie. Les plus courageux vont même jusqu'à faire le tour de la Gaspésie pendant la belle saison. Pour les adeptes du tourisme en guidon, il existe un site Internet de la route verte (www.routeverte.com) et le portail des cyclistes québécois (www.velo.qc.ca).

Si la condition physique ou la musculation vous tente, sachez que vous pourrez vous entraîner aux centres du YMCA (ou YWCA pour les femmes), les centres des chaînes Énergie Cardio (www.energiecardio.com) et de Nautilus Plus (www.nautilusplus.com). Toute une panoplie de centres sportifs et clubs de gym offrent à des prix imbattables des abonnements à leurs diverse activités. De plus, les complexes sportifs universitaires, que vous soyez inscrit ou non à l'université, offrent de bons équipements à des prix fort intéressants. Les centres communautaires des villes mettent également à disposition de nombreux services, que cela soit l'utilisation gratuite de la piscine ou l'accès, à des prix attractifs, à diverses possibilités allant des cours prénataux au badminton jusqu'à l'aérobic, en passant par l'escalade.

Homme-femme : mode d'emploi

Les relations hommes-femmes au Québec sont bien différentes de celles qu'a connues Élizabeth Farinacci, marseillaise dont le père est d'origine Corse et pied-noir, et la mère d'origine italienne. « Les filles au Québec sont beaucoup plus autonomes et indépendantes, dit-elle. Les rapports entre les deux sexes au Québec sont plus marqués par des rapports de force. Les filles cherchant systématiquement à ne pas se laisser dominer et à s'imposer. Les rapports sont particulièrement asexués. »

Le premier pas

Récemment séparée de son mari, immigrant aussi, Élizabeth a recommencé à sortir dans la ville de Québec. « En France, les rapports entre filles et garçons étaient beaucoup basés sur la séduction et l'humour. À Québec, même face à des personnes envers qui on sent une certaine attirance, c'est chaque fois moi qui devais faire le premier pas pour faire comprendre que je pouvais être intéressée. » Depuis, Élizabeth a rencontré son amoureux québécois, Guillaume. « Les hommes n'osent pas faire le premier pas, peut-être de peur d'essuyer un refus de la part de la fille. Ce fut encore moi qui dus faire le premier pas avec mon ami, et proposer d'aller boire un verre. Depuis, tout se passe super bien mais il faut "driver" la relation beaucoup plus. »

Gilles Dupouj est un chef cuisinier dans la trentaine installé à Québec depuis 1997. Dès le départ, il a trouvé les relations hommes-femmes très compliquées. « Je dois dire que je n'ai pas choisi le Québec, c'est plutôt une Québécoise qui m'a choisi. » Gilles était cuisinier sur des bateaux de croisière en Nouvelle-Calédonie lorsqu'il rencontre la Québécoise qui l'amènera à Québec. Après cinq ans de relation, ils sont aujourd'hui séparés. « Lorsque je suis arrivé, je ne savais pas ce que c'était un "party" de filles. Je sortais avec des amis, et je rencontrais des ex partout, ça semblait tout à fait normal. » Selon lui, comme en France, la génération actuelle se cherche dans ses rapports avec l'autre sexe. « C'est une grosse remise en question, les hommes sont perdus. »

DES CODES SOCIAUX DIFFÉRENTS

Élizabeth, pour sa part, pense que les différences entre les sexes sont peu marquées au Québec. « Les hommes sont en général peu galants, ne tiennent jamais la porte, les filles travaillent et vivent comme les hommes, sortent dans des bars comme eux... et les hommes se comportent donc avec les filles comme si elles étaient des gars. »

Heureusement, passée cette première approche assez aseptisée entre les gars et les filles, Élizabeth a constaté que les relations se détendent beaucoup une fois que tout le monde se connaît. « Les gens comprennent vite s'ils ont affaire à une personne qui sait prendre les choses avec humour et le rapport de force disparaît. J'avoue que le modèle québécois me satisfait également. Il est plus affirmé et égalitaire. Mais je ne veux pas oublier que les femmes ne sont pas des hommes et que les rapports qui les unissent ne sont pas seulement basés sur la revendication et l'affirmation, mais aussi sur la séduction et l'humour. »

Les relations entre les deux sexes ne suivent pas les mêmes codes sociaux qu'en Europe. De quoi dérouter de nombreux hommes. La femme nord-américaine est une farouche indépendante qui n'aime pas être redevable. Par exemple, au restaurant elle insistera pour payer sa part. Elle aimera prendre un verre en célibataire avec ses copines. En général, elle s'attend à ce que les hommes ne soient pas très démonstratifs dans leur approche et abordent la femme d'une façon amicale dans un premier temps. Au travail, on ne mélange pas drague et boulot, c'est très mal vu.

Les obstacles à l'intégration

Nous abordons dans cette partie les grandes difficultés rencontrées par les nouveaux arrivants au niveau de leur adaptation culturelle et sociale au Québec lors des différentes étapes de l'installation. Les problèmes liés au travail ont été traités dans la partie précédente, dans le chapitre intitulé « Les obstacles à la recherche d'emploi ».

LES ÉTAPES DE L'ARRIVÉE

« Le visa est une chose, mais la réelle immigration, ce n'est pas le visa, c'est vivre ici, au Québec », affirme Sylvain Paulet, analyste financier récemment arrivé au Québec. L'attente du visa peut sembler interminable pour de nombreux futurs immigrants et travailleurs temporaires. Mais pourtant, la vraie aventure débute au moment où vous posez le pied sur le sol québécois. Vous êtes impatient de commencer votre nouvelle vie, il vous tarde de constater par vous-même tout ce que vous avez lu, entendu.

LE TOURBILLON DE LA PREMIÈRE ANNÉE

En général, le nouvel arrivant est dans un état euphorique les premiers temps. Tout est nouveau, il découvre un nouveau style de vie, de perception du monde, toute une nouvelle culture. Il est fasciné, il tente de comprendre, il est surpris par les différences et la plupart du temps, il

UNE GRANDE REMISE EN QUESTION

SI LE PROJET D'INSTALLATION ne va pas aussi bien que vous l'auriez souhaité, vous risquez de vous réfugier dans la critique de votre société d'accueil. Au stade de la désillusion, certains nouveaux arrivants en état de choc rejettent du revers de la main ce nouveau monde.

« Il faut être bien préparé, poursuit Sylvain Poulet, sinon, en général, si ça tourne mal, la réaction devient négative. Ça peut faire très mal à l'ego et aussi mettre mal à l'aise par rapport à la famille et aux amis restés au pays, affirme-t-il. Plusieurs vont alors jeter le blâme sur la société québécoise, plutôt que de se remettre en question. Mais il faut savoir déterminer ce qui est le plus important, retrousser ses manches et "y aller" en considérant que ça prendra peut-être plus de temps que prévu ou alors rentrer au pays. »

idéalise. En effet, il transporte avec lui toutes sortes d'images qui peuvent être vraies ou fausses. Originaire de Bretagne, Sylvain Paulet a débarqué en mars 2002 à Montréal où il travaille dans une compagnie de télécommunications. « Les premiers jours, c'est l'euphorie. Après tu réalises et tu te dis, qu'est-ce que je vais faire, comment ça marche ? Toutes les galères que tu peux avoir dans ton pays d'origine peuvent être réunies ici d'un seul coup », avertit-il.

L'installation demande un grand effort au niveau des démarches administratives mais surtout au niveau de la recherche de logement, d'emploi et de la restructuration d'un milieu social et affectif. L'immigrant doit aborder ces divers domaines de front, tous en même temps, puisqu'il doit trouver sa place dans tous à la fois. La première année est un véritable tourbillon de sensations, de réflexions, de découvertes, d'expériences et demande beaucoup d'énergie.

LE TEMPS DES DÉSILLUSIONS

Selon Myriam Coppry, psychothérapeute auprès des immigrants et expatriés à Montréal, la première année est en effet une année d'euphorie, mais la réaction change rapidement. Généralement après un an débutent les premières vraies embûches de l'installation. « La deuxième étape, c'est la période où la personne porte un regard plus objectif sur sa société d'accueil. Si elle vit à ce moment-là des moments difficiles, c'est là que le danger peut surgir, c'est-à-dire que l'individu décide de rejeter ou non en bloc le Québec à cause de son malaise. C'est là que les Français (et autres immigrants) manquent beaucoup de soutien. Souvent les nouveaux arrivants ont un coup de blues et pensent que leur solitude n'est pas normale, alors qu'en fait une crise peut arriver. Et toute crise a un début et une fin. Ceux qui ne sont pas capables de comprendre cela décident parfois de partir, sans essayer de surmonter ces difficultés ou d'améliorer les choses », constate-elle.

SORTIE DE CRISE, RÉALISME ET PREMIER PAS VERS L'INTÉGRATION

Des déceptions, petites ou grandes, peuvent se vivre dans plusieurs domaines et cela peut se révéler une dure épreuve pour le projet d'installation. Ce n'est surtout pas le moment de lâcher prise et de faire des conclusions hâtives. Cette phase de l'immigration ou de l'expatriation est tout à fait normale. Elle est même nécessaire, comme passage entre le stade de l'illusion et celui de la réalité. Ne vous braquez pas, laissez une chance, à vous et à votre nouvel environnement. Accrochez-vous aux choses positives.

Après l'illusion et la déception, vient la phase du réalisme et des premiers pas vers une réelle intégration. Chaque individu vit ces étapes à sa façon, selon son rythme. Pour certains, ces étapes peuvent durer trois ans, cinq ans. Pour d'autres, encore plus. À cette phase plus objective, vous verrez votre nouvel environnement avec plus de recul, vous serez capable d'évaluer ses côtés positifs comme négatifs.

CHOC CULTUREL ET INTROSPECTION

« Il n'y a pas de mauvaises ou de bonnes raisons d'immigrer, l'important c'est d'être conscient de ces raisons avant de partir, commente Myriam Coppry, psychothérapeute et elle-même immigrante d'origine française. Lors des préparatifs à ce grand saut, il faut se demander pourquoi on quitte son chez-soi », affirme-t-elle. Selon elle, les immigrants sont motivés par trois raisons principales. « En général, les gens immigrent soit en réaction à un conflit familial, soit tout simplement pour exister en tant qu'individu, se prouver à eux-mêmes qu'ils peuvent y arriver. Soit pour offrir un meilleur avenir à leurs enfants. » Elle a pu constater que les moins de 30 ans font souvent le saut simplement pour en faire l'expérience, en se posant moins de questions que les adultes de plus de 30 ans.

IMMIGRATION : LE CHOIX DE L'INVESTISSEMENT

L'immigration est une des plus grandes remises en question de votre vie. Le choc d'une autre culture, qui ne paraissait pourtant pas éloignée, vous amènera certainement à de nombreuses réflexions. « L'état d'esprit de départ de nombreux Français pose souvent un problème, constate Myriam Coppry (www.psychoexpat.com). Ils ont l'impression qu'ils vont retrouver des cousins éloignés, qu'ils partent en terrain conquis, mais ce n'est pas le cas », avertit-elle. Cette psychothérapeute ne compte plus le nombre de ses patients qui sont surpris par la différence culturelle. « Les Français souvent ne se considèrent pas comme des immigrants, mais comme des expatriés, dit-elle, c'est très difficile de leur faire comprendre cela. » En effet, il y a une différence entre être un immigrant ou quelqu'un de passage. L'implication n'est pas la même.

Peggy, arrivée à Montréal en 2001 a laissé mûrir pendant des années sa décision de s'installer au Québec. « Il faut savoir ce qu'on veut, venir en étant motivé. Peser le pour et le contre et prendre ce que tu préfères. Il faut réfléchir à ses vraies valeurs, confie-t-elle. Aujourd'hui, les Français peuvent bouger partout en Europe. Donc, ceux qui viennent au Québec le choisissent encore plus qu'avant. »

OUBLIER SES REPÈRES POUR EN APPRENDRE DE NOUVEAUX

Lors de votre installation, vous serez peut-être choqué par de nombreux comportements ou façons de faire non conformes à ce que vous avez appris dans votre pays d'origine. « Quoi qu'il arrive, quand on immigre, on change parce qu'on perd ses références, affirme Sylvain Paulet. Demandez à un Français fraîchement débarqué au Québec d'appeler les pompiers. Il ne sait pas. Au début, on est complètement déboussolé. Tout le monde ne peut pas supporter un tel état de fragilité », pense Sylvain. « C'est un stress incroyable une immigration, il faut tout réapprendre, avertit Myriam Coppry. Une action aussi simple que d'aller au guichet automatique d'une banque peut se transformer en une réelle expédition. »

Pour François, installé au Québec depuis 1991, il faut savoir oublier les repères qu'on a eus en France. « Même si les choses nous paraissent anormales ou difficiles, il faut se renseigner sur l'histoire et la géographie, en savoir plus que les Québécois eux-mêmes. Les immigrants qui réussissent le mieux sont ceux qui sont avides, curieux et qui veulent en savoir plus. »

ACCEPTER DE NE PLUS ÊTRE...
TOUT À FAIT LE MÊME

L'UN DES PLUS GRANDS DÉFIS DE L'IMMIGRANT, selon Myriam Coppry, reste qu'il doit accepter que ses enfants appartiennent dorénavant à la société d'accueil et qu'ils ne seront pas tout à fait comme lui. « Immigrer c'est tout perdre de ses références, c'est recommencer ailleurs, souligne-t-elle. On recommence tout, les amis, la famille. Les individus n'existent pas de la même façon, car ils n'ont plus le même entourage. Ceux pour qui ça se passe bien, sont en général ceux qui acceptent la différence. »

Sandrine Arrault qui est arrivée au Québec en 2002 sent qu'elle n'est plus tout à fait la même. « En venant s'installer au Québec, il faut accepter de changer. On découvre en soi-même des choses qu'on ne connaissait pas, car les mentalités ne sont pas les mêmes. L'environnement est différent. En France, je me protégeais énormément, alors qu'au Québec je suis davantage moi-même. Autant en France, j'étais timide, réservée et déprimée, autant au Québec, je vais de l'avant. J'ai découvert que je n'étais pas faite pour vivre en France. Le Québec me convient, mais c'est à moi d'y faire mon trou. »

ÊTRE AU CLAIR SUR SES MOTIVATIONS

Une réelle introspection s'impose avant de décider de quitter son sol natal pour s'installer ailleurs. Et l'immigrant ou l'expatrié doit poursuivre cette introspection une fois sur place. Jamais on n'apprend aussi bien à se connaître qu'en étant confronté à soi-même, loin de sa terre natale et des siens. Mais encore faut-il être réceptif à un tel état. « L'intéressé doit chercher les réelles raisons de sa venue au Québec, conseille Sylvain. L'immigration nous invite, mais ne prévient pas les Québécois de la venue des immigrants. Et ici, personne ne vous attend. Il ne faut pas quitter la France sur un coup de tête, ni en pensant qu'on va retrouver la même chose au Québec. »

N'oubliez jamais que vos problèmes immigrent ou s'expatrient aussi avec vous. Ce n'est pas en changeant de pays qu'ils disparaissent ou se transforment. Changer de pays ne change pas le mal de place. Si vous cherchez à fuir quelque chose, celle-ci vous rattrapera aussi au Québec.

▌ PARTIR DE ZÉRO

Laurent Kaelin, ingénieur en aéronautique, est arrivé au Québec en 1999. Malgré sa formation en France et une certaine expérience professionnelle, il n'a pas trouvé, dans un premier temps, d'emploi à son niveau. « Je ne pensais pas qu'il me faudrait autant de temps pour trouver du travail dans mon secteur. De tous les amis que je me suis fait à mon arrivée, aux séances d'informations du MRCI, la plupart ont trouvé un travail à leur niveau de compétence en trois à douze mois », affirme-t-il. Au bout de quelques mois, Laurent a pris un emploi alimentaire chez UPS, un service de courrier rapide. « Ça m'a pris finalement sept mois, pour trouver un emploi dans mon domaine. Et six mois de plus, pour trouver un emploi avec le niveau de responsabilités que j'avais en France », confie-t-il.

Il estime qu'il ne faut pas hésiter à accepter un travail sous-qualifié. « Il faut oublier les *a priori* de l'Ancien Continent, lorsqu'on vient en Amérique du Nord, conseille-t-il. C'est-à-dire ne pas accepter un emploi précaire de peur d'y rester et continuer à courir après un CDI. On doit arrêter de penser comme en France. » Après cette parenthèse temporaire, Laurent a trouvé un emploi dans son secteur, l'aéronautique, et quatre ans plus tard, toujours très actif dans son domaine, il décide de se lancer à son propre compte (voir son portrait dans la partie 2, page 131).

DEUX ANS POUR RETROUVER SON NIVEAU DE VIE

En général, les immigrants ne retrouvent pas immédiatement le niveau de vie qu'ils avaient dans leur pays d'origine. « Il faut compter deux ans pour atteindre le même niveau, constate Yann Hairaud de l'AMPE. Il n'y a pas de parcours typique, tout dépend du secteur et de la demande. On conseille aux gens de ne rien négliger et parfois de choisir un travail sous-qualifié par rapport à leur profil, affirme-t-il. Le départ à zéro n'est pas systématique, mais ce n'est pas à négliger parfois. »

Que vous ayez vingt ans d'expérience ou quelques années, vous débarquez en effet dans un environnement où vous n'avez pas de repères et où personne ne vous connaît. Les gens doivent apprendre à vous découvrir et à vous faire confiance. Les Québécois ne connaissent pas les diplômes que vous avez obtenus et les entreprises où vous avez travaillé. Même de grandes entreprises comme France Télécom, la SNCF ou La Redoute ne sont pas des noms familiers au Québec. Un premier employeur doit donc vous donner votre chance. Vous avez tout à prouver, mais au moment opportun vous saurez certainement utiliser votre bagage.

NE NÉGLIGEZ PAS LES PETITS BOULOTS

Sandrine Arrault est arrivée en avril 2002 avec un diplôme en muséologie de l'école du Louvre de Paris. « On s'était dit qu'on s'accorderait un ou deux mois de vacances pour profiter et être tranquilles. » Mais au bout de trois semaines, cette femme de 28 ans contacte l'agence de placement Durand et Pratt qui lui propose un poste à la saisie de données chez General Motors à Dorval. Son contrat temporaire dure

LES PETITS BOULOTS : UNE PREMIÈRE EXPÉRIENCE CANADIENNE

« LES PARENTHÈSES PROFES-SIONNELLES ne sont pas aussi pré-judiciables qu'en France, affirme Yann Hairaud. Souvent dans une stratégie d'emploi, il est néces-saire de passer d'un travail à un autre. Le fait de ne pas occuper un emploi dans son secteur ou en lien avec son secteur n'est pas incontournable. » Les gens ne s'intéressent pas tant à votre titre ou à vos diplômes qu'à vos capacités réelles. Parfois, il est plus judicieux de passer par la petite porte pour arriver à ses fins. D'ailleurs des études démontrent qu'il est plus facile pour les travailleurs déjà en poste de trouver un autre emploi.

Ainsi, une première expérience canadienne est toujours valable, peut importe le niveau hiérar-chique et le domaine. Même si votre premier travail est en des-sous de vos capacités et de vos aspirations et dans un tout autre domaine, il est important puisqu'il vous donne de l'expé-rience au Québec et qu'il vous aidera à vous faire connaître.

près de six mois et elle gagne plus de 14 dollars de l'heure. « C'est diffi-cile parfois de repartir à zéro et de faire quelque chose qui n'est pas à son niveau, voire aliénant. Mais en attendant, je pratique mon anglais et je discute avec mes collègues. C'est une nouvelle vie, on doit tout réapprendre. C'est une nouvelle façon de travailler et de communi-quer au Québec », affirme-elle.

De nombreux immigrants doivent souvent accepter au départ des petits boulots, afin de se faire la main sur le marché du travail québé-cois et élargir leur réseau de contacts. Rares sont ceux qui trouvent chaussure à leur pied dès leur arrivée. Il faut souvent se donner du temps pour atteindre ses objectifs. L'important est de comprendre et

AVANT DE SE DÉCOURAGER...

CERTAINS PLIENT BAGAGE après seulement quelques mois de recherche, faute d'avoir trouvé l'emploi idéal tout de suite. Avant de partir, il faut donc que vous soyez bien conscient qu'une véritable recherche d'emploi dure six mois, et que le premier travail est généralement en dessous de vos capacités, vos diplômes et vos années d'expériences important peu. Si vous ne voulez absolument pas entrer par la petite porte, assurez-vous d'avoir un bon coussin financier pour vivre les premiers mois, voire la première année. L'autre alternative reste de trouver un travail à l'avance, mais comme nous l'avons indiqué dans ce livre, il n'est pas évident de trouver un employeur québécois prêt à faire ces démarches spécifiques pour embaucher un travailleur à distance.

REPRENDRE DES ÉTUDES. Enfin, certains nouveaux arrivants décident de reprendre des études pour se perfectionner ou développer d'autres compétences. Cette décision peut en effet avoir des effets bénéfiques sur votre projet. Les établissements scolaires québécois, du CEGEP et à l'université, offrent beaucoup de possibilités et de flexibilité aux adultes qui souhaitent retourner aux études soit le soir, soit la journée.

UN CHIFFRE ENCOURAGEANT. Selon différentes études du MRCI (ministère des Relations avec les citoyens et de l'Immigration) et aussi du Centre d'études ethniques de l'université de Montréal, plus des trois quarts des immigrants québécois sont toujours au Québec plusieurs années après leur arrivée.

de s'adapter à la culture locale dans le domaine du travail. Celle-ci n'est pas identique à celle d'Europe ou d'ailleurs, et il est fondamental de la connaître. Et rassurez-vous, ce n'est pas parce qu'un jour vous occupez un emploi sous-qualifié que vous serez à ce niveau toute votre vie. Les choses évoluent rapidement en Amérique du Nord, vous pouvez quitter un travail sans trop de préavis pour un autre emploi.

À 35 ans, Jean Bourrette a quitté une bonne situation à Montpellier qui lui permettait de voyager partout en Europe. Arrivé au Québec en avril 2000 avec sa petite famille, il trouve un premier travail à un bon niveau, ceci en deux semaines de recherches intensives. « Je m'attendais à devoir entrer par la petite porte, mais j'ai eu de la chance, constate-il. Ça ne m'aurait rien fait de commencer plus bas. Mais tu te dis que lorsque tu as quinze ans d'expérience, il y a bien quelqu'un qui finira par vouloir en profiter, même s'il faut accepter un salaire moindre au début. »

BOUGEZ SANS COMPLEXE POUR ÉVOLUER

« Il y a une plus grande mobilité professionnelle au Québec », constate Yann Hairaud, directeur de l'AMPE. Même son de cloche auprès de Jean Bourrette. « Au Québec, ça n'a rien à voir avec la France. On peut progresser très rapidement, c'est beaucoup plus naturel de changer de travail. » C'est une autre particularité de l'emploi en Amérique du Nord, il y a de réelles possibilités d'avancement. On gravit rapidement les échelons en fonction de ses compétences et de ses réalisations. Si vous êtes compétent et apprécié, vous ne resterez pas longtemps dans un travail sous-qualifié.

« Il faut savoir également qu'au Québec, il y a moins d'engagement vis-à-vis de l'employeur, affirme Yann Hairaud. Beaucoup de nouveaux arrivants hésitent à prendre un emploi moindre car ils ne se sentent pas à l'aise d'aller par la suite vers un autre employeur. » Selon lui, il n'est pas mal vu de quitter son emploi, c'est dans les mœurs. « On embauche et débauche rapidement ! » conclut-il.

BIEN VIVRE L'ÉLOIGNEMENT FAMILIAL

Six mois après leur arrivée au Québec en 2000, Jean et sa famille vivent leur premier coup dur. « On ne s'attendait pas à ce que cela soit si difficile, constate-il. En France, je voyais mes parents ou ma famille tous les week-ends, aujourd'hui cela fait trois ans que je n'ai pas vu mon frère. On ne sait pas ce qui se passe là-bas, même si on peut échanger par téléphone ou Internet. » Jean est pourtant bien installé au Québec, il a rapidement trouvé une bonne situation et ne voudrait pas retourner en France. « On a vécu une période difficile après six mois. Après l'arrivée, on se rend compte qu'on est sans famille, sans amis. Lorsqu'on est proche de la quarantaine, il est difficile de faire venir les amis qui sont en couple avec des enfants, les frais de voyage sont tellement élevés. »

Fort heureusement pour Jean, en juillet 2001 après l'achat d'une maison à Oka non loin de Montréal, ils s'installent au bord de l'eau près de voisins adorables. « Les voisins ont deux filles un peu plus âgées que les nôtres. Une semaine après notre arrivée, on échangeait nos clés. On a fêté Noël avec eux, nous avons les mêmes goûts. Je souhaite à tous les Français d'avoir un accueil comme nous en avons eu un. »

MAINTENIR LE LIEN OUTRE-ATLANTIQUE

D'abord, attendez-vous à une grande surprise dans votre entourage lorsque vous leur annoncez que vous partez, surtout dans le cadre d'une immigration. Les amis vous encourageront probablement à continuer votre projet, mais la famille proche sera, même si elle comprend, certainement attristée de vous voir partir aussi loin. Vous vous dites peut-être qu'aujourd'hui avec Internet, l'avion et le téléphone, vous ne serez tout de même pas si loin. C'est vrai et faux à la fois. Oui,

UNE SÉPARATION SOUVENT DIFFICILE

LA DÉCISION D'IMMIGRER n'est pas sans conséquence pour son entourage. Même s'ils respectent votre choix de vie, la séparation peut être très pénible pour les parents. Vos enfants ne pourront entretenir de relations régulières avec leurs grands-parents, leurs oncles et tantes, leurs cousins et cousines.

Vous ne verrez pas vieillir vos parents, ni grandir les enfants de vos frères et sœurs. Malgré les nombreuses visites, c'est toujours le cœur déchiré que vous quitterez vos proches. Il faut être conscient que le choix de l'immigration implique toute une variété de sentiments contradictoires.

« L'éloignement, ça sera toujours très difficile, explique Peggy. Dans mon cas, c'est plus difficile pour eux que pour moi. Ils me jugent certainement égoïste. Il y a beaucoup d'immigrants qui sont là pour des raisons familiales, pour s'émanciper, pour prouver qu'ils sont capables de le faire. On faisait des choses en France et on était critiqué, c'est pas toujours évident de supporter ça. » Peggy trouve que le plus dur est de savoir que l'on fait du mal à ses proches par son absence. « Ceux qui sont moins motivés, comme le conjoint qui suit ou qui ne vient que pour le travail, ceux-ci auront du mal. »

vous pourrez communiquer plus facilement avec votre famille et vos proches qu'à une autre époque.

Mais vos nouvelles expériences seront si fortes qu'il deviendra un peu difficile de leur expliquer et donc pour eux de vous suivre. François a immigré en 1991, il voit donc moins souvent sa famille en France. « Ils viennent tous les deux ans, et j'y vais également tous les deux ans. Il faut les sensibiliser à ce que je fais, ce que je vis. Je tente d'envoyer des vidéos, des films. »

Affronter la solitude et bâtir de nouvelles amitiés

Mais surtout, il suffit de quitter sa famille, ses amis et son entourage, pour se rendre compte de la place immense qu'ils prennent dans nos vies. L'éloignement familial est avec l'hiver un des éléments déclencheurs d'un retour au pays. L'immigration amène l'individu à s'isoler affectivement. Désormais, il est seul face à ses problèmes. Des amis de vingt ans ne se remplacent pas facilement en quelques semaines. Vous serez seul, entouré d'êtres étrangers, certainement gentils, mais qui ne vous attendaient pas. Cet isolement peut être difficile à vivre si vous n'êtes pas du genre solitaire. En cas de coup dur, l'éloignement peut devenir un véritable calvaire.

Petit à petit, vous vous ferez des amis sur place. Au début, vos nouveaux amis seront certainement comme vous, des immigrants fraîchement débarqués. Vous vous comprenez bien et vous cherchez les mêmes choses. Les premiers temps, vous aurez certainement des contacts cordiaux avec les Québécois, mais l'amitié, comme partout, prend du temps pour se développer. Pensez au dernier ami réel que vous vous êtes fait dans votre pays d'origine, ce lien doit déjà dater de quelques années. C'est la même chose au Québec, ce sentiment se développe peu à peu. N'oubliez pas que vous êtes plus demandeur que les Québécois qui sont entourés des leurs. Traditionnellement, les amitiés se nouent à l'école ou au travail, mais il est aussi possible de rencontrer des gens *via* des activités de loisirs, des sites Internet ou au sein d'organismes bénévoles et autres. N'hésitez pas à aller de l'avant, engagez-vous, proposez votre énergie pour une bonne cause.

Tensions dans les couples

Certains couples ne tiennent pas le choc de l'immigration, chaque personne vivant l'immigration à sa manière ou se révélant différente

« NOUS AVONS DÛ FAIRE FACE À NOTRE COUPLE TOUS LES JOURS »

L'IMMIGRATION A ÉTÉ FATALE au couple d'Élizabeth Farinacci. « Nous avons conscience qu'en partant et en se retrouvant seuls au Québec, nous avons dû faire face à notre couple tous les jours. La vérité est beaucoup plus évidente et plus crue, quand tu es loin de chez toi et de ta famille, dit-elle. Seule, avec ton mari, sans amis ou proches qui te connaissent depuis des années. Nous nous sommes séparés parce que nous avons réalisé que notre couple n'était plus un moteur, mais qu'il était devenu un frein dans notre vie. « L'expatriation, ce n'est pas seulement changer de maison ou de travail. C'est aussi faire face à sa vie et à d'énormes changements. Quand tu quittes ton pays, tu ne subis plus le regard des autres de la même manière, le poids de ta famille qui, même si tu l'aimes profondément, t'influence d'une manière ou d'une autre. Ici, au Québec, nous étions seuls pour affronter la vie. Si nous étions restés en France, l'agitation dans laquelle nous vivions, la place de nos familles nous auraient sûrement dissimulé cette réalité. Nous nous serions quand même séparés, mais plus tard et peut-être plus durement. »

une fois au Québec. De nombreux couples d'immigrants se séparent quelques années après leur arrivée au Québec.

Myriam Coppry, psychothérapeute auprès des expatriés et immigrants, connaît bien ces tensions que vivent de nombreux couples suite à une immigration. « L'immigration est une des raisons qui amènent certains couples à divorcer. Les gens vont se découvrir une autre nature. La femme devient plus indépendante, l'homme devient plus amorphe, par exemple. » L'adaptation des rythmes au nouvel environnement peut être très différente. Parfois l'un a plus de facilités que l'autre à s'adapter à son nouvel environnement de travail ou affectif, à se faire des amis, à s'habituer à être loin de sa famille. Le décalage de ces adaptations peut provoquer de réelles tensions dans les couples. Myriam Coppry constate que les couples doivent souvent attendre cinq ou six ans pour que la transition se fasse complètement vers un nouvel équilibre. « Souvent, ils vont se transformer, ils ne seront pas les mêmes personnes qu'auparavant. Il faut qu'ils s'attendent à cela. »

▌ L'ADAPTATION À LA CULTURE

Les Québécois sont avant tout des Nord-Américains, ils sont plus près des Américains, qu'ils le veuillent ou non, que des Français. Le Québec n'est pas une terre de France en Amérique mais un coin francophone de ce continent. Ils sont francophones certes, et leurs ancêtres étaient les Gaulois, mais là s'arrête la ressemblance. Le Québec a des liens particuliers avec la France de par l'origine de ses habitants, son histoire, sa langue et les a renforcés depuis quelques dizaines d'années grâce aux artistes, à la maison du Québec à Paris et aux différents échanges commerciaux, politiques et autres. Mais les Québécois sont un peuple à part entière qui vit depuis presque 400 ans à plus de 7 000 kilomètres de la France. En immigrant il y a des siècles, ces Français fondateurs de la Nouvelle-France sont devenus des Nord-Américains. Donc, globalement, celui qui cherche des « cousins » intacts sera déçu.

LA SIMILITUDE DE LA LANGUE CRÉE LE MALENTENDU

Si les Québécois parlaient une autre langue que le français, il y aurait certainement moins de malentendus. « La langue commune entre les Québécois et les Français crée des confusions, constate Yann Hairaud, de l'Agence montréalaise pour l'emploi. La communauté de langue peut constituer un leurre dissimulant les différences réelles. Il est alors

PROFITER DE L'AMÉRIQUE TOUT EN GARDANT QUELQUES HABITUDES...

VOUS TROUVEREZ AU QUÉBEC, contrairement au reste du continent nord-américain, de nombreux aspects de la culture française : des restaurants, des immigrants d'origine française, de la musique, du cinéma et de la littérature française, de la nourriture comme des fromages et des vins importés. Il est possible à Montréal de profiter des avantages de la vie nord-américaine, tout en gardant des touches européennes.

Le Québec a ceci de particulier qu'il offre un lieu où se rencontrent l'Europe et l'Amérique, tout en ayant bien les pieds et la tête en Amérique du Nord. C'est ce que pense aussi Christelle Brun, installée au Québec depuis 1998. « C'est chaleureux, il y a beaucoup de possibilités et une grande qualité de vie. J'ai l'impression de choisir ce que je veux du Québec et de garder ce qui me plaît venant de la France. Ici, je peux regarder TV5, France 2. »

nécessaire d'envisager une période d'adaptation. » Les échanges franco-québécois peuvent parfois porter à confusion et ouvrir la porte à de nombreux quiproquos. Ceci surtout parce qu'on suppose, de part et d'autre, qu'on se comprend. « Le seul gros problème que j'ai rencontré au travail est le vocabulaire, précise Prisca qui travaille depuis 2002 dans une entreprise composée d'employés Français et Québécois. Parfois j'utilise des mots qui ne sont pas du tout compris par mes collègues québécois. Par exemple, un coursier au Québec, c'est un courrier. Une armoire, c'est une filière, et un classeur est un cartable. Faut le savoir ! » Aussi installée depuis 2002, Sandrine Arrault a aussi rencontré ce type de difficulté pour se faire comprendre. « On demandait aux gens dans la rue où on pouvait faire nos courses. Ils nous demandaient ce qu'on voulait au juste. Il a fallu que je comprenne que je devais utiliser le terme "magasinage" », rapporte-t-elle.

Pour pallier ces problèmes culturels rencontrés par les nouveaux arrivants, certains organismes d'aide aux immigrants offrent même des ateliers d'initiation aux différences culturelles comme c'est le cas à l'Office des migrations internationales de Montréal.

À ROME, VIVRE COMME LES ROMAINS

En général, pour s'adapter à une culture, il faut faire comme ses concitoyens. Cela n'implique pas de s'empiffrer de « poutine » (*fast-food*) et de « queue de castor » (pâtisserie canadienne) dès votre arrivée, mais de s'ouvrir petit à petit à la culture environnante selon votre personnalité. « J'étais incapable de manger de la poutine au début, affirme Pascal, boulanger à Montréal et originaire de Haute-Savoie. Mais, maintenant, quatre ans et demi plus tard, je peux dire que je m'y fais ! » Si vous êtes du genre sportif, les sorties en plein air sauront certainement égayer votre esprit de trappeur ou d'aventurier. Si vous aimez les arts, sachez découvrir l'histoire, le cinéma, la chanson et la littérature locale, le parler québécois. Vous resterez toujours marqué par votre pays d'origine, vous resterez longtemps le « p'tit Français » aux yeux des Québécois et ne perdrez jamais votre accent français, mais vous aurez trouvé un équilibre entre vos racines et votre style de vie.

Jean Barrette, chargé des relations publiques chez Insertec à Montréal, désirait s'assimiler dès son arrivée avec sa femme et ses deux filles. « On a singé volontairement les Québécois. On ne voulait pas s'intégrer, nous voulions nous assimiler », affirme-t-il. On mange à la même heure, on va pêcher sur la glace, on pellette la neige. Nous sommes sur le bord de l'eau et je dois faire une heure de trajet pour travailler, mais les enfants ont une plage. J'ai acheté un ski-doo, un bateau, tout pour profiter de la nature au Québec. Un jour j'ai entendu mon ami et voisin dire à une autre personne que j'étais plus québécois que lui. Ça m'a fait plaisir ! » Il fuit toutes les associations de

NE VOUS ENFERMEZ PAS DANS LA COMMUNAUTÉ FRANÇAISE

IL EST NORMAL de fréquenter au début des gens comme vous, qui viennent du même pays et vivent des situations semblables. De nombreuses associations et amicales de Français sont présentes sur Montréal et ailleurs au Québec, le nombre de personnes originaires de France s'élève environ à 100 000 à Montréal, des écoles offrent une éducation à la française, vous pouvez profiter des nombreux restaurants français du Québec, mais ne perdez pas de vue que vous n'êtes pas venu au Québec pour vivre comme en France.

À moins que vous ne soyez que de passage, vous n'avez certainement pas envie d'être en décalage constant par rapport à la société qui vous accueille et encore moins de ne pas vous sentir accepté. « Il ne faut pas s'isoler, conseille Myriam Coppry. Il faut éviter de se retrouver en communauté de Français. Il faut dépasser les premières impressions avec des commentaires comme "Les Québécois sont comme ci, comme ça!" »

« Il faut avoir des contacts avec des Québécois et tenter de les comprendre. Ce qu'il ne faut pas faire c'est comparer les deux pays constamment. » Elle constate que certains immigrants au bout de quelque temps idéalisent leur pays d'origine. « Ils le font pour garder un souvenir, et pour ne pas tout perdre. Ceux qui ne le font pas ont souvent trouvé un équilibre dans leur nouveau milieu. »

Français. « Je pense que la meilleure façon de ne pas s'intégrer c'est de rester entre Français! »

Sandrine Arrault est venue une première fois en 1999 lors d'un stage de muséologie au Biodôme de Montréal. Elle a regretté de ne pas s'être plus liée avec les Québécois. « Pendant toute mon expérience de trois mois d'été, je suis restée avec mon groupe d'étudiants français et franchement je le regrette. J'aurais plus appris si j'avais été plus avec des Québécois, à les observer. C'était une super expérience, mais on aurait pu en profiter davantage. Avec le recul, j'en prends conscience. Par exemple, j'aurais pu aller manger avec les collègues québécois le midi. Mais comme nous ne mangions pas à la même heure qu'eux, nous sommes passés à côté. Il aurait fallu déjeuner à midi et demi. Il faut se mêler aux Québécois, c'est important de ne pas rester qu'entre Français immigrants. »

Après plus de dix ans au Québec, François se souvient des premiers Québécois qu'il a rencontrés en Bretagne dans les années 1970, alors qu'il n'était encore qu'un adolescent. Sur place, il a apprivoisé la culture québécoise en allant au théâtre. « Il faut profiter des concerts gratuits offerts un peu partout, que cela soit à la Chapelle du Bon Pasteur, au Théâtre de Verdure du Parc Lafontaine pendant l'été. Il faut ne pas rater les spectacles culturels à l'extérieur, le festival de jazz. » À la rencontre de cette culture, il s'est transformé comme bien des immigrants. « Le Québec m'a appris beaucoup sur l'écoute. S'il y a une qualité humaine que j'ai développée ici, c'est bien l'écoute à cause de la démarche d'immigration, mais aussi à cause du Québec. »

Des adresses pour les gastronomes

Le principal point d'achoppement pour les Français à travers le monde reste la nourriture. Sur ce plan non plus, vous ne retrouverez pas la France au Québec et même si les Québécois apprécient de plus en plus la bonne chère, les gastronomes devront déployer plus d'efforts pour savourer leurs plats préférés. Et encore, estimez-vous chanceux d'être au Québec, car encore une fois la Belle Province est une exception sur le continent.

POUR MANGER FRANÇAIS, DE TEMPS EN TEMPS...

SI VOUS TENEZ À MANGER FRANÇAIS, vous découvrirez avec joie les magasins « La Vielle Europe « dont l'épicerie principale se situe sur la rue Saint-Laurent à Montréal.

MONTRÉAL A QUELQUES MARCHÉS publics qui regorgent de produits frais. Au nord de la ville, au cœur du quartier italien, vous avez le Marché Jean-Talon qui offre de nombreux produits intéressants. Au sud de la ville, dans Saint-Henri, il y a le Marché Atwater très fréquenté par les gastronomes. Vous y trouverez fromageries, boucheries, poissonneries, fruits et légumes frais vendus par les cultivateurs et bien d'autres produits. De nombreux Français apprécient la pâtisserie De Gascogne qui a quelques magasins à Montréal avec des comptoirs un peu partout comme rue Laurier, à deux pas d'Outremont ou à Westmount, rue Sherbrooke Ouest.

POUR MANGER BIO. Sachez aussi découvrir les mets végétariens, biologiques et naturels dont sont friands de nombreux Québécois. En réaction au « fast-food », toute une série d'épiceries et restaurants offrent une panoplie de produits de qualité pour contrer le hamburger-frites. La chaîne de restaurants végétariens Le Commensal offre de belles découvertes pour le palais. Vous retrouvez nombre de leurs produits dans les supermarchés au rayon frais.

Montréal reste un endroit unique en Amérique du Nord avec la plus forte concentration de restaurants français.

DU PAIN, DU VIN, DU FROMAGE

Les vins et les fromages étant importés, ils pèseront plus lourdement dans votre budget. Heureusement les Québécois s'intéressent de plus en plus aux fromages (et aussi aux vins) et de nombreux fromages québécois ont vu le jour ces dernières années. Les fromageries Hamel installées à Montréal qui comptent 450 variétés ou encore la fromagerie du Marché Atwater sauront vous orienter vers ces délices locaux. Il existe de nombreux fromages québécois avec des noms évocateurs comme le pied-de-vent des îles de la Madeleine, le bleu bénédictin et l'ermite de l'Abbaye-Saint-Benoit-du-Lac, le chevrochon ou le douanier de la fromagerie Kritz-Kayser à Noyan.

De nombreuses boulangeries se sont installées ces dernières années à Montréal et à Québec, ce qui permet de trouver une bonne baguette. Sachez reconnaître les enseignes Au pain doré et Premières Moissons et aussi toute une variété de boulangeries artisanales et biologiques comme Le Fromentier, Ynew, De froment et de sève, Le Fournil.

Le vin français est peut-être plus cher, mais vous pourrez découvrir à la SAQ (Société des alcools du Québec) une foule de bouteilles d'alcools du monde entier. Qui sait, vous développerez peut-être une dépendance au vin chilien, australien ou californien! Il est aussi possible de trouver du vin en dehors des magasins de la société d'État, ceci chez les « dépanneurs », mais il s'agira la plupart du temps de piquette.

Surveillez les enseignes « Apporter votre vin » en devanture des restaurants québécois. En effet, certains établissements vous permettent d'apporter votre vin pour accompagner un repas. Et ils vous le débouchent avec un sourire !

Vous repartez avec la bouteille non terminée si vous le désirez. Il n'y a aucune gêne au Québec à vouloir rapporter les restes à la maison. Si vous avez observé la quantité de nourriture dans votre assiette, vous comprendrez pourquoi cette façon de faire est assez répandue ici comme aux États-Unis.

DÉCOUVREZ LES SPÉCIALITÉS LOCALES

Si vous voulez manger québécois, faites un tour au minuscule restaurant de la rue Mont-Royal La Binerie. Au menu, pâté chinois (l'équivalent d'un gratin dauphinois avec du maïs), tourtières, ragoût de boulettes et fèves au lard. Vous avez envie de déguster un hamburger ou de vous aventurer vers une poutine, mettez le cap sur L'Avenue, La Paryse ou L'Anecdote sur le plateau Mont-Royal.

Montréal offre aussi des particularités à la sauce hébraïque, comme le fameux « Smoke Meat », un sandwich de viande fumée et le Bagel tout court (pain rond au sésame), ou avec du saumon fumé. Pour le sandwich, voir les restaurants Dunn au centre-ville et Schwartz rue Saint-Laurent. Vous pouvez acheter des bagels rue Fairmount et Saint-Viateur dans le Mile-end. Et si vous voulez la totale, rendez-vous pour un brunch chez Beauty's pour le bagel-saumon-fumé.

Si vous avez des goûts plus exotiques, sachez que Montréal offre aux curieux de nombreux restaurants du monde entier allant de l'Afghanistan à l'Éthiopie en passant par le quartier chinois et aussi des restaurants du Mexique, de l'Inde et du Japon.

L'HIVER, LES QUELQUES ARPENTS DE NEIGE DE VOLTAIRE

« Mon pays ce n'est pas un pays, c'est l'hiver ! » La première ligne de cette chanson de l'auteur-compositeur québécois Gilles Vigneault aurait pu être la devise du Québec. Elle résume bien l'importance de l'hiver au Québec. Un universitaire québécois Michel Arcand a publié dans les années 1990 un essai intitulé *Abolissons l'hiver !* Ce petit livre publié aux éditions Boréal n'est pas passé inaperçu dans la Belle

Province. L'auteur constate qu'il est contre nature de vouloir défier l'hiver. Les Québécois, inventeurs de la motoneige, ont su s'adapter à l'hiver au fil du temps. De nombreux Québécois détestent l'hiver, d'autres l'adorent pour ses activités de plein air. La première neige peut tomber dès novembre et la dernière en avril. Donc, on peut compter au maximum six mois d'hiver. Ceci est valable à Montréal, mais si vous êtes dans le nord du territoire, vous aurez des hivers encore plus rudes. La ville de Québec a plus de neige et des températures plus froides que Montréal. C'est d'ailleurs à Québec qu'on retrouve en février le Carnaval de Québec et que s'est ouvert un hôtel de glace pour les visiteurs. Si le froid vous rebute, le Québec n'est peut-être pas pour vous.

« J'ai toujours adoré la neige, c'est beau, proclame Peggy qui vit son troisième hiver québécois. Ce n'est pas le même rythme, c'est plus calme. Il n'y a pas d'urgence comme en été. L'hiver donne un rythme à l'année, on sait qu'on va avoir trois ou quatre mois de vie différente. Ça donne deux vies quoi ! Une variété. Ce n'est pas comme en Europe avec huit mois où tous les jours se ressemblent, constate-t-elle. Au Québec, on est plus proche de la nature à cause de ces variations. Vous êtes obligé de vous rendre compte de l'hiver, le changement de saison est là. »

SEC EN HIVER, HUMIDE EN ÉTÉ

Mais il faut tout de même savoir que dans ce pays nordique (même si Montréal est à la même hauteur que Bordeaux, eh oui !), les habitants ont su apprivoiser les extrêmes. Le climat du Québec n'est pas tempéré comme celui de la France, les hivers sont froids et les étés sont chauds, surtout le mois de juillet. C'est un climat d'extrêmes, influencé en été par les masses tropicales d'air chaud, et en hiver par les masses d'air froid et sec qui viennent de l'Arctique. Pendant l'hiver, les températures descendent parfois en dessous de – 20 °C en janvier et février, habituellement les mois les plus rigoureux de l'année. Ces dernières années, avec les bouleversements climatiques et l'effet El Nino, les Québécois ont vécu des hivers plus doux. Considérez toujours le facteur vent lorsque vous voulez mettre le nez dehors, avec lui vous arrivez à mesurer la température réellement ressentie sur la peau. Cet élément peut faire toute la différence, et transformer un simple – 10 °C en un réel – 20 °C. Mais rassurez-vous, le vent ne se lève pas tous les jours sur le Québec.

Les Québécois déploient beaucoup d'énergie pour combattre le froid. Pas question de faire une parade de mode, ils s'habillent chaudement des pieds à la tête. Pour bien se protéger du froid, il faut porter différentes couches de vêtements tel un oignon, et surtout lors des grands froids ne pas oublier un long caleçon pour briser l'élan du vent. De nombreux magasins se spécialisent dans la vente de vêtements chauds à l'allure sportive conçus pour affronter les plus grands froids. Les maisons et les édifices sont très bien isolés contre le froid, les résidences sont principalement faites en bois avec doubles fenêtres, justement pour contrer le froid. « Le froid est plus sain au Québec. C'est vivifiant, constate Sandrine Arrault qui vit son premier hiver. Il est plus sec et pas du tout humide, comme c'est le cas en France où il perce les os. »

Les centrales hydroélectriques du Québec produisent une des électricités les moins chères au monde, les Québécois peuvent ainsi se chauffer à des prix fort intéressants. Montréal a développé une ville souterraine, un réseau étendu de couloirs souterrains en plein centre-ville, permettant de relier bien à l'abri du froid des centres commerciaux à des édifices à bureaux, à des immeubles résidentiels et au métro. Les voitures sont souvent équipées d'un démarreur à distance afin de réchauffer le véhicule avant de prendre le volant, certaines voitures ont même des sièges chauffants.

Comment passer l'hiver

Le pire de l'hiver se concentre certainement autour du déneigement, du facteur vent et de la « slush », une espèce de gadoue prise entre la neige et l'eau. Cette dernière s'accumule au coin des rues, obligeant à enduire les bottes d'une crème protectrice afin de prévenir la formation des cernes de calcaire sur le cuir. Pour ce qui est du pelletage, véritable sport national en hiver après le hockey, il vous gardera certainement en forme, mais si par malheur, vous prenez la voiture lors d'une tempête de neige, en plus de courir le risque d'être pris dans les bancs de neige (surtout si vous n'avez pas de 4X4), vous risquez d'utiliser la pelle plusieurs fois dans la journée pour sortir votre véhicule (matin, midi et soir si vous devez sortir en mi-journée). Sans parler des véhicules de déneigement de la ville qui ensevelissent votre véhicule lors du nettoyage des rues.

La meilleure façon de supporter l'hiver est... de l'apprécier, et pour cela, il faut faire un peu de sport. Les amoureux de l'hiver vous parleront des sports hivernaux, allant de la raquette au ski de fond en passant par le patin et la motoneige. Ils vous parleront aussi du soleil qui brille souvent dans le ciel bleu lors des longs mois d'hiver. Pendant ce temps, de nombreuses villes européennes ont des hivers pluvieux et gris. Ils vous parleront de ce sentiment de réconfort et de sérénité lorsqu'on se retrouve chez soi, bien au chaud, lors d'une tempête de neige. L'hiver fait la véritable joie des enfants qui se roulent, glissent et sculptent la neige pendant des heures. La joie de vivre un véritable Noël blanc au pays du père Noël ! Un pays avec quatre saisons distinctes et des activités pour les accompagner. Mais attention, si vous aimez faire du ski alpin, ce n'est pas au Québec que vous aller trouver des montagnes hautes comme les Alpes. Il faut aller de l'autre côté du Canada pour cela, en Colombie-Britannique et en Alberta, vers les majestueuses Rocheuses.

De nombreux Québécois coupent l'hiver en prenant des vacances dans le sud, dans les îles. Le Mexique, Cuba et les Antilles sont des choix de prédilection pour oublier le froid. De nombreuses compagnies de voyages proposent des séjours très alléchants pendant les mois d'hiver. De nombreuses personnes âgées du Québec immigrent vers le sud, principalement la Floride, pendant les mois les plus froids de l'hiver, on les appelle les « snowbirds ». Mais pensez que s'il n'y avait pas d'hiver, le Québec ne serait pas aussi peu peuplé et surtout ne serait pas ce qu'il est.

Index

M

N

O

P

Q

R

S

Notes personnelles

L'EXPRESS EDITIONS

Directeur de collection : Stéphane Chabenat

L'ETUDIANT

Directeur de collection : Olivier Rollot.
Assistante : Isabelle Gruet.

Édition : Christine Aubrée (coordination éditoriale),
Séverine Maestri, Céline Manceau, Laurence Merland.

Secrétariat de rédaction/maquette :
Françoise Granjon (première secrétaire de rédaction), Christine Chadirac,
Nathalie Grisoni, Brigitte Ourlin, Juliette Sançois.

Visuel :
Directrice artistique : Evelyne Voillaume.
Conception graphique : Éliane Degoul.

Fabrication : Sabine Enders.

Diffusion : Emmanuelle Ould-Aoudia.

Communication :
Gilbert Azoulay (directeur), Delphine Cantat, Julie Guillemin.

© Prélude et Fugue 2003
17, rue de l'Arrivée, 75733 Paris cedex 15

Dépôt légal : octobre 2003

Imprimé en France par EUROPE MEDIA DUPLICATION S. A.
53110 Lassay-les-Châteaux – N° dossier : 11213

ISBN 2-84343-160-3

expo quebec ⇒ rue St Ambroix.
J. pierre Thimbrault
Art et mixe jusqu'au 31/03 _